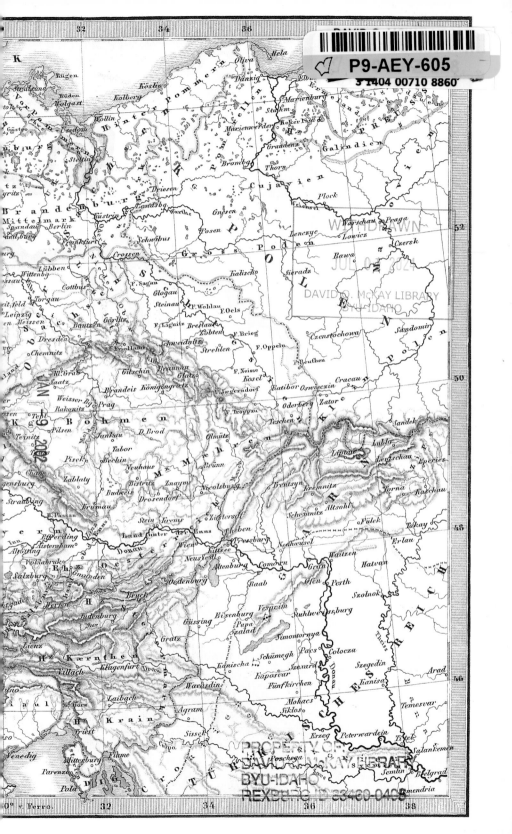

Hagen Schulze · Kleine deutsche Geschichte

Hagen Schulze   Kleine deutsche Geschichte

Mit Bildern aus dem
Deutschen Historischen Museum

Verlag C.H.Beck München

Mit 122 Abbildungen, davon 60 in Farbe

Die Deutsche Bibliothek – CIP-Einheitsaufnahme

Schulze, Hagen:
Kleine deutsche Geschichte: mit Bildern aus dem Deutschen
Historischen Museum / Hagen Schulze.- München : Beck, 1996
ISBN 3 406 40999 7

ISBN 3 406 40999 7

106.–110. Tausend der Gesamtauflage. 2002
© Verlag C.H.Beck oHG, München 1996
Gestaltung: Caroline Sieveking, München
Bildreproduktionen: PHG Lithos, Martinsried
Druck: Appl, Wemding
Bindung: Großbuchbinderei Monheim
Gedruckt auf säurefreiem, alterungsbeständigem Papier
(hergestellt aus chlorfrei gebleichtem Zellstoff)
Printed in Germany

www.beck.de

Inhalt

Vorwort

Was deutsche Geschichte sei, war für unsere Vorfahren keine Frage. Sie begann mit den Germanen und ihrem Kampf gegen Rom. Daß Hermann der Cherusker, der Sieger über die Legionen des Quinctilius Varus in der Schlacht im Teutoburger Wald im Jahr 9 n. Chr., ein deutscher Held war, duldete keinen Zweifel, und heute noch trägt das Schwert des Hermannsdenkmals bei Detmold in goldenen Lettern die Inschrift: «Deutschlands Einigkeit meine Stärke, meine Stärke Deutschlands Macht.» Von Hermann zog sich ein großer, klar gezeichneter Bogen bis in die Gegenwart: Da war der Gotenkönig Theoderich, der in Sagen und Märchen als Dietrich von Bern weiterlebt, dann Karl der Große, der die römische Kaiserkrone erwarb und das Reich der Römer zu einem deutschen machte. Es folgten die staufischen Kaiser Friedrich Barbarossa und dessen Enkel Friedrich II., die in rätselhafter Einheit im Kyffhäuser auf ihre Wiederkehr in Deutschlands größter Not warten. Darauf Martin Luther, die «deutsche Nachtigall», und Karl V., in dessen Reich die Sonne nicht unterging, Friedrich der Große und Maria Theresia, mit denen die Uneinigkeit der deutschen Stämme ihren tragischen Höhepunkt erreichte, der Freiherr vom Stein und Blücher, der «Marschall Vorwärts», und schließlich Bismarck, der «Eiserne Kanzler», Schmied des neuen Reichs der Deutschen, das in der direkten Nachfolge des Heiligen Römischen Reichs Deutscher Nation stand: Eine repräsentative Ahnengalerie deutscher Geschichte, auf die die Deutschen stolz waren.

Doch dann kam die «deutsche Katastrophe» (Friedrich Meinecke), Hitlerreich und Weltkrieg, und 1945 die Höllenfahrt des deutschen Nationalstaats. Der Schweizer Historiker Jacob Burckhardt hatte einst den «siegesdeutschen Anstrich» der deutschen Geschichte durch die deutsche Geschichtswissenschaft ironisiert – dieser Anstrich löste sich jetzt auf, und damit auch der sinnvolle Zusammenhang der deutschen Geschichte. Auf die goldene Legende vom geradlinigen Aufstieg des germanisch-deutschen Reichs folgte die schwarze Legende vom bösen, total verfehlten deutschen Sonderweg, dessen einzige Wahrheit in den Verbrechen des «Dritten Reichs» bestand, wenn man es nicht vorzog, Nationalgeschichte überhaupt für sinnlos zu halten oder mit Alfred Heuss den «Verlust der Geschichte» zu beklagen.

Eine Zeitlang war es für die Bewohner Westdeutschlands ein komfortabler Zustand, die Geschichte zu verdrängen, die Gegenwart mit ihren hohen industriellen Wachstumsraten und dem zunehmenden Massenwohlstand zu genießen und etwas erstaunt die übrige Welt zu betrachten, in der das Prinzip der nationalen Identität ungebrochen herrschte und seine politische Wirksamkeit Tag für Tag unter Beweis stellte. Die Deutschen, obwohl auf einem äußerst exponierten Posten der Weltpolitik beheimatet, schienen in allen ihren politischen Entscheidungen nur den einen Wunsch auszudrücken, keine Entscheidungen treffen zu müssen und in Ruhe gelassen zu werden. Die Menschen in der DDR dagegen waren einer vom Politbüro der SED aufgezwungenen, von Parteiideologen verfertigten und den jeweiligen politischen Veränderungen angepaßten Geschichtssicht ausgesetzt, die jeder Diskussion entzogen blieb.

Aber der Zustand bekömmlicher innerer Prosperität und seliger außenpolitischer Verantwortungslosigkeit änderte sich schlagartig, als die Mauer fiel und ein neuer deutscher Nationalstaat ins Leben trat, dessen pure Existenz Europa verändert und der deshalb seinen Bürgern und den übrigen Europäern erklären muß, als was er sich versteht. Um mitten in Europa eine Zukunft zu haben, müssen wir wissen, auf welcher Vergangenheit die deutsche Gegenwart beruht. Denn niemand kann anfangen, sondern immer nur anknüpfen. Das heißt, daß diejenigen, die glauben, völlig Neues zu tun, nicht wirklich wissen können, was sie tun.

Um uns selbst und unseren europäischen Nachbarn die «deutsche Frage» zu beantworten, müssen wir erklären, was Deutschland ist, was es sein kann und was es sein soll. Dazu müssen wir erneut die deutsche Geschichte erzählen. Und weil nicht jedermann die Zeit oder Geduld aufbringt, vielbändige Kompendien durchzuarbeiten, erzählen wir diesmal die deutsche Geschichte in aller Kürze, mit dem Blick auf das Wesentliche.

Auch eine kleine deutsche Geschichte gelingt nicht ohne Helfer. Ina Ulrike Paul, Uwe Puschner und meine Frau haben das Manuskript sorgfältig durchkorrigiert, Joachim Ehlers hat einen kritischen Blick auf das erste Kapitel geworfen, und Detlef Felken hat das Buch mit beträchtlichem Einsatz und kenntnisreich lektoriert. Die gelungene Gestaltung besorgte Caroline Sieveking. Von Christoph Stölzl, Direktor des Deutschen Historischen Museums in Berlin, stammt nicht nur das Bildmaterial, sondern überhaupt die Ermutigung zu diesem Buch. Ihnen allen herzlichen Dank.

I. Römisches Reich und deutsche Lande (bis 1400)

Nicht in den germanischen Urwäldern hat die deutsche Geschichte ihren Ursprung, sondern in Rom: Jenem außerordentlichen italischen Stadtstaat, dessen Herrschaftsraum sich schließlich um das gesamte Mittelmeerbecken erstreckte, der Europa bis zum Rhein, zum Limes und zur Donau beherrschte, dessen einheitliche und dennoch vielgestaltige Zivilisation für die Menschen der Antike eine klar umrissene Welt, eine Ökumene war. Nichts Höheres gab es, als römischer Bürger zu sein; der Apostel Paulus war darauf ebenso stolz wie der Cheruskerfürst Arminius, aller Differenzen mit Rom ungeachtet. Der Dichter Vergil, der mit seiner *Aeneis* den römischen Staatsmythos schuf, erklärte es zur Aufgabe Roms, die Welt zu regieren, dem Frieden Gesittung und Gesetz zu verschaffen, die Unterworfenen zu schonen und die Aufmüpfigen zu unterwerfen. Dieses *Imperium Romanum* ist für uns Heutige der «ferne Spiegel» (Barbara Tuchman), in dem sich alle Nationen Europas, ganz gewiß die deutsche, bis in die Gegenwart hinein wiedererkennen können. Grundlagen von Staat und Recht, städtische Lebensweise, Sprachen und Denkformen, Baukunst, Schrift und Buch, kurz, die Voraussetzungen unserer heutigen Lebenswelt sind ohne die Zivilisation Roms und ohne die damit verwobenen Kulturen des klassischen Griechenland und des hellenistischen Orient nicht denkbar.

So dauerhaft das «ewige Rom» erschien, so wandelbar war es. Im Verlauf des 4. Jahrhunderts n. Chr. erlebte es zwei tiefe Umwälzungen. Unter Konstantin dem Großen (306 – 337) wurde ein orientalischer Erlösungsglaube zur Staatsreligion, das Christentum. In derselben Epoche spaltete sich das Reich, dessen riesige Ausmaße von einem einzigen Ort aus nicht mehr beherrschbar waren, in ein lateinisch-römisches Westreich und ein griechisch-byzantinisches Ostreich. Die Spaltung des Reichs erfaßte auch die christliche Kirche; die byzantinische Orthodoxie wandte sich von dem lateinischen Christentum des Westens ab, die politische Teilung Europas durch die kirchliche

Die Schlacht im Teutoburger Walde, Kunstdruck, um 1903. Im Jahre 9 n. Chr. erlitt ein römisches Heer eine vernichtende Niederlage gegen verbündete germanische Stämme unter der Führung des Cheruskerfürsten Arminius. Die «Schlacht im Teutoburger Wald» – tatsächlich fand sie wohl in der Nähe von Osnabrück statt – gilt seither als historische Wende; tatsächlich unterblieb seitdem die Ausdehnung der römischen Herrschaft auf die Gebiete rechts des Rheins. Den einen, namentlich den nationalgesinnten Bürgern des 19. Jahrhunderts, galt diese Schlacht als Befreiung von Rom und als Beginn einer germanisch-deutschen Geschichte; Hermann, wie man Arminius später nannte, war in dieser Beleuchtung der erste deutsche Freiheitsheld. Andere – nicht nur westeuropäische – Betrachter sehen in diesem Ereignis den Fehlschlag der römischen Zivilisierung Mitteleuropas, den Beginn eines deutschen kulturellen und politischen Sonderwegs, der bis in die Gegenwart führt. Von deutscher Geschichte konnte allerdings noch lange keine Rede sein.

vertiefend: Das war der Ausgangspunkt der langdauernden politischen, kirchlichen und ideologischen Trennung des Abendlandes. Zwei deutlich voneinander unterschiedene Zivilisationen entstanden auf europäischem Boden, rieben sich aneinander, berührten sich immer wieder, ohne sich je dauerhaft zu durchdringen: Rom und Byzanz, die lateinische und die orthodoxe Christenheit, liberaler Westen und slawophiler Osten, schließlich die Kultur von Demokratie und Menschenrechten gegen bolschewistisches Sowjetsystem. Erst jetzt, vor unseren Augen, so scheint es, beginnt sich diese jahrtausendalte Kluft, die Europa trennt, einzuebnen – mag sein, daß wir das noch gar nicht wirklich verstanden haben.

Anders als das östliche Byzanz, das noch ein ganzes Jahrtausend glanzvoll bestehen blieb, nur allmählich dahinschwand und erst 1453 mit der Eroberung Konstantinopels durch die Türken fiel, dauerte das weströmische Reich nicht mehr lange. Es versank in den immer häufigeren Wellen der Barbaren aus dem ungestalten, nebligen Norden, die vor den Unbilden der Natur, den Folgen der Übervölkerung und vor anderen, nachdrängenden Völkern flohen und begehrten, sich im Römischen Reich niederzulassen und sich an seiner Verteidigung zu beteiligen. In Rom nannte man diese nordischen Barbaren Germanen – Caesar hatte den Namen von den Galliern übernommen, die damit jene wilden Völker gemeint hatten, die von jenseits des Rheins in Gallien einzudringen suchten, und Caesar hatte von dem Namen dieser Völkerschaften auch die Bezeichnung für das Gebiet jenseits des Rheins und der Donau abgeleitet: *Germania*. Germane war nicht viel mehr als die Herkunftsbezeichnung für einen, der aus den wenig bekannten Gebieten östlich des Rheins kam; über die ethnische und sprachliche Homogenität der Germanen streiten sich heute die Wissenschaftler. Jedenfalls eigneten sich die von Norden herandrängenden Scharen aufgrund ihrer kriegerischen Fähigkeiten vorzüglich zu militärischen Zwecken. Bald bestanden die Prätorianergarden der Caesaren vorzugsweise aus Germanen, und germanische Völker erhielten die Erlaubnis, innerhalb des Reiches in Grenznähe zu siedeln und das römische Bürgerrecht zu besitzen. Solcher Schutz schlug leicht in Bedrohung um, wenn der Beschützte, der Kaiser, die Institutionen und das Reich selbst schwach und von den barbarischen Kriegsexperten abhängig wurden. Germanische Heermeister und germanische Truppenteile entschieden immer häufiger über die Kaiser, bis schließlich der germanische Söldnerführer Odoaker 476 den letzten weströmischen Kaiser Romulus Augustulus absetzte und sich selbst vom Heer zum König ausrufen ließ.

Wieder ein Untergang, aber nicht das Ende des Römischen Reichs, sondern nur Beginn einer erneuten Verwandlung. Die germanischen Völker der Wanderungszeit – Goten und Langobarden in Italien, Westgoten in Spanien und Südfrankreich, Angelsachsen in Britannien, Burgunder und Franken in Gallien – suchten selbst Römer zu werden, indem sie sich in den leerstehenden Gehäusen des verfallenden Reichs einrichteten, die unendlich komplexe, verfeinerte römisch-vorderasiatische Zivilisation

Karl der Große, Glasmalerei im Straßburger Münster, um 1180. Auf goldenem, edelsteinbesetztem Thron erscheint Kaiser Karl der Große, Idealbild eines christlichen Herrschers mit Szepter und Reichsapfel, das gekrönte Haupt vom Heiligenschein umgeben. 1165 hatte Kaiser Friedrich Barbarossa Karl den Großen, den er als seinen Vorfahren ansah, heiligsprechen lassen, um seiner Familie den Thron zu sichern und gegenüber dem Papst die herausgehobene Stellung des Kaisertums zu betonen. Es war eine Zeit der königlichen Nationalheiligen in ganz Europa, aber während die heiligen Gründerkönige Ungarns, Böhmens, Norwegens und anderer Länder beträchtliche Wirkungen als nationale Integrationssymbole erzielten, blieb der Kult Karls des Großen auf das Rheinland beschränkt. Zudem machte das französische Königtum dem Reich die Traditionen Karls des Großen streitig und damit auch den Anspruch auf den Vorrang in der Christenheit.

der Spätantike den einfachen Kulturformen ihrer Herkunft anverwandelten: Die traditionellen römischen Verwaltungen wurden, wenn auch in vereinfachter Weise, übernommen, die germanischen Königtümer wurden römisch-monarchisch überformt, das römische Rechtswesen stand Pate bei der Umwandlung germanischen Gewohnheitsrechts in schriftlich fixierte Volksrechte. Im Westen war das römische Kaisertum verschwunden, aber keiner der germanischen Könige zweifelte daran, daß das Römische Reich fortdauerte.

Auch in anderer Hinsicht lebte Rom verändert weiter. Während die Stadt am Tiber verfiel, die Bevölkerung rapide abnahm, Viehherden auf dem Forum weideten und das städtische Leben erstarb, wandelte sich der

Bischof von Rom als Nachfolger des Apostelfürsten Petrus zum Papst und damit zum Oberhaupt der Kirche. Rom wurde nicht nur zum spirituellen Mittelpunkt der katholischen Christenheit, zu der sich nach und nach auch die Germanenvölker bekannten. In gewisser Hinsicht wuchs auch die Kirche in den Reichsaufbau hinein, in der kirchlichen Hierarchie überlebte die römische Reichsverwaltung: die Meßgewänder des katholischen Klerus von heute gehen auf die Amtstrachten der römischen Bürokratie zurück. Zudem verbürgte die lateinische Sprache als Sprache der Kirche, der Politik und der Literatur weiterhin die kulturelle Einheit des westlichen Europa; in den Klöstern beugten sich die Mönche nach wie vor über die Schriften Ciceros und Vergils. Das Römische Reich existierte weiter, in der Idee ebenso wie in abgemagerten Institutionen, vor allem auch in der triumphierenden Kirche.

Beides, Reichsidee und Kirche, erwies sich als so dauerhaft, daß mehr als dreihundert Jahre nach dem Sturz des Romulus Augustulus ein neuer Kaiser in der Stadt Rom erschien: Karl, König der Franken, der später «der Große» genannt werden sollte, der sich durch seine Siege über die Sachsen und die Langobarden zum mächtigsten Herrscher Westeuropas aufgeschwungen hatte und der seine Macht durch ein dauerhaftes Bündnis mit dem römischen Papst zu festigen suchte. Er bestätigte die Schenkungen, die sein Vater Pippin III. dem Papst gemacht hatte und die die Grundlage des späteren Kirchenstaats darstellten, und Papst Leo III. revanchierte sich, indem er am Weihnachtstag des Jahrs 800 Karl in der St. Peters-Basilika in Rom zum Kaiser krönte – die Porphyrplatte, auf der Karl kniete, ist noch heute in St. Peter zu finden. Karls Chronist Einhard berichtet, sein König sei, im Gebet vertieft, gegen seinen Willen gewissermaßen hinterrücks zum Kaiser gekrönt worden, und tatsächlich wußte Karl, daß sich daraus Konflikte mit dem einzigen legitimen Kaiser in der Christenheit, dem von Byzanz, ergeben mußten. Auf alle Fälle trat Karl in die Nachfolge Caesars und Konstantins ein, nannte sich *augustus imperator*, und sein Siegel trug fortan die Umschrift *Renovatio Imperii Romani*, Erneuerung des Römischen Reichs. Und das zu Recht; von jetzt an sollte es fast ununterbrochen tausend Jahre lang einen Römischen Kaiser geben. Der letzte, der Habsburger Franz II., legte erst 1806 Titel und Krone nieder, von der Öffentlichkeit kaum beachtet.

Der Vergleich zwischen dem antiken römischen Reich und dem Reich Karls des Großen lag insofern nahe, als Karl fast alle germanischen Königreiche und Herzogtümer Europas, mit Ausnahme der skandinavischen und der britischen, unter seiner Herrschaft vereint hatte. Das Reich dehnte sich von der Eider bis zum Tiber, von der Elbe bis zum Ebro, vom Ärmelkanal bis zum Plattensee aus. Karl der Große begann, politische und kirchliche Verwaltung, Verkehr und Kalenderrechnung, Kunst und Literatur und - als Grundlage für das alles – Schrift und Sprache zu reformieren, und zwar unter Rückgriff auf römische Zivilisationsreste. Er lud einen Angelsachsen, Alkuin von York, als Chefberater in Kulturangelegenheiten ein, dazu Gelehrte aus Italien und Spanien: Die karolingische

Renaissance fand ihre Anregungen allenthalben in Europa. Alle Anstrengungen dienten dazu, eine *aurea Roma iterum renovata* hervorzubringen, ein erneuertes goldenes Rom. Wir können heute die klassischen lateinischen Autoren großenteils nur wegen der Begeisterung und des Fleißes karolingischer Schreiber lesen, deren eigene, oft vorzügliche Gedichte in antikem Versmaß vier umfangreiche Bände der *Monumenta Germaniae Historica*, der großen Sammlung mittelalterlicher Quellen, füllen.

Im Westen des Frankenreichs, in Gallien und Italien, funktionierten noch Reste der alten römischen Verwaltung; die germanischen Siedlungslandschaften östlich des Rheins, die Gaue, aber auch Kirchspiele, Klöster und Bistümer, weltliche und geistliche Grundherrschaften bildeten ein grobmaschiges Verwaltungsnetz. Karl der Große richtete Verwaltungsbezirke ein, sogenannte *ducati*, an deren Spitze jeweils ein *dux* stand: kein Herzog, also Stammesführer, sondern ein hoher Beamter aus dem fränkischen Reichsadel, dessen Titel noch auf die Verwaltungsreform Konstantins des Großen zurückging. Karls Sendboten, die *missi dominici*, überwachten die Reichsverwaltung, und die fränkische Reichskirche, deren Bistümer von Karl besetzt wurden, bildete eine zusätzliche Klammer.

Dennoch, trotz aller Anstrengungen konnte dieses Reich nicht dauern. Auch ohne die Erbstreitigkeiten zwischen Karls Söhnen hätte das Reich zerfallen müssen; eine Weisung, die der Kaiser von Aachen nach Rom schickte, brauchte zwei Monate, um ihr Ziel zu erreichen. Die örtlichen und regionalen Amtsgewalten konnten, ja mußten die längste Zeit nach eigenem Ermessen handeln: Wie sollte man da das Reich zusammenhalten? Die drei Enkel Karls teilten es unter sich auf, Ludwig erhielt den östlichen, Karl den westlichen Teil, Lothar das Land in der Mitte, Lotharingien, das sich von der Mündung des Rheins bis nach Italien erstreckte und das Ludwig, als Lothars Geschlecht erlosch, im Jahr 870 seinem ostfränkischen Reich zuschlug. Damit war eine Grundkonstellation der weiteren europäischen Geschichte hergestellt: Der Kern des Kontinents war von nun an dauerhaft geteilt, die verschwisterten Reiche der West- und der Ostfranken trieben auseinander; aus ihnen sollten einmal Frankreich und Deutschland werden. Das Erbe Roms und Karls des Großen blieb ihnen gemeinsam, und gemeinsam blieb ihnen der Streit um die Ländereien des einstigen Zwischenreichs Lotharingien, der aus Frankreich und Deutschland für die nächsten zwölfhundert Jahre feindliche Brüder werden ließ.

Damit, so haben wir es in der Schule gelernt, beginnt die deutsche Geschichte. Da war der Sachsenherzog Heinrich, der einer treuherzigen Ballade des 19. Jahrhunderts zufolge damit beschäftigt war, Vögel zu fangen, als er von nicht näher bezeichneten Gesandten mit dem Ruf «Hoch lebe Kaiser Heinrich! – Hoch des Sachsenlandes Stern» gestört wurde...
Heinrich I. (919–936) ging, von Sachsen und Franken gewählt, als Begründer der sächsischen oder ottonischen Dynastie in die Geschichte ein, nicht allerdings als Kaiser; seine Königsherrschaft wurde nach Kompromissen und militärischen Drohungen von Schwaben und Bayern

Herrscherbild Kaiser Ottos III.,
Reichenau-Evangeliar, Ende
10. Jahrhundert.
«Translatio imperii», der Übergang der Reichsherrschaft von
den Kaisern der römischen
Antike auf Karl den Großen und
dessen ostfränkische Nachfolger,
wird eindrucksvoll illustriert:
Otto III. sitzt hoheitsvoll auf dem
kaiserlichen Thron, angetan mit
den Reichsinsignien; zwei Bischöfe und zwei Herzöge versinnbild-
lichen Reichsadel und Reichskirche. Demütig nähern sich vier
Frauen, um dem Kaiser zu huldi-
gen; nach spätantikem Vorbild
verkörpern sie die Länder, die der
kaiserlichen Herrschaft unterwor-
fen sind: Roma, Gallia, Germania
und Sclavinia, also das Slawen-
land.

akzeptiert, auf Lothringer, Böhmen und Elbslawen ausgeweitet und von
den westfränkischen Karolingern bestätigt. Die einmütige Wahl von
Heinrichs Sohn Otto (936-973) zum König befestigte die Dauerhaftigkeit des ostfränkischen Reichs, das auch in der Zukunft nicht mehr, wie
zuvor das Erbe Karls des Großen, durch Erbstreitigkeiten und Erbteilun-
gen gefährdet war. Otto I. besiegte 955 die Ungarn auf dem Lechfeld und
hieß seitdem «der Große». Sieben Jahre darauf ließ er sich in Rom von
Papst Johannes XII. zum römischen Kaiser krönen und erneuerte die kaiserliche Schutzhoheit über Rom; er erwirkte die Anerkennung seines
Kaisertums durch Byzanz und verheiratete seinen Sohn und Nachfolger,
den künftigen Otto II. (961-983), mit einer byzantinischen Prinzessin.
Königtum und Kaiserkrone waren von jetzt an fast immer miteinander
verbunden. Sein Enkel Otto III. (983-1002) griff in der Tradition Karls
des Großen die Idee einer Erneuerung des römischen Reichs auf – er
starb mit einundzwanzig Jahren in der Nähe Roms und wurde in Aachen
beigesetzt.

Papst, Kaiser und Rom,
Fresko in SS. Quattro Coronati,
Rom, um 1250.
Rom war die Mitte des abendländischen Christentums; von hier
leitete sich die Macht des Kaisers
wie die des Papstes ab. Wo aber
der Kaiser seinen Anspruch notfalls mit dem Schwert vertreten
konnte, da blieb dem Papst nur
die Berufung auf altes Recht; und
es war im Mittelalter nicht unüblich, etwas nachzuhelfen,
wenn man sich seines Rechtes
sicher war. So auch im Fall der
«Konstantinischen Schenkung»,
einer Urkunde Kaiser Konstantins
des Großen, in der dieser dem
Papst die Herrschaft über Rom
und das römische Westreich
übertrug. Das war die entscheidende juristische Grundlage für
den päpstlichen Anspruch auf
den Vorrang vor dem Kaiser, wie
er auf diesem Fresko aus dem
13. Jahrhundert erkennbar wird:
Der Kaiser führt das Pferd des
Papstes am Zügel, eine formalisierte Geste der Unterwerfung.
Erst im 15. Jahrhundert wiesen
gelehrte Humanisten nach, was
die Kaiser seit Otto III. behauptet
hatten: daß die Schenkung Konstantins eine Fälschung war.

Das Jahrhundert der salischen Kaiser (1024–1125) erscheint uns vor allem als das Jahrhundert, in dem die dramatische Auseinandersetzung zwischen Kaiser- und Papsttum ihren Anfang nahm. Bis in das 11. Jahrhundert hinein hatten Kaiser und Könige Europas das Recht für sich in Anspruch genommen, kirchliche Ämter nach eigenem Gutdünken zu besetzen. Im Zuge einer Reformbewegung, die im 10. Jahrhundert von der burgundischen Benediktinerabtei Cluny ausging, setzte sich jedoch auf kirchlicher Seite die Auffassung durch, daß es Aufgabe der Kirche sei, zwischen der Vollkommenheit Gottes und der Unvollkommenheit weltlicher Herrschaft zu vermitteln, woraus sich ein höheres göttliches Recht der Kirche gegenüber den weltlichen Herrschern ergebe. Deshalb müßten alle weltlichen Einflüsse auf die Besetzung der kirchlichen Ämter ausgeschaltet werden. Nun war seit Otto dem Großen die Kirche eine Stütze des Reiches geworden, und die ottonischen und salischen Kaiser hatten deshalb starken Einfluß auf die Papstwahlen und die Verwaltung des Kirchenstaats genommen. So kam es seit 1075 zwischen Papst und Kaiser zum Konflikt. Papst Gregor VII. (1073–1085) erließ an König Heinrich IV. ein förmliches Verbot der Investitur von Bischöfen und Äbten, was Heinrich IV. mit demonstrativer Nichtbeachtung und Absetzung des Papstes beantwortete.

Der Streit eskalierte und reichte weit über die beiden Personen und ihre Lebensdauer hinaus – es ging letzten Endes um die Ordnung der Welt und um die Frage, in welchem Verhältnis geistliche und weltliche Macht, *sacerdotium* und *regnum*, zueinander stehen sollten. Nach langen, wechselvollen Auseinandersetzungen, aus denen schließlich Kaiser wie Papst als Verlierer hervorgehen sollten, traten Kirche und Staat auseinander. Damit ergab sich eine entscheidende Voraussetzung für die moderne europäische Staatengeschichte und für die Herausbildung zweier Freiheitsprinzipien, die für die weitere Entwicklung der politischen Kultur Europas grundlegend sein sollten: einerseits die Freiheit des Glaubens von staatlicher Zwangsgewalt, andererseits die Freiheit der Politik von kirchlicher Gängelung.

Gipfel und Niedergang mittelalterlicher deutscher Kaiserherrlichkeit, so will es unsere geläufige Geschichtssicht, ist mit der Dynastie der Staufer (1152–1254) verbunden. Friedrich I. (1152–1190), von den italienischen Zeitgenossen wegen seines rötlich blonden Bartes «Barbarossa», Rotbart, genannt, ist in seiner Epoche wie auch im Gedächtnis späterer

Zeiten der volkstümlichste mittelalterliche Kaiser gewesen. Der Glanz seiner Hoftage, seine Heirat mit Beatrix von Burgund, die wechselvollen Italienzüge, der Triumph über den rebellischen Herausforderer Heinrich den Löwen, schließlich sein merkwürdiger und als weihevoll empfundener Tod in Kleinasien während des dritten Kreuzzugs: Das alles war der Boden, aus dem Mythen wuchsen. Kein anderer Kaiser hat die Erinnerung und die Phantasie späterer Generationen so bewegt wie dieser, bis hin zu der Sage vom schlafenden Barbarossa im Kyffhäuser:

«Er hat hinabgenommen
Des Reiches Herrlichkeit,
Und wird einst wiederkommen
Mit ihr zu seiner Zeit»,

Sinnbild der schweifenden nationalen Sehnsüchte des frühen 19. Jahrhunderts, dem ein erneuertes, mehr romantisch erträumtes als wirkliches staufisches Reich als Erfüllung der deutschen Zukunft galt. Ursprünglich meinte die Sage vom Kaiser im Berg aber Barbarossas Enkel, den glanzvollen und merkwürdig fremden Staufer Friedrich II. (1212–1250), der von seiner Mutter Konstanze das Normannenreich Sizilien geerbt hatte und dort eine Herrschaft entfaltete, die auf römischen, byzantinischen,

normannischen und arabischen Grundlagen ruhte und nicht weniger als
den grandiosen, noch ganz unzeitgemäßen Versuch darstellte, einen völlig rational durchorganisierten Staat aus einem einzigen Willen wie auf
dem Reißbrett zu entwerfen – einen Staat als Kunstwerk, der allerdings
mit dem Tod des Kaisers sein Ende fand. Friedrich, ein verfrühter Re-
naissancefürst in gewaltigem Format, wollte neuer Konstantin und Brin-
ger des goldenen Friedensreiches sein. Er entzückte und entsetzte seine
Zeitgenossen; seine unausweichliche Gegnerschaft zum Papsttum mündete in einen Macht- und Propagandakrieg, wie ihn die Christenheit
noch nicht erlebt hatte. Die kaiserliche Propaganda schilderte ihn als letzten Kaiser der Weltgeschichte mit messianischen Zügen, die päpstliche
Reaktion ließ ihn als das Untier der Apokalypse, als Antichrist, erscheinen. Nach seinem Tod 1250 verbannte ihn die kirchliche Legende in den
teuflischen, feuerspeienden Ätna, während die spätmittelalterliche Sehn-
sucht nach der Erscheinung des Friedenskaisers, der am Ende der Zeiten
steht, Friedrich II., «Wunder und Wandler der Welt», in den Kyffhäuser

versetzte, wo er im Laufe der Jahrhunderte mit Barbarossa verschmolz.

Mit dem Tod Friedrichs II. endete des staufischen Reiches Herrlichkeit. Der Papst belehnte den französischen Königsbruder Karl von Anjou mit der Herrschaft Siziliens. Friedrichs Sohn Konrad IV. (1237–1254) starb vier Jahre danach in Italien, ohne die Kaiserkrönung erlangt zu haben, und dessen Sohn Konradin (1252–1268), der nach Italien zog, um sein sizilianisches Erbe zu beanspruchen, wurde in der Schlacht bei Tagliacozzo von Karl von Anjou besiegt, gefangengenommen und mit ganzen sechzehn Jahren in Neapel hingerichtet. Damit begann das Interregnum (1254–1273), «die kaiserlose, die schreckliche Zeit», in der die Schwäche der Reichszentralgewalt rapide zunahm, bis sich mit der Wahl Rudolf von Habsburgs (1273–1291) die königliche Gewalt wieder halbwegs konsolidierte. Es folgt eine Epoche, in der das innere Gefüge des Reichs sich lockert, ohne daß der Bestand des Reichs erheblich beeinträchtigt wurde. Kennzeichnend für diese Zeit waren die verhältnismäßig offenen Königswahlen, durch die in bunter Reihenfolge Herrscher aus den Häusern Habsburg, Nassau, Wittelsbach und Luxemburg den deutschen Thron bestiegen und seit Heinrich VII. von Luxemburg (1308–1313) auch wieder die Kaiserkrönung erlangten. Wir wollen hier einhalten und einen Blick auf den bislang abgeschrittenen Zeitraum werfen, der uns in den Schulbüchern in der Regel als die Epoche des mittelalterlichen deutschen Kaisertums entgegentrat.

Wie deutsch waren die Könige und Kaiser seit Heinrich I. und Otto dem Großen wirklich? Das Wort Deutschland gab es noch lange nicht – es entstand erst im 15. Jahrhundert und brauchte noch etwa weitere hundert Jahre, um sich durchzusetzen. Die Menschen, die östlich des Rheins lebten, wußten jahrhundertelang nichts davon, Deutsche zu sein. Das lag daran, daß es, anders als beispielsweise im Fall der Franken oder dem der Angelsachsen, ein «deutsches» Volk nicht gab. Es gab vielmehr östlich des Rheins seit dem Zerfall des karolingischen Reichs im Verlauf des 9. Jahrhunderts eine Anzahl von Herzogtümern – Thüringer, Bayern, Alemannen, Sachsen –, die keineswegs auf die Völker der Wanderungszeit zurückgeführt werden können, sondern die aus den Verwaltungsbezirken des Reichs Karls des Großen hervorgingen. Nicht «deutsche Stämme», sondern eine fränkisch geprägte Aristokratie bildete den politischen Zusammenhalt des Gebiets östlich des Rheins, das seit römischen Zeiten als *Germania* bezeichnet wurde. Diese Schicht von Aristokraten akzeptierte seit 833 die Herrschaft des Kaisersohns Ludwig im ostfränkischen Reich, der damit *rex Germaniae*, König der östlich des Rheins gelegenen Länder, wurde und eben nicht «Ludwig der Deutsche», wie national denkende Historiker ihn seit dem 19. Jahrhundert genannt haben.

Bis weit in das 11. Jahrhundert hinein sollte sich dieses Reich, das da östlich des Rheins entstanden war, als fränkisches Reich verstehen, seine Traditionen also in den fränkischen Überlieferungen über die Karolinger und Merowinger zurück nach Rom und bis Troja verfolgen, nicht anders, als dies auch für den westfränkischen Reichsteil galt. Die Könige dieses Ostfrankenreichs vermieden jede nähere ethnische Bestimmung ihres Königstitels, nannten sich also lediglich *rex* und nicht etwa *rex Francorum* und schon gar nicht *rex Teutonicorum*, also König der Deutschen. Nachdem 919 mit Heinrich I. die sächsische Dynastie die Königskrone erworben hatte, traten Sachsen für mehr als hundert Jahre in den Vordergrund und an die Stelle der Franken. Für den Mönch Widukind von Corvey (etwa 925–973), der eine Geschichte der Sachsen, vor allem zur Zeit Ottos I., verfaßte, war das Reich *omnis Francia Saxoniaque*, bestand also aus dem Franken- und dem Sachsenland; von Deutschland wußte er nichts.

Dies um so weniger, als 962 mit der Kaiserkrönung Ottos I. durch Papst Johannes XII. das ottonisch-sächsische Königshaus in die Tradition Karls des Großen und damit des Römischen Reichs aufstieg und damit die höchste Legitimation besaß, die das Mittelalter in weltlichen Dingen überhaupt kannte. Das Römische Reich, das wußte man seit dem heiligen Augustinus, besaß einen festen Platz in der Weltgeschichte, die zugleich Heilsgeschichte war; es war die letzte große Weltmonarchie. Das römische Kaisertum war seiner Idee nach eine universale, auf die Weltherrschaft gerichtete Macht, die unmittelbar von Gott kam; deshalb war in den kaiserlichen Urkunden seit 1157 stets vom «Heiligen Römischen Reich» die Rede. Das waren Perspektiven, die weit über den ostfränkischen, später deutschen Königstitel hinausgingen; das Reich integrierte sich daher römisch, nicht deutsch.

Das Wort «deutsch» kommt von *thiutisk* oder lat. *theodiscus*, ein Begriff, der einfach «volkssprachlich» bedeutete. Gemeint war damit keineswegs eine bestimmte, einheitliche Sprache, sondern jede Volkssprache, die sich vom gelehrten Latein der Kirche wie von den romanischen und slawischen Sprachen Europas unterschied: etwa Alemannisch, Alt-Sächsisch, Bayerisch oder Ostfränkisch. Das erste Mal hören wir von *theodiscus* in dem Bericht eines karolingischen Bischofs an den Papst über eine Synode, die 786 im britannischen Mercia stattgefunden hat. Bei dieser Gelegenheit seien die voraufgegangenen Synodalbeschlüsse «sowohl in lateinischer als auch in der Volkssprache *(theodisce)*» verlesen worden, «die alle verstehen konnten» – in diesem Fall also Alt-Angelsächsisch. Einige Volkssprachen erreichten literarische Höhen – das heute sogenannte «Alt-Hochdeutsch» ging hauptsächlich aus dem rheinfränkischen Dialekt hervor, der am Hof der Karolinger gesprochen wurde, verschwand aber wieder im Laufe des 10. Jahrhunderts, als die Herrschaft in der *Germania* auf die sächsischen Ottonen übergegangen war. Die mittelhochdeutsche

Dichtung des Hochmittelalters, also etwa seit 1150, beruhte dagegen auf unterschiedlichen Dialektgrundlagen, unter denen das Limburgisch-Rheinische wie auch das Alemannische besonders erfolgreich waren. Ein eigentliches Deutsch im Sinne einer überregionalen Verkehrssprache östlich des Rheins gab es jedoch nicht. Wenn ein Sachse sich mit einem Alemannen unterhalten wollte und kein Latein sprechen konnte, mußte er sich noch lange Zeit des Westfränkischen bedienen, der *lingua franca* West- und Mitteleuropas, aus dem dann später das Französische entstand.

Das Wort *thiutisk* oder dessen lateinische Version *theodiscus* findet sich aber einstweilen noch selten in den Quellen; seine mittelhochdeutsche Variante *diutsch* taucht gegen 1080 in dem in Siegburg entstandenen Annolied auf, in dem von den *diutsche lant*, also den deutschen Landen, die Rede ist: kein einheitliches Land, sondern die Länder der Schwaben, der Bayern, der Sachsen und der Franken, deren Gemeinsamkeit darin bestand, daß in ihnen ähnliche Volkssprachen herrschten. «Deutsch» war und blieb sehr lange noch ein reiner Sprachbegriff.

Auch die seit Mitte des 9. Jahrhunderts gebrauchte lateinische Übersetzung *teutonicus* führt fehl. Tatsächlich gab es keine Verbindung zu jenen germanischen Teutonen, die 102 v. Chr. bei Aquae Sextiae von den Römern unter Marius vernichtend geschlagen worden waren, worauf sie aus der Geschichte verschwanden. Allerdings hatte der Schrecken dieser ersten Germaneneinfälle in Norditalien überdauert, und den Italienern lag es nahe, die Leute, die aus der *Germania* kamen und behaupteten, die römische Kaiserwürde sei auf einen der Ihren übergegangen, als Teutonen zu bezeichnen – Herablassung und Spott ob deren plumper, barbarischer Erscheinung schwang darin mit. So flossen *thiutisk* und *teutonicus* in eins und begannen, sich ins Politische zu wandeln, als Papst Gregor VII. im Jahr 1076, auf dem Höhepunkt des Investiturstreits, von dem künftigen Kaiser Heinrich IV. als einem *rex Teutonicorum* redete: Der Kaiser sollte, hieß das, seines heilsgeschichtlichen Rangs entkleidet und auf die Ebene eines gewöhnlichen christlichen Königs wie dem der Ungarn oder der Dänen herabgestuft werden. Das Wort *teutonicus* besaß also ursprünglich unfreundliche Untertöne; Italiener, Franzosen und Engländer benutzten es, wenn sie Spott und Ablehnung gegenüber den Menschen aus der *Germania* und deren Herrschern ausdrücken wollten, wie 1160 jener Johann von Salisbury, Bischof von Chartres, den Barbarossas Versuch ärgerte, einen Papst wählen zu lassen, der nicht die englische und französische Unterstützung besaß: «Wer hat die Deutschen zu Richtern der Nationen bestellt? Wer hat diesen rohen und gewalttätigen Menschen jene Vollmacht gegeben, nach ihrem Belieben einen Fürsten zu setzen über die Häupter der Menschenkinder?»

Das Reich hieß weiterhin Römisches, seit 1157 Heiliges Römisches Reich, doch *thiutisk / teutonicus* kam allmählich in Gebrauch. Denn da das ostfränkische Königreich, an dessen Spitze sich der römische Kaiser in seiner Eigenschaft als ostfränkischer König befand, oberhalb des Konglomerats von Stämmen stand, benötigte es auch einen Namen. 21

Die Bezeichnung «Franken» hatte sich bereits bei dem westlichen Nachbarn eingebürgert, und gegen den wünschte man sich ebenso zu unterscheiden wie gegen das «welsche» Italien und die römische Kurie. So wuchsen im Laufe des 11. und 12. Jahrhunderts *regnum* und *teutonicum* allmählich zusammen. Die deutsche Nation war und blieb aber eine undeutliche Angelegenheit, weil es nach dem Untergang der Staufer jahrhundertelang keiner Dynastie gelang, sich die deutsche Königskrone dauerhaft zu sichern. Anders als im Fall Englands, Frankreichs oder Dänemarks, wo die Dynastien im Verlauf des 13. Jahrhunderts starke Kristallisationskerne für die Entwicklung nationsbildender Kräfte darstellten, blieb die deutsche Königskrone schwach; die deutsche Nation stand im Schatten des starken, mythenmächtigen Reiches, und auch die politischen Symbole waren dem Reich zugeordnet, nicht dem Königtum: die Heilige Lanze, die Reichskrone, der Reichsthron Karls des Großen im Aachener Dom. In seiner 1927 erschienenen Biographie des staufischen Kaisers Friedrich II. (1196–1250) hat der Historiker Ernst Kantorowicz noch für das 13. Jahrhundert festgestellt: «In solchem Aufglühen des äußersten Stolzes (z. B. beim Aufbruch zur Romfahrt) fühlten alle, die Sachsen und Franken, Schwaben und Bayern, das Gemeinsame nicht als das Deutsche, sondern wußten sich dem Römertum nahe als Erben des Cäsarenreiches, wähnten sich selbst gar als Sprossen der Troer und nannten sich geradezu Römer.» Nur langsam gewöhnten sich die Deutschen daran, Deutsche genannt zu werden, und nannten sich schließlich selbst so, ohne freilich besonders darauf zu achten.

Mit einer Geschichte des deutschen Mittelalters, der deutschen Kaiserherrlichkeit haben wir es also nicht zu tun, auch nicht mit dem Beginn einer Geschichte der Deutschen, denn die wußten noch nichts von ihrem Deutschsein. Es geht vielmehr um deutsche Vorgeschichte, um einen Prolog, in dem über die Hauptdarsteller noch Unklarheit herrscht, den man aber doch kennen muß, weil ohne ihn der weitere Ablauf des Schauspiels unverständlich wäre. Denn in vielfacher Verwandlung sollte das Heilige Römische Reich bis an die Schwelle der Moderne überdauern und zudem in Bismarcks Deutschem Reich von 1871, das 1945 unterging, ein sonderbares, gebrochenes Echo finden. Der Siedlungsraum der Deutschen, die geographische Position Deutschlands, entscheidende Grundzüge der deutschen Verfassung, die sprachlichen Voraussetzungen der deutschen Kultur: Alles das entfaltete sich in jener Zeit, die uns als Mittelalter geläufig ist und in der von Deutschland und den Deutschen noch wenig zu finden war.

Der ostfränkische König, der im Laufe des 11. und 12. Jahrhunderts immer häufiger deutscher König heißen sollte, herrschte über die Siedlungsgebiete der Mainfranken, Sachsen, Friesen, Thüringer, Bayern, Schwaben und darüber hinaus westlich des Rheins über Lothringer und Burgunder, die großenteils keine germanischen, sondern romanische Sprachen hatten. Vom 10. Jahrhundert an weitete sich dieser Herrschaftsraum über die Elbe hinaus ostwärts aus – diese Expansion, gemeinhin als

Ostkolonisation bezeichnet, hatte weitreichende Folgen. In Konkurrenz zu Dänemark, Polen und Böhmen ordnete sich das Reich seit dem 10. Jahrhundert im Laufe eines Vierteljahrtausends die kleineren westslawischen Herrschafts- und Stammesbildungen zwischen Ostsee und Ostalpen unter – zunächst politisch und kirchlich, später durch den Zustrom von Siedlern aus dem Rheinland, aus Flandern und Thüringen auch sprachlich und kulturell. Während jedoch die Gebiete westlich des Rheins, bis auf einen schmalen deutschsprachigen Gürtel entlang des Stroms, ihre Bindung an die romanische Sprachenwelt beibehielten, führte die allmähliche Vermischung des slawischen und des deutschen Elements östlich der Elbe dazu, daß die slawischen Bevölkerungsgruppen assimiliert und Bestandteile neuer deutscher Stämme und Sprachzonen wurden, sieht man von kleinen slawischen Sprachinseln in der Lausitz und in Kärnten ab. Die heutigen Deutschen wie auch die heutigen Österreicher haben deshalb neben germanischen und keltischen auch slawische Vorfahren: In den Deutschen kreuzen sich Nord- und Südeuropa wie auch West- und Osteuropa; sie bilden eine Mischung aus den meisten europäischen Volksgruppen des Altertums und des Mittelalters, entsprechend ihrem Lebensraum in der Mitte Europas.

Das Gemeinwesen, das sich in der Mitte des Kontinents entfaltete, war vorerst nur unklar definiert. Das Heilige Römische Reich, beruhend auf dem deutschen, dem burgundischen, dem langobardisch-italienischen und dem böhmischen Königreich, war das gesamte Mittelalter hindurch noch weit von dem entfernt, was wir heute einen Staat nennen. Ein mittelalterlicher Herrscher hatte nur zu relativ wenigen Menschen direkte politische Beziehungen. Seine Macht beruhte auf dem Grundbesitz, den er und seine Verwandtschaft besaßen, und darauf, daß andere Grundbesitzer ihn als den Mächtigsten anerkannten und bereit waren, sich ihm unterzuordnen. Daraus entwickelten sich persönliche Beziehungen, die vertraglich gefestigt wurden: Mit dem Lehnseid schwor der Lehnsherr seinem Lehnsmann Schutz zu, während der Lehnsmann, der Vasall, Gefolgschaft versprach. Im Laufe der Zeit wurde es üblich, daß der Lehnsherr mit diesem Eid dem Vasallen Herrschaftsrechte übertrug, also Land oder auch Ämter. Der Vasall konnte seinerseits Lehnsherr sein, von den ihm übertragenen Herrschaftsbefugnissen Unterlehen ausgeben: ein feingegliedertes, kompliziertes System von rechtlichen, rein persönlichen Bindungen. Auf dem Lehnswesen beruhte im größten Teil Europas alle Herrschaft: Nicht Staaten auf territorialer Basis kannte das mittelalterliche Europa, sondern Personenverbände auf der Grundlage des persönlichen Lehnseids. Staaten, wie wir sie kennen, sind auf Dauer angelegt, überpersönlich und an Institutionen gebunden; der mittelalterliche Personenverband dagegen war zeitlich begrenzt, fand sein Ende beim Tod von Lehnsherr oder Vasall und mußte deshalb immer wieder neu begründet werden.

Wie eine solche Lehnsbeziehung aussehen konnte, zeigte sich beispielsweise am Fall Heinrichs des Löwen (1129 - 1195). Der welfische Herzog, obwohl Lehnsmann des Königs und Kaisers Friedrich I., genannt Barbarossa (1152–1190), übte in seinen großen Herrschaftsgebieten Sachsen und Bayern fast königsgleiche Macht aus und verweigerte dem Kaiser 1176 sogar die Heerfolge gegen die langobardischen Städte. In einem feierlichen lehensrechtlichen Prozeß wurden Heinrich dem Löwen daraufhin 1180 auf dem Hoftag von Würzburg von den Reichsfürsten unter Vorsitz des Kaisers die sächsischen und bayerischen Lehen aberkannt, während sein Familienerbe um Braunschweig und Lüneburg herum nicht angetastet wurde – deshalb bestand das Herzogtum und spätere Königreich Hannover bis 1866, das Land Braunschweig sogar bis 1946 fort.

Bezeichnenderweise jedoch vermied es Barbarossa, die Reichslehen, die Heinrich bisher innegehabt hatte, dem Reichsgut zuzuschlagen und damit die staufische Hausmacht entscheidend zu stärken. Die Könige von England und Frankreich haben in vergleichsweisen Fällen erledigtes Lehnsgut in aller Regel eingezogen; der Beginn moderner Staatlichkeit in Westeuropa hing mit der Erweiterung und Konsolidierung königlichen Besitzes unmittelbar zusammen. Barbarossa hat dies nicht getan, sondern hat mit den freigewordenen Lehen andere Reichsfürsten belehnt, weil er sogar jetzt, auf dem Höhepunkt seiner Macht, ohne die Unterstützung der Reichsfürsten seine Herrschaft nicht hätte ausüben können. Möglicherweise hat Barbarossa, wie manche Historiker gemeint haben, mit diesem Verzicht auf territoriale Hausmacht eine entscheidende historische Weiche gestellt, mit der die deutsche Geschichte sich in einem wesentlichen Aspekt von der westeuropäischen Entwicklung abgekoppelt hat – vermutlich hatte er allerdings keine Wahl. Der Kaiser war zu schwach, als daß er gegen die Mächtigen im Reich hätte regieren können.

Der Versuch der Staufer, die kaiserliche Machtstellung gegenüber den Fürsten und dem Adel des Reichs zu konsolidieren, scheiterte also. Schon die schiere Ausdehnung des Reichs widerstand einheitlicher Herrschaft; zudem schwächten Barbarossas Ende auf dem Kreuzzug 1190, der frühe Tod Kaiser Heinrichs VI. im Jahr 1198 und die Konzentration seines Sohns Friedrich II. auf Italien die kaiserliche Macht. Der lange Streit mit dem Papsttum, der Kräfteverschleiß durch die Italienzüge, die Vielzahl der Gegengewalten, auch die im Vergleich zu Westeuropa langsamere kulturelle Entwicklung: Alles das führte dazu, daß das Reich seinen überkommenen altertümlichen Charakter behielt. Während die westlichen Nachbarn über ein relativ klar definiertes Territorium verfügten, aber auch über Zentren, die zugleich Haupt- und Residenzstadt, wirtschaftlicher und kultureller Mittelpunkt waren, blieben die Grenzen des Reichs undeutlich, und eine dauerhafte Hauptstadt, vergleichbar mit London oder Paris, hat das Reich bis zu seinem Ende im Jahr 1806 nie gehabt. Anstelle einer zentralen Reichsgewalt traten die territorialen Herrschaften in den Vordergrund: die Landesherrschaften der hochadligen Familien, die Reichsstädte, in Italien die autonomen Stadtherrschaften, die sich zunehmend vom Reich entfernten.

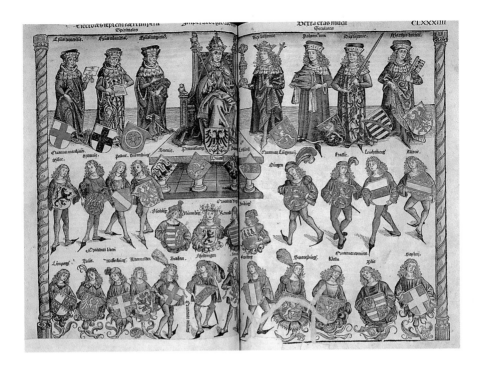

So entstanden in der Mitte Europas zwei politische Ebenen zugleich: einmal das Reich selbst, dessen Oberhaupt, der Kaiser, eher symbolische als tatsächliche Macht ausübte, während ihm gegenüber die Reichsstände eine frühzeitig befestigte Stellung einnahmen: die geistlichen und weltlichen Reichsfürsten, unter denen seit dem 13. Jahrhundert die Kurfürsten als alleinige Königswähler eine besondere Stellung einnahmen, weiterhin die reichsunmittelbaren Städte sowie die reichsunmittelbaren Grafen und Ritter. Sie versammelten sich auf Reichshoftagen – seit dem 12. Jahrhundert hatte sich der Grundsatz durchgesetzt, daß der Kaiser in allen wichtigen Reichsangelegenheiten der Zustimmung der Reichsstände bedurfte. Aus den Hoftagen entstand der Reichstag, der sich bis zum 15. Jahrhundert zu einer festen, geregelten Institution entwickelte, die einen bedeutenden Anteil an der Reichspolitik besaß. Man mag sich fragen, weshalb dieses schwache Gebilde, dessen Oberhaupt stets von der Wahl und der Unterstützung durch die Kurfürsten und die Stände abhing, in der Mitte Europas bis zum Beginn des 19. Jahrhunderts ungeteilt überleben konnte. Die Antwort ist kompliziert, die Gründe reichen von der Herausbildung einer europäischen Staatengemeinschaft, die die schwache, in sich zersplitterte Mitte Europas als Feld des Interessenausgleichs und als Kriegstheater benötigte, bis zur rechtsbildenden und befriedenden Kraft, die gerade ein schwaches Reichsoberhaupt besaß. Ein

Die Hierarchie des Heiligen Römischen Reichs, Schedelsche Weltchronik, Hartmann Schedel, Nürnberg 1493.
Das Reich als Körper: Der Kaiser ist das Haupt, flankiert von den sieben Kurfürsten, während die Stände, jeweils von vier Vertretern (Quaternionen) repräsentiert, die Glieder bilden.

25

Hansische Schiffe des 15. Jahrhunderts, Buchminiatur aus einer Handschrift des Hamburger Stadtrechts aus dem Jahre 1487. Die Hanse, ursprünglich eine Kaufmannsvereinigung, entwickelte sich seit dem 13. Jahrhundert zu einem machtvollen Bündnis von ungefähr hundert meist norddeutschen Handelsstädten, an ihrer Spitze Lübeck, Hamburg und Köln. Sie beherrschte den Handel im Ostseeraum und verfügte vom russischen Nowgorod bis London, von Venedig bis zum norwegischen Bergen über große Umschlagplätze. Es ging hauptsächlich um Handel auf dem Seeweg, denn nur dann lohnte sich der Transport von Massengütern, etwa Getreide, gesalzenen Fischen, Hölzern oder auch Bausteinen. Der bauchige Rumpf der Hanskoggen faßte beträchtliche Gütermengen, und ihre großen Segelflächen und tiefgezogenen Kiele sorgten für höhere Geschwindigkeiten als bisher. Den Höhepunkt ihrer Macht erreichte die Hanse 1370 mit dem Frieden von Stralsund, in dem sie dem dänischen König die Handelsbedingungen in der westlichen Ostsee diktierte. Mit dem Aufstieg territorialstaatlicher Macht und den Verlagerungen der Handelswege verlor die Hanse allmählich an Bedeutung und löste sich schließlich während des Dreißigjährigen Krieges auf.

weiterer Grund für das überraschend lange Überleben des Reichs bestand aber auch in dem Prinzip der Königswahl. Die Hocharistokratie war deshalb langfristig auf ein freies Zusammenwirken und auf das König- und Kaisertum ausgerichtet. Jede Königswahl war ein erneuertes Votum für das Reich, und deswegen waren gerade die Königswähler Garanten für dessen Zusammenhalt und Dauerhaftigkeit.

Andererseits waren da die Territorialstaaten, aus denen sich das Reich zusammensetzte und auf die immer mehr Macht und Selbständigkeit überging, eine fast zoologische Fülle von Kurfürstentümern, Herzogtümern, Fürstentümern, Bistümern, Grafschaften, Reichsstädten, Abteien und Balleien. Auch in ihnen herrschte der Grundsatz der Doppelmacht: Dem jeweiligen Fürsten gegenüber standen die Landtage, in denen die Stände des Landes vertreten waren und die angesichts der dauernden Veränderungen auf der Landkarte Mitteleuropas, der Teilungen und Verbindungen von Ländern durch Kriegsfolge oder dynastische Zufälligkeiten die Einheit des Territoriums repräsentierten. Auch in Notlagen, wie etwa bei Minderjährigkeit der Fürsten, bildeten die Landtage eine stabilisierende Kraft: Nicht nur die Fürsten, sondern auch die ständischen Gewalten, die Parlamente, Stände und Landtage haben zur Festigung und Stabilisierung des Reichs beigetragen.

Von dem Deutschland des 19. Jahrhunderts hat man gesagt, es sei eine «verspätete Nation» gewesen. Eigentlich gilt das für die ganze deutsche Geschichte: Schon auf dem Weg in die Neuzeit erschien das Reich mit starker Verspätung. Was die Herausbildung von Verfassungs- und Rechtsordnungen, von Verwaltungsapparaten, von Herrschaftstechniken und direkter Machtausübung des Königs anging, waren Länder wie Frankreich, England, Neapel, Sizilien, Aragon, Kastilien und Portugal dem Reich bereits weit vorausgeeilt, während die Länder der nördlichen und östlichen Peripherie Europas, Schottland, Dänemark, Norwegen, Schweden oder Ungarn, noch weit zurücklagen. Europa bestand aus zwei deutlich voneinander getrennten Macht- und Kulturregionen – aus einem moderneren, älteren Teil, der ziemlich deckungsgleich mit dem Herrschaftsgebiet des antiken römischen Reiches war, und aus einem zurückgebliebenen jüngeren Bereich, der sich nördlich des britischen Hadrianswalls, des Rheins, des Limes und der Donau erstreckte und

in dem noch jahrhundertelang die königliche Macht nicht aus der Hof-
kanzlei und mit der Schreibfeder, sondern aus dem Sattel und mit dem
Schwert ausgeübt wurde.

In der Mitte dieses doppelten Kontinents lag das Reich, teils dem älteren, überwiegend aber dem jüngeren Europa zugehörig und insofern
ein verkleinertes Abbild des Kontinents im Ganzen. In mancher Hinsicht
konnte das Reich mit den westlichen Regionen des Kontinents Schritt
halten – das galt vor allem für die Zunahme von Handel, Verkehr und
Gewerbe und für die Entwicklung der Städte, die allmählich aus dem
Schatten der Grund- und Landesherren heraustraten und eine eigene
Kultur hervorbrachten, mit besonderen Rechten, neuen gesellschaftlichen Abstufungen, mit einem neuen Lebensstil und Lebensrhythmus.

Die meisten deutschen Städte sind zwischen dem frühen 12. und dem frühen 14. Jahrhundert entstanden, von Freiburg im Breisgau über München, Nürnberg bis Lübeck, aber auch die Städte des Ostens, etwa Berlin, Königsberg und Elbing. Aber es war doch auffallend, daß die großen Handelsstädte des Reichs nirgendwo mit den Schwerpunkten kaiserlicher Macht zusammenfielen. Sie lagen hauptsächlich an der nördlichen und der südlichen Peripherie, an Nord- und Ostsee wie Lübeck, Bremen, Hamburg und Rostock, oder in der Nähe der großen Alpenübergänge, wie Augsburg oder Regensburg, während Könige und Kaiser im Gleichklang mit der Osterweiterung des Reichs ihre Residenzen und Grablegen immer weiter nach Osten verlagerten, nach Goslar, Magdeburg, Nürnberg und Prag. Das Fehlen einer Hauptstadt, eines ruhenden, dauerhaften Verwaltungszentrums, das zugleich Mittelpunkt von Kultur, Bildung und Handel darstellte, signalisierte spätestens seit dem 13. Jahrhundert im Vergleich zu Westeuropa eine auffallende Schwäche des Kaisertums. Die geringe Ballung zentraler Macht, die archaischen Verwaltungsstrukturen des Reichs erklären sich vor allem daraus, daß der deutsche König und römische Kaiser weitgehend von der Zustimmung der Großen des Reichs abhängig war. Ein Wahlkönigtum ist seiner Natur nach schwach und deshalb rückständig, was die Herausbildung moderner Staatlichkeit angeht.

Auch kulturell hielt die Mitte des Kontinents nicht Schritt mit dem Westen. An Universitäten, die die modernen Juristen und Verwaltungsfachleute ausbildeten, deren ein moderner Herrscher bedurfte, verfügte Frankreich um das Jahr 1300 über fünf, Oberitalien über drei, England und Kastilien über zwei, Portugal über eine – im gesamten Reich dagegen, wie überhaupt im ganzen «jüngeren Europa» gab es zu der Zeit nicht eine einzige Universität. Erst 1348 gründete Kaiser Karl IV. als böhmischer Landesherr eine Universität in Prag, etwa zweihundert Jahre nach der Gründung ihres Vorbildes, der Universität von Paris. Noch im 13. Jahrhundert waren Schriftlichkeit, Kultur und Wissenschaft hauptsächlich Sache der romanischen Länder, auch Englands. Das heißt nicht, daß nicht auch in Deutschland in den prosperierenden Städten, an Fürstenhöfen, Dom- und Klosterschulen die Wissenschaften blühten – an den Universitäten von Paris, Bologna und Salamanca waren die «deutschen Nationen», zu denen freilich auch Studenten aus England, Dänemark oder Polen gehören konnten, die zahlreichsten, und deshalb nahmen die deutschen Geiseseliten an den Erfahrungen Italiens und Frankreichs teil und waren von ihnen beträchtlich geprägt.

Auch in anderer Hinsicht entwickelte sich die deutsche Kultur vor allem in der Übernahme und Verarbeitung westlicher Vorbilder – das gilt für die höfische Minnelyrik des Hochmittelalters, die Lieder eines Wolfram von Eschenbach oder eines Neidhart von Reuenthal, aber auch für den ritterlichen Versroman, der hauptsächlich aus dem Umkreis der westeuropäischen Artus-Sage entnommen war, wie etwa Wolframs von Eschenbach *Parzival* oder Hartmanns von Aue *Erec*. Politisch, geistig und kulturell war und blieb Deutschland ein Land der Mitte, in das die europäischen Kulturen aus dem Süden und Westen hineinströmten, um hier aufgenommen und in verwandelter Form an die Nachbarn Deutschlands weitergereicht zu werden; in den folgenden Jahrhunderten sollten die lateinischen, italienischen, französischen, spanischen und englischen Vorbilder einander abwechseln.

Die Gregorsmesse,
Thoman Burgkmair, 1496.
Wie die meisten Hochkulturen in der Geschichte der Menschheit war auch die europäische Zivilisation bis weit in die Neuzeit hinein von der Religion durchdrungen – die Erbitterung, mit der Hunderte von Jahren um die Erneuerung der Kirche gerungen wurde, wäre sonst gar nicht erklärlich. Christus, die Heiligen und der Teufel waren leibhaftige Wesen, die in jedermanns Leben eingriffen und jederzeit erscheinen konnten; die moderne Trennung von Diesseits und Jenseits war den Menschen fremd. Hier geht es um die Gregorsmesse, jene legendäre Meßfeier des Papstes Gregor I. (590–604), bei der Christus leibhaftig auf dem Altar erschien und so die Verwandlung von Brot und Wein im Abendmahl sinnfällig bewies. Links neben Christus taucht der Verräter Judas mit seinen Silberlingen auf, rechts sieht man Christi Marterwerkzeuge.

II. Aufbruch und Abbruch (1400–1648)

Das Heilige Römische Reich umfaßte an der Schwelle zur Neuzeit, um das Jahr 1400, die Mitte des europäischen Kontinents. Seine Grenze erstreckte sich von Holstein die Ostseeküste entlang bis etwa zum hinterpommerschen Stolp – hier begann das Herrschaftsgebiet des souveränen und reichsunabhängigen Deutschen Ordens –, zog sich dann fast genau auf derselben Linie, die nach dem Ersten Weltkrieg Deutschland und Polen trennen sollte, gen Süden, umfaßte Böhmen und Mähren sowie das Herzogtum Österreich und erreichte bei Istrien das Adriatische Meer. Die Reichsgrenze sparte Venedig und sein Hinterland aus, zog sich, die Toskana umfassend, nordwestlich des Kirchenstaats quer durch Norditalien und erreichte nördlich von Civitavecchia das Tyrrhenische Meer, dem sie bei Nizza wieder nordwärts entstieg. Sie dehnte sich westlich Savoyens, der Freigrafschaft Burgund, Lothringens, Luxemburgs und der Grafschaft Hennegau und erreichte an der westlichen Schelde, zwischen Gent und Antwerpen, die Nordsee. Manche Gebiete, etwa Norditalien, Savoyen, die Freigrafschaft Burgund, auch die aufrührerische Schweizer Eidgenossenschaft, gehörten nur noch nominell dem Reich an, andere gehörten entschieden nicht zu jenen Kerngebieten, die damals als «teutsche lande» bezeichnet wurden: In Brabant und Teilen der Herzogtümer Lothringen und Luxemburg sprach man französisch, und in den Ländern der Wenzelskrone, also in Böhmen, Mähren und Schlesien, war Deutsch im wesentlichen die Sprache der Städte – das Landvolk, aber auch Teile der Stadtbevölkerungen sprachen tschechisch, in Schlesien auch polnisch.

Dieses Reich war nach wie vor weit davon entfernt, ein Nationalstaat zu sein; dazu fehlte ihm beides, Nationalität wie Staat. Gewiß, Kaiser und Reich waren dabei, ihren sakralen und universalen Charakter aufzugeben. Mit der von Kaiser Karl IV. 1356 ausgefertigten «Goldenen Bulle» – sie war mit einem Goldsiegel versehen, daher der Name – hatte das Reich seine erste Verfassung erhalten, in dem die Abhängigkeit nicht nur des deutschen Königs, sondern auch der auf dem Besitz der deutschen Königskrone beruhenden Kaiserwürde von dem hohen Reichsadel festgeschrieben worden war: Der König war *imperator electus*, gewählter Kaiser, und vom Papst war nicht mehr die Rede. Der Kreis der Wähler, der sogenannten Kurfürsten, war jetzt klar umschrieben:

Martin Luther,
Lucas Cranach d. Ä., 1529

die Erzbischöfe von Mainz, Köln und Trier, der König von Böhmen, der Herzog von Sachsen, der Markgraf von Brandenburg und der Pfalzgraf bei Rhein. Der Kaiser war mächtig nur in seinem Hausmachtgebiet – für die luxemburgischen Kaiser Heinrich VII. (1308–1313), Karl IV. (1346–

1378) und Sigismund (1410–1437) war das Böhmen. Für die habsburgischen Kaiser, die seit Friedrich III. (1440–1493) fast ununterbrochen bis 1806 die römische Kaiserkrone tragen sollten, war Österreich das Hausmachtgebiet, zu dem ohne einen Schwertstreich Böhmen, Ungarn und das burgundische Erbe hinzukommen sollten, alles durch Heirat und Erbe: «Andere mögen Kriege führen, Du, glückliches Österreich, heirate.»

Aber die Hausmachtgebiete, in denen die Kaiser direkte Landesherren waren, aus denen sie Steuern und Soldaten ziehen konnten, lagen am Rand des Reichs, im Falle Ungarns sogar außerhalb. Das hatte zur Folge, daß der Kaiser sich oft für lange Zeit nicht im Inneren des Reichs blicken ließ – Friedrich III. (1440–1493) beispielsweise volle 27 Jahre lang. Das Reich selbst war und blieb ein Wirrwarr von ungefähr 1600 reichsunmittelbaren Territorien und Städten, die dem Reich auf dem Weg zur Staatlichkeit oft bereits weit, wenn auch in sehr unterschiedlicher Weise, vorausgeeilt waren. Neben kleinen und kleinsten Herrschaften, die sich oft von der Zinne des Schlosses aus überblicken ließen, neben reichen und mächtigen Reichsstädten wie Nürnberg oder Lübeck, aber auch skurril-winzigen Reichsdörfern standen große reichsfürstliche Territorien mit ausgebauter Zentralverwaltung und eigenen Landtagen, wie

Stufen der Stadtentstehung in Mitteleuropa von 1150 bis 1950. Städte und Bürgertum setzten in Europa nördlich der Alpen seit dem 10. Jahrhundert fast völlig neu ein, ohne direkte Verbindung zur antiken Stadtkultur. Städte waren Machtzentren, vor allem auch Märkte; sie zogen Handel und Siedler an. Begünstigt durch Bevölkerungswachstum, Landesausbau und Ostsiedlung wuchs im Laufe des 13. Jahrhunderts die Zahl der Städte im Reich gewaltig an; zwischen den Landesherren kam es zu einem regelrechten Gründungswettlauf. Nie zuvor und niemals wieder gab es in Mitteleuropa so viele Städte wie in diesem Jahrhundert.

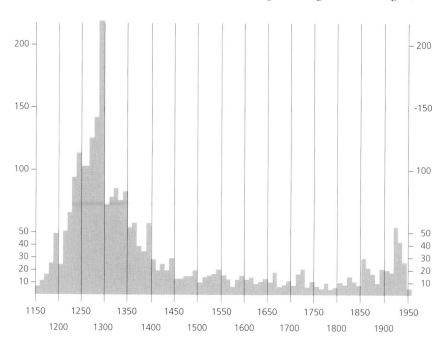

etwa die Herzogtümer Bayern, Württemberg, Lothringen, Luxemburg oder Savoyen, die Kurfürstentümer Sachsen und Brandenburg, die Kurpfalz und die Landgrafschaft Hessen, die geistlichen Kurfürstentümer Köln, Mainz und Trier, um nur einige der größten Territorien zu nennen. Von den viel moderneren Staatswesen Westeuropas stach diese altertümliche Territorienvielfalt deutlich ab; von zentralen staatlichen Institutionen, an denen sich eine deutsche Nation anlehnen konnte, war in Mitteleuropa nicht die Rede.

Die Menschen, die dieses Land bevölkerten, lebten nach wie vor in einer fast ganz und gar agrarisch geprägten Welt. Vier von fünf Menschen wohnten in Einzelgehöften oder Dörfern, die im Verlauf des 13. und 14. Jahrhunderts in Mitteleuropa allerdings immer zahlreicher geworden waren. In den Gebieten westlich der Elbe waren die letzten Urwälder gerodet worden; selbst ungünstige Lagen wurden jetzt unter den Pflug genommen, und Grundherren mußten dazu übergehen, den verbleibenden Wald durch Rodungsverbote zu schützen. Auch östlich der Elbe nahm die Zahl der bäuerlichen Siedlungen zu, holte im Vergleich zur westlichen Siedlungsdichte erheblich auf. Zugleich nahm das Bauerntum zu; die bisher verbreitete Leibeigenschaft trat in weiten Gebieten zurück. Das Obereigentum im Dorf gebührte nach wie vor dem meist adligen Grundherrn, doch blieb den Bauern das Nutzeigentum. Der bäuerliche Pächter, dessen Abgaben die Rente des Grundherrn sicherten, wurde der ländliche Regelfall – zumindest in den Gebieten westlich der Elbe. Östlich der Elbe dagegen endete die rechtliche Vorzugsstellung, die sich viele Bauern während der hochmittelalterlichen Kolonisationszeit erworben hatten. Hier nutzte der Adel die Schwäche der Landesherren aus, um weitreichende Rechte über die Bauernschaft zu begründen, mit deren Hilfe die bäuerliche Erbuntertänigkeit geschaffen wurde. Auf den Gütern Ostelbiens gerieten die Bauern in vollständige Abhängigkeit von den Gutsherren, sie hatten drückende Dienstverpflichtungen zu erfüllen und waren den Zwangsrechten der Junker fast wehrlos ausgeliefert – erst die Bauernbefreiungen des 19. Jahrhunderts sollten daran etwas ändern.

Ungefähr 20% der Menschen lebten in den etwa 4000 Städten des Reichs, deren Dichte von Westen nach Osten abnahm. In zwei Drittel aller Fälle handelte es sich um Zwergstädte mit wenigen hundert und um Kleinstädte mit höchstens 2000 Einwohnern. Unter der geringen Zahl von Großstädten mit mehr als 10 000 Einwohnern stand Köln mit etwa 40 000 Menschen an der Spitze der deutschen Stadtgemeinden, gefolgt von den Prager Städten und von Lübeck; andere Großstädte waren Augsburg und Nürnberg, Bremen und Hamburg sowie Frankfurt, Magdeburg, Straßburg und Ulm, alle weit entfernt von dem Bevölkerungsreichtum europäischer Metropolen wie Paris, Florenz, Venedig, Genua oder Mailand, die allesamt bereits gegen 1340 um die hunderttausend Einwohner besaßen. Die meisten Städte im Reich gehörten zu fürstlichen Territorien und unterstanden den Landesherren. Daneben gab es Reichsstädte – in der Reichsmatrikel von 1521 waren 85 aufgeführt. Sie unterstanden

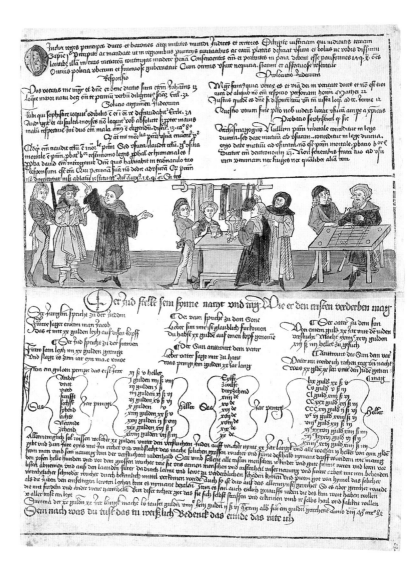

Der Judenwucher, Holzschnitt, Nürnberg (?) um 1484. Juden waren im spätmittelalterlichen Europa weitgehend rechtlos, allein auf königlichen oder kirchlichen Schutz angewiesen und von jedem Gewerbe ausgeschlossen. So blieben ihnen hauptsächlich Geldgeschäfte zum Lebensunterhalt. Das Flugblatt ist ein Pamphlet gegen jüdische Zinsgeschäfte: eine Pfandleihe mit Bechern und Kleidungsstücken, rechts der Jude, der am Rechentisch die Zinsen ermittelt, links mit warnendem Zeigefinger ein Gelehrter im Talar. Die Darstellung zielt auf die Gleichsetzung von «Jude» und «Wucherer», eine Hetzvokabel, die bis in die jüngste Vergangenheit ihre demagogische Wirkung nicht verloren hat.

34

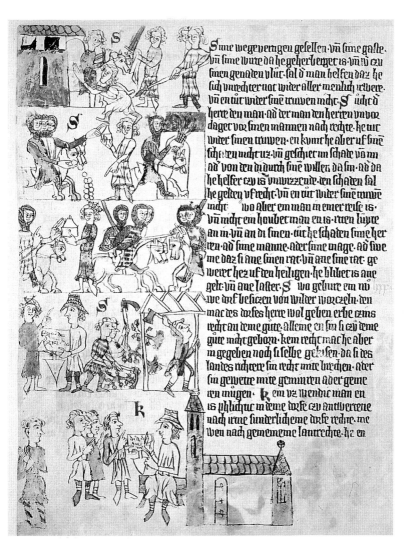

Ein Dorf entsteht,
Heidelberger Bilderhandschrift des Sachsenspiegels, Anfang 14. Jh.
Was man später «Ostkolonisation» genannt hat, war nicht nur, aber doch überwiegend ein friedlicher Vorgang. Im Zuge des allgemeinen Landesausbaus zwischen dem 11. und dem 13. Jahrhundert entstanden Hunderte von Städten und Tausende von Dörfern östlich der Elbe, besiedelt von Bauern, die von den Freiheitsrechten angelockt wurden, die ihnen die Grundherren im Osten versprachen. Auf der Abbildung verleiht ein Grundherr den Siedlern ihre Ansiedlungsrechte; schon wird gerodet, die ersten Häuser werden gebaut. Darunter tagt das Dorfgericht. Die einheimische Bevölkerung wurde nicht vertrieben, sondern nahm an der Ostsiedlung teil; doch assimilierten sich die Elb- und Ostseeslawen, verloren mit wenigen Ausnahmen ihre Sprachen und gingen in der ostdeutschen Mischbevölkerung auf.

Chronik des Konstanzer Konzils, Augsburg 1483.
Die beiden Blätter zeigen Papst Johannes XXIII. (1415–1419), den Gegenpapst zu den Päpsten in Avignon, sowie König (später Kaiser) Sigismund (1410–1437), der den Papst zum Konstanzer Konzil (1414–1418) eingeladen hatte. Johannes XXIII. wurde in Konstanz ebenso abgesetzt wie seine avignonesischen Konkurrenten, womit das Ende des Großen Kirchenschismas erreicht war: ein später Nachklang der jahrhundertelangen Kämpfe zwischen Kaiser und Papst, die bei aller Gegnerschaft doch ohne einander nicht sein konnten.

Chronik des Konstanzer Konzils, jüngere Ausgabe, Augsburg 1536.
Der böhmische Reformator Jan Hus (ca. 1370–1415) war nach Konstanz gekommen, um seine Lehre zu verteidigen, weil ihm König Sigismund freies Geleit zugesichert hatte. Er wurde gleichwohl festgenommen, als Ketzer verurteilt und verbrannt. Die Bildstreifen zeigen seine Degradierung als Geistlicher durch zwei Erzbischöfe. In ein schwarzes Ketzergewand gekleidet, wird Hus durch die Stadt geführt und unter Aufsicht des Herzogs Ludwig von Bayern auf dem Scheiterhaufen verbrannt. Henkersgehilfen schaufeln seine Asche in den Rhein.

unmittelbar der kaiserlichen Hoheit. Zu den Reichsstädten gehörten auch die Freien Städte, also Bischofsstädte wie Köln oder Regensburg, die sich aus der Stadtherrschaft des Bischofs hatten befreien können.

Nur ein Teil der städtischen Bevölkerung besaß das städtische Bürgerrecht – neben den Patriziern und alteingesessenen Familien die Händler und die in Zünften zusammengeschlossenen Handwerker. Diesen «ehrbaren» Bürgern stand der höchst heterogene Anteil der Nichtbürger gegenüber – Mägde und Knechte, Handelsgehilfen, Handwerksgesellen und Lehrjungen, Kranke und Bettler, Abdecker und Henker, aber auch Adlige, Geistliche, Beamte und Juden.

Wie viele Menschen insgesamt im Heiligen Römischen Reich lebten, ist schwer festzustellen, denn Bevölkerungszählungen gab es nicht. Die wissenschaftlichen Schätzungen gehen von unterschiedlichen Annahmen aus und führen zu stark voneinander abweichenden Angaben, und so betrachten wir die folgenden Zahlen mit gebührender Skepsis. Um das Jahr 1000 können innerhalb des Reichsgebiets ungefähr 5 Millionen Menschen gelebt haben; um 1340 waren es vielleicht 15 Millionen und um 1450 etwa 10 Millionen.

Auf den ersten Blick wird deutlich, daß sich innerhalb etwa eines Jahrhunderts, in dem sich das Mittelalter zur Neuzeit wandelte, außerordentliche Katastrophen ereignet haben müssen, und dies nicht nur innerhalb des Reichs, sondern in ganz Europa – denn die Schätzungen für West- und Mitteleuropa insgesamt zeigen ähnlich scharfe Schwankungen auf: Die west- und mitteleuropäische Gesamtbevölkerung umfaßte um das Jahr 1000 ungefähr 12 Millionen, um 1340 36 Millionen, um 1450 dagegen nur noch 23 Millionen Menschen. Was war geschehen?

Um die Mitte des 14. Jahrhunderts war Europa übervölkert. Die herkömmlichen Methoden des Ackerbaus reichten nicht mehr aus, die Menschen

Bevölkerung Westdeutschlands von 600 bis 1800. Genaueres weiß man nicht über die Bevölkerungszahlen der Zeit vor 1800, denn Volkszählungen gab es bis dahin kaum; wir sind auf Schätzungen angewiesen, die oft weit auseinandergehen. Die Bevölkerungsentwicklung Deutschlands westlich der Elbe (über Ostelbien wissen wir zu wenig, und die hochmittelalterliche Ostsiedlung verzerrt das Gesamtbild) lag um 600 auf sehr niedrigem Niveau, stieg allmählich, seit Mitte des 11. Jahrhunderts klimatisch begünstigt, stärker an und erreichte Mitte des 14. Jahrhunderts einen Höhepunkt, um dann, verursacht durch Seuchen und Hungersnöte, scharf abzusinken. Das erneute Bevölkerungswachstum wurde durch den Dreißigjährigen Krieg beträchtlich zurückgeworfen, um sich jedoch seit Mitte des 18. Jahrhunderts rapide zu beschleunigen.

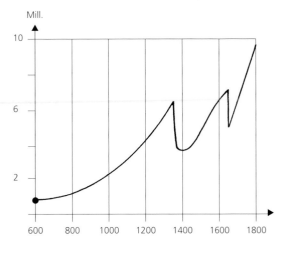

Die Wallfahrt zur Schönen Maria, Flugblatt nach einem Holzschnitt von Michael Ostendorfer (1490–1553), Deutschland 1610. Antijüdische Ausschreitungen konnten fast aus dem Nichts entstehen. In Regensburg nutzte der Rat der Stadt die Zeit zwischen dem Tod Kaiser Maximilians und der Wahl von dessen Nachfolger Karl V., um die unter kaiserlichem Schutz stehenden Juden aus der Stadt zu vertreiben und ihr Wohnviertel abzureißen; an die Stelle der Synagoge wurde eine Kirche für ein wundertätiges Marienbild gesetzt. Das Flugblatt zeigt die neue Kirche, im Hintergrund die Ruinen des jüdischen Viertels, im Vordergrund ekstatische Pilger vor der Madonnenstatue. Der Tenor des Flugblatts ist ungewöhnlich kritisch; der in der Regel antisemitische Vorwurf des beutelschneiderischen Betrugs wird hier aus lutherischer Perspektive gegen die katholische Kirche gewendet.

satt zu machen. Sie litten an Unterernährung und waren deshalb anfällig für die Seuchen, die immer wieder wie schwarze Wogen über Europa hinwegrollten. Im Laufe des 14. Jahrhunderts wurde ungefähr ein Drittel der Bevölkerung von der Pest, dem schrecklichen «Schwarzen Tod», dahingemäht, ohne daß sich die Ernährung verbesserte, weil große fruchtbare Landstriche in kürzester Frist veröcleten. Das Entsetzen der Zeit fand sein Echo in der alten Litanei: *A peste, fame et bello, libera nos, domine –* Herr, erlöse uns von der Pest, dem Hunger und dem Krieg. Die drei Geißeln gehörten zusammen: Kriegsverheerungen führten zu Lebensmittelmangel, die daraus folgenden Hungersnöte schwächten die Menschen und machten sie anfällig für Seuchen: ein ausweglos erscheinender Kreislauf des Schreckens.

Die allgemeine Not führte zu den tiefsten gesellschaftlichen Erschütterungen, die die Geschichte Europas kennt. Zum alltäglichen Leben gehörten Aufstände in den Städten – kaum eine Stadt, in der es nicht in der zweiten Hälfte des 14. und im 15. Jahrhundert zu gewaltsamen Revolten und Kämpfen um das Stadtregiment gekommen wäre; Braun-

Kaiser Maximilian I.,
Bernhard Striegel, 1495.

schweig beispielsweise erlebte 1293, 1294, 1374, 1380, 1445 und 1487 innere Bürgerkriege. Bäuerliche Erhebungen erschütterten die ländliche Ordnung, von den Appenzeller Bauern, die sich um 1405 gegen ihren Landesherrn erfolgreich zur Wehr setzten, bis zum Aufstand des Pfeifers von Niklashausen 1476 und den oberrheinischen Bundschuh-Aufständen. Banden von heruntergekommenen Adligen, die von Raubzügen lebten, machten das Land unsicher, Plünderungen durch entlassene Soldateska beunruhigten sogar die Städte. «Das Volk», schreibt der niederländische Historiker Johan Huizinga, «kann sein eigenes Los und die Ereignisse jener Zeit nicht anders erfassen denn als eine unaufhörliche Abfolge von Mißwirtschaft und Aussaugung, Krieg und Räuberei, Teurung, Not und Pestilenz. Die chronischen Formen, die der Krieg anzunehmen pflegte, die fortwährende Beunruhigung von Stadt und Land durch allerlei gefährliches Gesindel, die ewigen Bedrohungen durch eine harte und unzuverlässige Gerichtsbarkeit und außerdem noch der Druck von Höllenangst, Teufels- und Hexenfurcht hielten ein Gefühl allgemeiner Unsicherheit wach...»

Auch die Institutionen, die für so lange Zeit den Rahmen irdischer Existenz abgesteckt hatten, boten wenig Halt. Kirche und Reich, die zwar oft in prekärem Gegeneinander gestanden hatten, aber doch seit Menschengedenken aufeinander angewiesen waren und sich gegenseitig stützten und ermöglichten, verloren an Ansehen. Seit 1309 befand sich der Papst nicht mehr in Rom, seiner «Ewigen Stadt», sondern auf französischen Druck hin in Avignon und damit in weitgehender Abhängigkeit von der französischen Krone. Die «Babylonische Gefangenschaft der Kirche» mündete in das «Große Abendländische Schisma» – von 1378 bis 1415 gab es zwei Päpste, einen zu Rom, einen anderen zu Avignon, und damit einen Riß in der lateinischen Christenheit, der das Papsttum auf die Dauer schwer beschädigte. Die großen Reformkonzilien von Konstanz (1414–1418) und Basel (1431–1449) brachten zwar ein Ende der Spaltung, aber um den Preis einer nachhaltigen Schwäche des Papsttums, die mit einer weitgehenden Verweltlichung unter den Päpsten der Renaissance einherging. Der enorme Aufwand für den päpstlichen Hof und die kirchliche Repräsentation entsprach drückenden Abgaben, die die Gläubigen für die Kirche zu leisten hatten und die rücksichtslos eingetrieben wurden. Die Verschwendungssucht der Päpste, die Geldgier der Kirche, das Gegeneinander von Päpsten, Gegenpäpsten und Konzilien, alles das trug zu einem weitgehenden Schwund an Vertrauen in Papst, Kirche und geistliches Amt bei. Auf die kollektiven seelischen Erschütterungen im «Herbst des Mittelalters» (Johan Huizinga), hervorgerufen durch Hungerkatastrophen und die große Pest, hatte die römische Kirche keine überzeugenden Antworten. Die Häresien schossen ins Kraut; Reformsehnsucht, apokalyptischer Schrecken, kirchlicher und politischer Umsturz, vor allem aber die Suche nach neuer Einheit und Gewißheit trieben kirchenkritische Bewegungen an, in England die Lollarden, in Böhmen die Hussiten, in den Niederlanden und in Norddeutschland die Wiedertäufer. Der Ruf nach einer «Reform der Kirche an Haupt und Gliedern» wurde immer vernehmlicher, und dasselbe galt für das Reich.

Seit der Mitte des 15. Jahrhunderts war die Antiquiertheit und Machtlosigkeit von Kaiser und Reich im Vergleich zu den modernen staatlichen Gebilden Frankreichs, Englands oder Spaniens schmerzlich bewußt und der Ruf nach einer Reichsreform allgemein geworden, und die Reform des Reichs war im Verständnis der Zeit untrennbar mit der Reform der Kirche verbunden – waren doch beide, Reich und Kirche, aufeinander angewiesen, im Heilsplan Gottes vorgesehen. Daß seit dem Kölner Reichsabschied von 1512 vom «Heiligen Römischen Reich Deutscher Nation» gesprochen wurde, zeigte lediglich an, wie sehr das Reich zunehmend an Macht und Universalität verlor. Je mehr mit Renaissance und Humanismus die Kaiserkrone ihre mittelalterliche Heiligkeit einbüßte und die Herkunft von den römischen Caesaren zu abgelebter Tradition herabsank, um so näher lag es, den Begriff «deutsche Nation» als Auffangposition zu benutzen; in Zeiten der Krise ist es üblich, nach klar umrissenen Grenzen und Bezeichnungen für das Eigene wie für das

Fremde zu suchen. Waren es denn nicht die Deutschen, auf die das Reich übergegangen war? Die *Denkschrift über das Vorrecht des Römischen Reichs* des kölnischen Stiftsgeistlichen Alexander von Roes, schon Ende des 13. Jahrhunderts geschrieben, wurde jetzt wiederentdeckt und machte in zahlreichen Ausgaben die Runde. Darin hieß es: «Man soll also wissen, daß Karl der Große, der heilige Kaiser, mit Zustimmung und im Auftrag des römischen Papstes... bestimmt und befohlen hat, daß das römische Kaisertum auf immer bei der rechtmäßigen Wahl der deutschen Fürsten bleibe...»

Als deutsche Nation galt aber nicht die Gesamtheit der deutschsprachigen Menschen innerhalb des Heiligen Römischen Reichs, sondern die politisch handelnde Gemeinschaft der deutschen Fürsten, die insgesamt als «Reich» dem Kaiser entgegentraten: «Nation» im Verständnis der Zeit war der Adel als politisch handelnder Stand. Die Suche nach einer Reichsreform zielte nun darauf, Institutionen zu gründen, die dem Reich zu moderner Staatlichkeit verhelfen konnten; wäre das gelungen, hätte die «deutsche Nation» die Chance bekommen, sich als Staatsnation zu etablieren, wie dies in Frankreich oder England geschah. Allerdings hatten die Reichsreformbestrebungen Kaiser Maximilians I. (1486–1519) gezeigt, daß das Reich noch keineswegs zu einem rein metaphysischen Körper verkümmert war; die Errichtung des Reichskammergerichts 1495, verbunden mit dem erklärten «Ewigen Landfrieden» im gesamten Reich, und die Einteilung des Reichs in zehn Kreise waren nur als Anfang gedacht. Die Einführung eines zentralen «Reichsregiments» als handlungsfähige Repräsentation der Reichsstände, die Erhebung von Reichssteuern sollten den nächsten Schritt zur Etablierung einer souveränen und durchsetzungsfähigen kaiserlichen Machtstellung bilden. Aber der Kaiser starb 1519, und damit blieben die Reichsreformpläne stecken. Sein Enkel und Nachfolger Karl V. (1519–1556) nahm sie zwar wieder auf und suchte die *monarchia universalis* zu stabilisieren und zu modernisieren, nun aber als universales Kaisertum, das neben Deutschland, Böhmen, Burgund und Mailand auch noch Spanien und die neuentdeckten spanischen Besitzungen jenseits des Atlantik umfassen sollte. Das waren aber Perspektiven, in denen die «deutschen Lande» weit in den Hintergrund rückten.

Allerdings war die Wohlfahrt der «deutschen Nation» ein starkes Argument in der Debatte um die Reichsreform. Als beispielsweise auf dem sogenannten Türkenreichstag zu Regensburg 1454 der Leiter der kaiserlichen Gesandtschaft, Enea Silvio Piccolomini, zum Kreuzzug gegen die Türken und zur Wiedereroberung Konstantinopels aufrief, erhielt er seitens der deutschen Kurfürsten die Antwort, daß der Kaiser sich erst einmal um das Reich selbst kümmern solle, weil sich «solich fuernemig wirdig und edel land, als Teutsch gezunge ist,... und auch das heilig reich, so loblich an Teutsch gezunge bracht, in großer unordenung» befände. Ohne Reichsreform kein Türkenkrieg – mit anderen Worten: den Fürsten war das deutsche Hemd näher als der Reichsmantel, wobei «Teutsch

Der Weißkunig und die Artillerie, Holzschnitt von Hans Burckmair, Wien 1775. Der «Weißkunig» ist die Autobiographie Kaiser Maximilians I., im 18. Jahrhundert das erste Mal gedruckt. Das Blatt dokumentiert das Interesse Maximilians an Feuerwaffen. Kanonen waren seit Mitte des 13. Jahrhunderts in Gebrauch und zerschmetterten jede Burg, Handfeuerwaffen tauchten seit Beginn des 14. Jahrhunderts auf den Schlachtfeldern auf, ihre Geschosse durchschlugen jede Ritterrüstung. Damit ging die militärische Unentbehrlichkeit des Adels unwiderruflich zu Ende. Auch insofern konnte sich Kaiser Maximilian als «der letzte Ritter» fühlen.

gezunge» – deutsche Zunge – die deutsche Nation, mithin die deutschsprachigen Stände im Reich, bezeichnete.

Wie eng die Reichsreform mit der Kirchenreform zusammenhing, zeigten die «Gravamina (Beschwerden) der deutschen Nation», die von den Reichsständen immer häufiger gegen die päpstliche Kurie vorgebracht wurden. Tausend Maßnahmen denke sich der römische Stuhl aus, heißt es in einer Zusammenstellung dieser «Beschwerden», um den Deutschen das Geld aus der Tasche zu ziehen, weshalb sich ihre «einstmals berühmte Nation», die «durch ihre Tapferkeit und ihr Blut das Reich erworben» habe und «Herrin und Königin der Welt» gewesen sei, nunmehr in Armut gestürzt und zur Sklavin erniedrigt sehe. Die deutsche Nation, politisch verstanden, war also zu Beginn der Neuzeit ein Oppositionsbegriff, gerichtet gegen die universalen Gewalten Kaiser und Papst – nicht tragfähig genug, um dauerhafte staatliche Macht zu begründen.

Aber die Idee einer «deutschen Nation» besaß nicht nur politische, sondern auch kulturelle Untertöne, und in dieser Hinsicht avancierte die «deutsche Nation» beträchtlich, seit der italienische Humanist Poggio Bracciolini den verschollenen Text der *Germania* des Tacitus zutage gefördert und 1455 in Italien veröffentlicht hatte. Im Zeitalter der Renaissance und des Humanismus hatte sich die alte Vorstellung von der Herkunft der Stämme von sagenhaften, erlauchten Vorfahren mit der Suche nach den klassischen griechischen oder lateinischen Quellen verbunden. Die Geschichtsstudien der humanistischen Gelehrten des 16. und 17. Jahrhunderts waren ganz darauf ausgerichtet, die Identität ihrer

jeweiligen Nationen zu bestätigen und zu stärken, aber auf der Grundlage der Antike, deren Denken und Erfahrungen als vorbildlich galten und
die dem allgemeinen Streben nach nationaler Besonderheit einen
kosmopolitischen, allgemein europäischen Kulturboden verlieh. Die Entdeckung der *Germania*, um das Jahr 100 n. Chr. für Kaiser Trajan geschrieben, machte deshalb Furore: Aus der Feder eines der ganz großen
Schriftsteller der Alten, einer hochverehrten und unzweifelbaren Autorität, konnte man jetzt erfahren, daß die Deutschen schon seit alters her
ein Volk, und zwar ein ganz besonderes, gewesen waren. Bisher hatten die
deutschen Gelehrten im internationalen Wettkampf um nationalen
Ruhm weit hinten gelegen, denn einen deutschen Volksstamm, aus dem
sich eine deutsche Nation entwickeln konnte, ähnlich dem fränkischen
Stamm, aus dem Frankreich hervorgegangen war, gab es nicht; deutsch
war eine Sammelbezeichnung germanischer Volksdialekte und ansonsten

ein reines Kunstwort. Jetzt übersetzte man ganz einfach: Die Germanen des Tacitus waren die Vorfahren der heutigen Deutschen. Der *Germania* der Römer entsprach also ein heutiges «Deutschland» – erst jetzt, um 1500, tauchte dieses Wort im Singular auf, bisher hatte man sich mit «deutschen Landen» beholfen.

Mit Hilfe der Autorität des Tacitus konnten die deutschen Humanisten endlich den zahlreichen abfälligen Bemerkungen gegen die Deutschen entgegentreten, die im Ausland umliefen. Dem verbreiteten Topos vom rohen, unzivilisierten, trinkfesten Deutschen wurde jetzt die taciteische Idealgestalt des unverbildeten, treuen, tapferen und einfach lebenden Germanen gegenübergestellt – man kam nicht auf den Gedanken, daß Tacitus die germanischen Lichtgestalten erfunden haben könnte, um der Sittenverderbnis seiner römischen Gegenwart einen Spiegel vorzuhalten. Tatsächlich aber taten die deutschen Humanisten des 16. Jahrhunderts nichts anderes: Die Deutschen figurierten jetzt als Träger einer ursprünglichen, unverdorbenen Nation, die die erschlaffte, alte Zivilisation der Italiener und Franzosen ablösen werde; die unverdorbene Sittlichkeit der Deutschen wurde gerne der Verdorbenheit der Sitten der römischen Kurie entgegengehalten.

Aber auch dem französischen Nachbarn gegenüber demonstrierten deutsche Gelehrte ihr neues nationales Selbstbewußtsein. Daß Karl der Große Vorgänger der französischen Kapetinger-Dynastie gewesen sei, ein Pfeiler in der Legitimation der französischen Krone, erklärte Jacob Wimpfeling in seiner *Epitome Germanorum* von 1505 für eine lächerliche Behauptung. Tatsächlich sei Karl ein «Teutscher» gewesen, der über Franzosen geherrscht habe, während niemals ein Franzose oder Gallier römischer Kaiser gewesen sei – Beweis genug für die Überlegenheit der Deutschen über die Franzosen. Für Wimpfeling, wie viele deutsche Humanisten ein Elsässer, stand auch fest, daß seit den Zeiten des Augustus die Bewohner des Elsaß Deutsche gewesen seien, weshalb Straßburg und das ganze Elsaß nie unter französische Hoheit fallen dürften.

Innerhalb einer Generation entstand um 1500 herum auf diese Weise die Grundlage für ein deutsches Nationalbewußtsein, das mehr war als ein dumpfes «Wir»-Gefühl, sondern das auf einen deutschen Nationalmythos zurückzuführen war – ein Vorgang, wie er zur gleichen Zeit überall in Europa stattfand. Erasmus von Rotterdam, der es allerdings ablehnte, sich an der Verfertigung nationaler Mythen zu beteiligen, konstatierte

Kaiser Karl V., Rubens-Schule nach Tizian, 1. Viertel 17. Jh. Die folgende Formel findet sich seit 1521 an der Spitze aller Reichsabschiede, Reichsgesetze etc. und zeigt etwas von der Struktur des Reiches Karls V. Es gründete sich, zusammengesetzt aus zahlreichen historisch und rechtlich sehr verschiedenen Ländern, allein auf dynastisches Erbrecht, kraft dessen es durch die Person des Herrschers zusammengehalten wurde. Nur die Kaiserwürde beruhte auf freier Wahl, begründete aber keinen Anspruch auf irgendein Staatsgebiet: «Wir Carl der fünffte von Gottes Gnaden Römischer Kayser, zu allen Zeiten Mehrer des Reichs, König in Germanien, zu Castilien, Aragon, Leon, beyder Sicilien, Hierusalem, Hungarn, Dalmatien, Croatien, Navarra, Granaten, Tolleten, Valentz, Gallicien, Majorica, Hispalis, Sardinien, Corduba, Corsica, Murcien, Giennis, Algarbien, Algeziren, Gibraltar, der Canarischen und Indianischen Insulen und der Terrae firmae des Oceanischen Meeres etc. Ertz-Hertzog zu Oesterreich, Hertzog zu Burgundi, zu Lotterich, zu Braband, zu Steyer, zu Kerndten, zu Krain, zu Limburg, zu Lützenburg, zu Geldern, zu Calabrien, zu Athen, zu Neopatrien und Würtenberg etc...»

45

betrübt, daß die Natur nicht nur jedem einzelnen eine persönliche, sondern auch den verschiedenen Nationen eine allgemeine Eigenliebe eingepflanzt habe. Allerdings fehlte diesem deutschen Nationalmythos nicht nur der politisch-staatliche Rahmen, um zur Dauerhaftigkeit zu gelangen, sondern auch das sprachliche Substrat: Die deutschen Humanisten schrieben mit ganz wenigen Ausnahmen in lateinischer Sprache. Die deutschen Gelehrten blieben in erster Linie humanistische Weltbürger, der europäischen Gelehrtenrepublik eng verbunden. Ihre nationale Sendung, Deutschland aus der Barbarei herauszuführen, führte über die lateinisch-klassische Kultur. Um die Wende vom 15. zum 16. Jahrhundert entstanden auf diese Weise die ersten klaren und dauerhaften Umrisse einer deutschen Nation. Strenggenommen dürften wir frühestens von dieser Zeit an von «deutscher Geschichte», jedenfalls aber von einer «Geschichte der Deutschen» reden – einer Geschichte allerdings, die von Anfang an tief in humanistischem, gesamteuropäischem Boden verwurzelt war.

Nicht die gelehrten Bemühungen der Humanisten, nicht die gescheiterte Reichsreform haben das Bild Deutschlands für die folgenden Jahrhunderte geprägt, sondern die Reform Martin Luthers. Sie wäre allerdings nicht möglich gewesen ohne zahlreiche Vorgänger; schon seit dem 13. Jahrhundert hatte es immer wieder Anläufe gegeben, die Kirche zu erneuern, sie auf christliche Armut und Demut zu verpflichten und die Kluft zwischen Geistlichkeit und Gottesvolk zu vermindern. Die frühen Reformer, die Bettelorden der Heiligen Franziskus und Dominikus, konnten noch von der Kirche aufgenommen werden. Spätere Reformatoren wie John Wyclif in England (1320–1384) und Jan Hus in Böhmen (1370–1415), die radikalere Forderungen nach der Abschaffung des Papsttums und der Heiligenverehrung, der unbedingten Autorität der Heiligen Schrift und des Gewissens, der Gemeinsamkeit des Kelches von Priester und Gemeinde stellten, blieben außerhalb der Kirche, wurden verfolgt und verbrannt (Hus bei lebendigem Leibe auf dem Konstanzer Konzil, Wyclifs Überreste nach seinem Tod), aber ihre Gefolgschaft war nicht mehr auszurotten.

Auch der Wittenberger Mönch Martin Luther (1483–1546) mochte nicht einsehen, daß göttliche Gnade mit irdischen Gütern zugunsten der Kirche erkauft werden konnte. Die Frage: «Wie bekomme ich einen gnädigen Gott?» beantwortete er in seinen Thesen vom 31. Oktober 1517 im Gegensatz zur katholischen Lehre: *sola fide*, allein durch den Glauben, und *sola scriptura*, allein durch die Heilige Schrift. Dem Ablaßhandel, dem Seelenschacher und Ämtermißbrauch der Amtskirche, war damit ebenso der theologische Boden entzogen wie dem geistlichen Monopol auf die Vermittlung zwischen Gott und den Menschen.

Der aufrührerische Mönch aus Wittenberg, der mit dem Papst gebrochen hatte, der die wahre Kirche Christi aus der Gemeinschaft der Gläubigen erneuern wollte, dem die einzige Glaubensautorität die Schrift Gottes war, wurde 1521 vor den Reichstag zu Worms geladen – das erste Mal, daß ein weltliches Gremium sich anmaßte, über Fragen der Kirchendogmatik zu urteilen. Die Stimmung im Reichstag war scharf gegen die Mißstände in Kirche und Papsttum gerichtet, und die Räte Kaiser Karls V. waren geneigt, sich Luthers zu bedienen, um Druck auf den Papst auszuüben. Aber Luther war für diplomatische Zugeständnisse nicht zu

Kreuzigung mit türkischen Soldaten, Ruprecht Heller (?), um 1560.
Seit der Eroberung Konstantinopels 1453 waren die Türken zu den Erzfeinden der Christenheit avanciert; die Belagerung Wiens von 1528 hatte die Türkengefahr bis nach Mitteleuropa getragen, und ihre Abwehr gehörte zu den schwersten Aufgaben Kaiser Karls V., einer der Gründe dafür, daß sich im Schatten dieser Bedrohung der Protestantismus entfalten konnte. Kein Wunder, daß auf dieser Kreuzigung neben den römischen Kriegsknechten türkische Soldaten unter der Standarte mit drei Halbmonden erscheinen.

haben, und seine Weigerung, auch nur Teile seiner Lehre zu widerrufen, ging dem Kaiser zu weit. Luther hätte das Schicksal des böhmischen Reformators Jan Hus geteilt, wäre er nicht von einigen Reichsfürsten beschützt worden. Zweifellos geschah dies auch, vielleicht sogar in erster Linie, aus Glaubensgründen – «Neun Zehntel von Deutschland erheben das Feldgeschrei von Luther», meldete der päpstliche Legat nach Rom, «und das übrige Zehntel wenigstens ‹Tod dem römischen Hof›...» Vor allem aber erwies sich Luthers Reformation als geeignet, die Machtansprüche des Kaisers gegen die Reichsstände zurückzuweisen und die landesherrliche Macht zu konsolidieren.

Auf dem Reichstag von Speyer 1526 hatte man sich auf eine Kompromißformel geeinigt, die es den lutherischen Landesherren und Stadtmagistraten erlaubte, das Kirchenwesen innerhalb ihres Territoriums selbständig zu ordnen. Ohne weiteres übernahmen die evangelischen Obrigkeiten die Aufgabe von «Notbischöfen», die an der Spitze der Kirchenorganisationen ihrer Länder standen. Luther hatte dies eigentlich nur als Übergangslösung vorgesehen, aber die Fürsten dachten nicht daran, ihre einmal gewonnene Kontrolle über die Kirche wieder aufzugeben, zumal fast alles Kirchengut vom Staat übernommen, zum Teil verkauft, hauptsächlich aber dem Besitz des Landesherrn zugeschlagen wurde. Erleichtert wurde das landesherrliche Kirchenregiment durch Luthers Lehre, der unter Berufung auf den Apostel Paulus – «Denn es ist keine

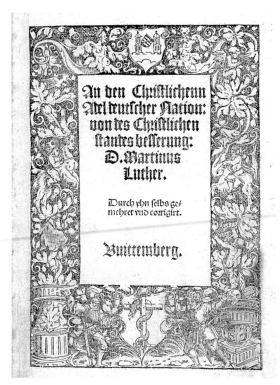

Martin Luther: An den Christlichen Adel deutscher Nation: von des Christlichen standes besserung, Wittenberg 1520. «Man hat's erfunden, daß: Papst, Bischöfe, Priester und Klostervolk wird der geistliche Stand genannt, Fürsten, Herrn, Handwerks- und Ackerleute der weltliche Stand, welches gar ein fein Komment und Gleißen ist. Doch soll niemand darob schüchtern werden, und das aus dem Grund: Denn alle Christen sind wahrhaftig geistlichen Standes, und ist unter ihnen kein Unterschied denn des Amts halber...»

Friedrich der Weise, aus der Werkstatt des Lucas Cranach d. Ä., ca. 1525. Die Reformation Martin Luthers wäre wohl als Ketzerbewegung untergegangen, wenn sich nicht mächtige Reichsfürsten ihre Lehre zu eigen gemacht hätten. Dabei waren Festigung der Landesherrschaft und Vermehrung der Staatseinnahmen nicht weniger wichtig als das religiöse Bekenntnis. Friedrich III., Kurfürst von Sachsen (1486–1525), schützte Luther als Professor an der sächsischen Landesuniversität Wittenberg, suchte aber politisch und religiös zu lavieren, weshalb er «der Weise» hieß. Er soll Begegnungen mit Luther konsequent aus dem Weg gegangen sein und bekannte sich erst auf seinem Sterbebett zu dessen Lehre.

Obrigkeit, außer von Gott; wo aber Obrigkeit ist, die ist von Gott verordnet» – der weltlichen Macht die Aufgabe zugewiesen hatte, die Gemeinschaft der Christen gegen das Böse zu schützen. So war der evangelische Landesherr, ähnlich dem englischen König, *summus episcopus* und Haupt einer streng hierarchisch gegliederten Kirchenorganisation, womit der konfessionelle Bereich vollständig in den bürokratischen Staatsapparat eingegliedert war.

Auch in den altgläubig gebliebenen Territorien suchten die Landesherren, die Kirche in staatlichen Griff zu nehmen. So verbündeten sich die bayerischen Herzöge mit der Universität Ingolstadt, um gegen die Amtsgewalt der Bischöfe ein Aufsichtsrecht der Obrigkeit über die Kirchenlehre durchzusetzen – hier allerdings bereits im Sinne der katholischen Erneuerung, denn es gab allzu viele Geistliche, deren Amtsverständnis der neuen katholischen Sittenstrenge nicht entsprach oder die sich allzusehr mit der Lehre Luthers befreundet hatten. Die «Gegenreformation» war übrigens keineswegs lediglich eine Reaktion der römischen Kirche auf die Reformation; vielmehr hatten die Erschütterungen,

49

die Hus, Luther und Calvin ausgelöst hatten, auch innerhalb der Kirche die seit langem vorhandenen Reformkräfte gestärkt, die nun darangingen, die kirchliche Korruption zu bekämpfen, den Klerus gut auszubilden und die Menschen, die der Kirche durch die Reformation verlorengegangen waren, für den rechten Glauben zurückzugewinnen. Auf jeden Fall stellten sich Reformation wie katholische Erneuerung in den Dienst der Einzelstaaten und ihrer Herrschaft: Die mühsam aus zahllosen zersplitterten Besitzrechten herauswachsenden Territorien bedurften aus politischen Gründen der zusammenhaltenden geistigen Klammern, und bei der Bedeutung der Religion, die alle Lebensbereiche durchdrang, war diese geistige Klammer nur in der Einheit des religiösen Bekenntnisses gegeben.

Die Konfessionen in Deutschland und Mitteleuropa 1555. Die Jahreszahlen bezeichnen die Einführung der Reformation. Die Mehrzahl der Reichsstädte ist zwischen 1522 und 1530 zur Reformation übergetreten.

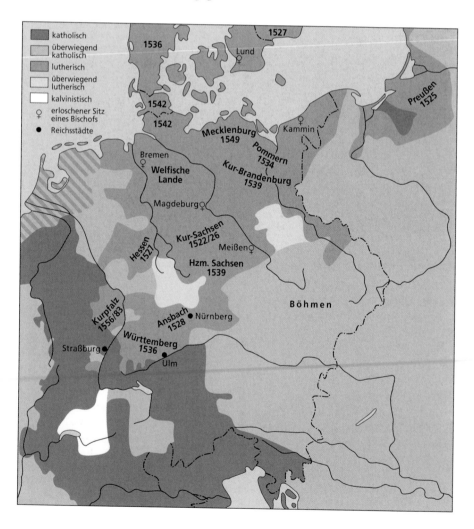

So proklamierte der Augsburger Religionsfrieden von 1555, mit dem die lutherischen Reichsstände endgültig ihre Gleichberechtigung mit den katholischen erhielten, für alle Landesherren das *ius reformandi*: Das hieß, daß «der Seele Seligkeit» Sache des Fürsten und nicht jedes einzelnen Gläubigen sei, daß sich also die Bevölkerung dem Bekenntnis des jeweiligen Landesherren anschließen mußte. Wer nicht dazu bereit war, dem blieb immerhin das *ius emigrandi*, also das Recht, in ein Land seines Bekenntnisses auszuwandern. Die innere Vereinheitlichung der deutschen Länder und Reichsstädte war damit weit vorangeschritten, entscheidende Voraussetzung für ihre zunehmende Eigenstaatlichkeit und innere wie äußere Selbständigkeit. Zugleich war aber das Heilige Römische Reich ein weiteres Mal geschwächt, denn die territoriale Zersplitterung wurde nun durch die konfessionelle Spaltung verstärkt. Während das Reich in der Folgezeit immer mehr an staatlicher Substanz verlor, zogen sich die habsburgischen Kaiser immer stärker auf ihre österreichischen Erbländer zurück. Das langsame Herauswachsen Österreichs aus der deutschen Geschichte begann bereits mit der Reformation.

Luthers Theologie war Worttheologie, ausgehend vom Beginn des Johannes-Evangeliums: «Im Anfang war das Wort, und das Wort war bei Gott, und Gott war das Wort...» Die Bibel war also die einzige Autorität des evangelischen christlichen Glaubens, und da die Kirche Luthers die Gemeinschaft aller Gläubigen war, mußte das Wort Gottes auch in der Sprache der Gläubigen verkündet werden. So wurde die Übersetzung der Bibel in Luthers kräftigem, sächsisch-meißnischem Deutsch zum Lesebuch der Nation, und das galt auch für Luthers Traktate und Sendschreiben: Luthers *Sermon von Ablaß und Gnade* beispielsweise erschien im Frühjahr 1518 und erlebte bis 1520 fünfundzwanzig Auflagen und Nachdrucke; von seiner Schrift *An den christlichen Adel deutscher Nation* waren innerhalb von achtzehn Tagen 4000 Exemplare verkauft, die zweite Auflage erschien bereits eine Woche nach der ersten. An die Seite des Reformators trat eine große Anzahl weiterer protestantischer Autoren, Theologen, Ordensgeistlicher, gebildeter Bürger, Handwerker-Dichter. Dem Strom deutschsprachiger, hauptsächlich theologischer Literatur entsprach ein rasch anwachsendes Lesepublikum. In den Gebieten, in denen die Reformation Fuß faßte, nahmen Laienbildung und Lesefähigkeit enorm zu. Zumindest die protestantischen Teile Deutschlands waren in der Sprache Luthers kulturell vereint, deutsche Sprache war fortan mehr als ein Sammelbegriff für eine Vielzahl von Dialekten und Sondersprachen. Wenn aber Luther 1520 «An den christlichen Adel deutscher Nation» appellierte, so meinte er mit deutscher Nation, ganz im herkömmlichen Sinne, nichts anderes als den deutschen Adel, also die geistlichen und weltlichen Obrigkeiten, und sein Appell zielte nicht auf kulturelle Einheit oder auf staatlich-politisches Handeln, sondern auf «des christlichen Standes Besserung» und auf die Reform der römischen Papstkirche.

Martin Luther wurde von den humanistischen Gelehrten seiner Zeit als «deutscher Herkules», als «deutsche Nachtigall» gepriesen: Sein Auf-

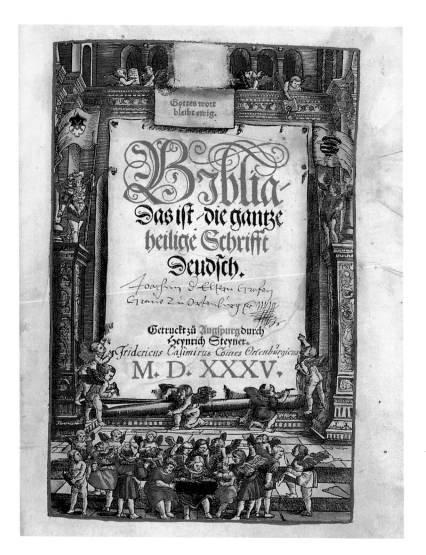

Titelblatt der Luther-Bibel, Augsburg 1535. Nicht weniger als etwa 4000 deutsche Bibelhandschriften, darunter 43 vollständige Bibeln, waren im Laufe des Mittelalters in Umlauf; doch keine konnte sich allgemeine Anerkennung sichern. Martin Luthers Bibelübersetzung war erfolgreich nicht nur wegen seiner bildhaften Sprache, die er dem Volk «vom Maul» abgeschaut hatte, sondern auch wegen der textkritischen Präzision, um die sich der humanistisch gebildete Universitätsgelehrte Luther bemühte. Er beendete seine Übersetzung 1534; bereits ein Jahr darauf erschien in Augsburg eine für Fürsten, Gönner und Würdenträger gedachte Luxusausgabe mit großen Holzschnitten von Meistern wie Holbein und Cranach. Der erste Besitzer des abgebildeten Exemplars, Graf Casimir von Ortenburg, machte als strenger Calvinist das Antlitz Gottes auf dem Titelblatt unkenntlich.

treten rief Gefühle früher nationaler Zusammengehörigkeit hervor. Es ist ein außerordentliches Beispiel geschichtlicher Ironie, daß gerade Luthers Reformation die Herausbildung einer deutschen Kultur- und möglicherweise auch Staatsnation im zeitlichen Gleichtakt mit den übrigen Ländern Westeuropas entscheidend zurückgeworfen hat. Daß sich die Reformation nicht im gesamten Reich durchsetzte, daß der Protestantismus Sache der Landeskirchen und der protestantischen Stände wurde, hatte zur Folge, daß der Kampf zwischen den Konfessionen in Deutschland in der Schwebe blieb, im territorialstaatlichen Grundsatz *cuius regio, eius religio* (der Landesherr bestimmt die Konfession) versteinerte, so daß die territoriale Spaltung des Reichs durch die konfessionelle ergänzt und vertieft wurde. Wer von *patria*, von Vaterland sprach, der meinte nicht das Reich, denn das war und blieb weit entfernt, allenfalls für Reichsstädter und für den hohen Adel als Institution faßbar; er meinte auch nicht Deutschland, denn das war allenfalls ein vager, mehr kulturell als politisch erfahrbarer Begriff. *Patria* bedeutete erst recht nicht die deutsche Nation, denn das meinte ganz präzise die im Reichstag gegenüber dem Kaiser vertretenen Reichsstände und eben nicht die Menschen, die deutsch sprachen und innerhalb des Reiches lebten. Das Vaterland war die Stadt, in der man wohnte, oder das Land, dessen Fürstenhaus man Loyalität schuldete und dessen Konfession man anhing.

Augsburger Jahreszeiten, nach Jörg Breu d. Ä., Augsburg, 16. Jh.
Die reiche Bürgerstadt Augsburg im Herbst und frühen Winter, ungefähr 1530. Oktober ist der Monat der Schlachtfeste; während auf dem Marktplatz die Schweine zum Schlachten getrieben werden, verkauft man im Vordergrund Geflügel. Im November liegt schon Schnee, der zu fröhlicher Schlittenfahrt verleitet, im Dezember verlassen die Ratsleute in feierlichem Zug das Rathaus. Eine rundum friedliche, festliche Atmosphäre entfaltet sich, von Unruhe und Umsturz keine Spur, und das Land ist immer ganz nah.

Und nicht nur politisch und konfessionell, sondern auch kulturell führten die Wege in Deutschland auseinander. Die katholisch gebliebenen Teile des Reichs, hauptsächlich der Westen und Süden mit Ausnahme der meisten größeren Städte, gerieten in den Bannkreis der katholischen, gegenreformatorischen Kultur Südeuropas. Das hieß Erweiterung nach der katholisch-europäischen Kultur hin, aber auch Abschnürung vom protestantischen Norden. Unter italienischem und französischem Einfluß blühten fortan im katholischen Deutschland die bildenden und darstellenden Künste, Schauspiel, Malerei, kirchliche und herrscherliche Prachtbauten, während auf evangelischer Seite neben der Pflege der Kirchenmusik die Sprache und deren Kunstwerke den kulturellen Mittelpunkt ausmachten. Die Folgen dieser kulturellen Spaltung sind in Deutschland bis heute erkennbar geblieben.

Auch in dieser Hinsicht lag Deutschland, lag das Reich auf einer Grenzlinie, die ganz Europa durchschnitt. Während jedoch mit dem Augsburger Reichstag von 1555 im Reich Frieden einkehrte, bewahrt durch den Machtkompromiß zwischen den katholischen und den lutherischen Ständen, brachen allenthalben in Europa schwere Glaubenskonflikte aus. Dabei war nicht Luthers Lehre der eigentliche Stein des Anstoßes, sondern der radikalere Calvinismus, dessen Anhänger den Obrigkeitsge-

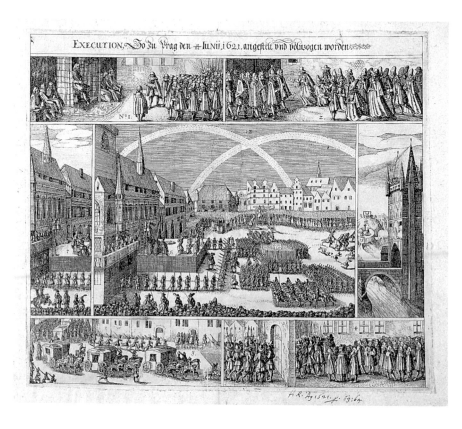

horsam Luthers ablehnten und die Durchsetzung ihrer Glaubenswahrheit um jeden Preis forderten. Verfolgt ein Herrscher den Glauben seiner Untertanen, so wird nach der Lehre Johann Calvins (1509–1564) der aktive Widerstand zur Pflicht jedes einzelnen. Das hieß Bereitschaft zum Bürgerkrieg, und dieser Bürgerkrieg brach 1562 in Frankreich aus. Die Calvinisten, in Frankreich Hugenotten genannt, griffen im gesamten Reich zu den Waffen, und von nun an bis 1598 fegte ein blutiger Krieg nach dem anderen über das Land, wobei die aufgeputschte religiöse Leidenschaft auf beiden Seiten zu schauerlichen Greueln führte.

Wenn auch das Auseinanderfallen Frankreichs schließlich durch den Übertritt des Hugenottenführers Heinrich von Navarra zum Katholizismus und mit Heinrichs Krönung zum König von Frankreich verhindert wurde, so war doch der Bürgerkrieg in Frankreich nur ein Teil eines langdauernden Blutbades, in dem die meisten Staaten Europas zu versinken drohten. In den sieben nördlichen Provinzen der spanischen Niederlande erhob sich der reformierte Adel gegen die gegenreformatorische Politik Madrids. Seit 1567 wütete der Krieg, der sowohl Züge eines Befreiungswie eines Bürgerkriegs trug, sich weit über das Jahrhundertende hinauszog und eigentlich erst mit der Anerkennung der niederländischen Unabhängigkeit im Westfälischen Frieden von 1648 sein Ende fand. Um diese Zeit tobte noch der englische Bürgerkrieg zwischen Parlaments- und Königspartei, der 1642 begonnen hatte. Auch hier überlagerten konfessionelle Strömungen den politischen Machtkampf. In England geschah sogar das Ungeheuerliche, daß der besiegte König vom Unterhaus als Tyrann und Volksfeind zum Tode verurteilt und öffentlich hingerichtet wurde.

In Deutschland dagegen herrschte nach dem Augsburger Religionsfrieden von 1555 bis 1618 die längste Friedensperiode in der deutschen Geschichte. Sie ging zu Ende, weil sich im Laufe dieser Zeit konfessionelle Bündnisse unter ehrgeizigen Führern gebildet hatten, die auf die Gelegenheit zum Losschlagen warteten. Die Gelegenheit ergab sich, als sich die latente Spannung zwischen den vorwiegend protestantischen Ständen Böhmens und der katholischen, gegenreformatorischen Landesverwaltung der Habsburger entlud. Am 23. Mai 1618 erhoben sich die böhmischen Stände. Nach altem böhmischen Brauch im Falle politischen Protests warf man einige kaiserliche Beamte aus einem Fenster der Prager Burg, bildete eine provisorische böhmische Regierung, vertrieb die

Flugblatt zu den Prager Hinrichtungen, Deutschland 1621. Der Aufstand der protestantischen böhmischen Stände, mit dem 1618 der Dreißigjährige Krieg begann, war von einem Heer der Kaiserlichen und der katholischen Liga mit der Schlacht am Weißen Berge am 8. November 1620 niedergeschlagen worden. Die Rache Kaiser Ferdinands II. als böhmischer Landesherr war exemplarisch; er widerrief die böhmische Religionsfreiheit, schaffte das Wahlkönigtum ab und ließ die für den Aufstand Verantwortlichen fast ausschließlich zum Tode verurteilen. Die Urteilsverkündung, das vergebliche Gnadengesuch der Angehörigen, der Transport der Gefangenen in die Stadt, die Exekutionen und Folterungen auf dem Altstädter Ring, die Ausstellung der Köpfe der Hingerichteten am Altstädter Brückenturm – das sind Szenen, die im tschechischen Nationalbewußtsein tiefe Spuren hinterlassen haben und im deutsch-tschechischen Verhältnis bis heute nachwirken.

Albrecht Wenzel von Wallenstein, Herzog von Friedland, Kupferstich, Mitte 17. Jh. Der Dreißigjährige Krieg erschütterte die herkömmliche Ordnung des Reiches und ließ neue Ordnungen möglich erscheinen. Wallenstein (1583–1634), der Condottiere des Kaisers, war ein großer Kriegsunternehmer mit cäsarischen Zügen. Gestützt auf das von ihm aufgestellte Heer, das sich zunehmend eher ihm als dem Kaiser verpflichtet fühlte, wollte er die Reichsgewalt zu einer zentralistischen und absoluten Macht erheben – zugunsten der kaiserlichen, vielleicht aber auch seiner eigenen Herrschaft. Kaiser Ferdinand II. begann den revolutionären Machtwillen seines Feldherrn zu fürchten; am 25. Februar 1634 wurde Wallenstein zu Eger auf kaiserliches Geheiß hin ermordet.

Jesuiten und stellte ein Heer auf. Kaiser Ferdinand II. (1619–1637) unterdrückte den Aufstand blutig, im Bündnis mit den Staaten der katholischen Liga unter der Führung Bayerns, während die Staaten der protestantischen Union sich auf der Seite ihrer böhmischen Glaubensgenossen engagierten.

Aus diesem Konflikt erwuchs ein weit über das Reich hinausreichender Krieg, in dem die Namen der großen Heerführer wie Wallenstein, Tilly oder Mansfeld für die Gegensätze des Zeitalters standen. Es ging in diesem Dreißigjährigen Krieg, eigentlich eine Abfolge mehrerer Kriege, um die Wiedergewinnung der katholischen Einheit Europas mit Hilfe der Waffen Habsburgs und Wittelsbachs. Mit dem Eingreifen des schwedischen Königs Gustav II. Adolf (1611–1632) in den deutschen Krieg, von den protestantischen Ständen empfangen wie ein evangelischer Gegenkaiser, wäre es sogar fast zu einer Teilung des Reichs in ein katholisches und ein evangelisches Deutschland gekommen, wäre nicht Gustav Adolf 1632 bei Lützen gefallen.

Es ging aber auch um das Ringen zwischen Habsburg und Frankreich um die Vormacht in Europa, wobei das katholische Frankreich unter seinen großen Ministern Richelieu und Mazarin, ungeachtet der eigenen inneren Wirren, außerhalb seiner Grenzen meist die Partei der Protestanten ergriff. Und nicht zuletzt ging es in diesem Krieg auch um die Abwehr kaiserlicher Machtansprüche durch die Landesherren, die im Protestantismus ihre Rechtfertigung fanden.

Der «Westfälische Friede» von Münster und Osnabrück beendete 1648 die Mord- und Raubzüge entfesselter Söldnerheere. Weite Gebiete Deutschlands waren schrecklich verwüstet; zu den direkten Kriegsopfern, den gefallenen Soldaten und den Opfern der Greueltaten einer marodierenden Soldateska kamen die Toten von Hungersnöten und von Pestwellen, die sich durch umherziehende Soldatenhaufen und Flüchtlingsströme weiträumig verbreiteten. 1648 war die deutsche Bevölkerung von 17 Millionen auf 10 Millionen Menschen gesunken; der Aderlaß des Dreißigjährigen Kriegs hat die Bevölkerungszahlen um anderthalb Jahrhunderte zurückgeworfen.

Der Friedensschluß von Münster und Osnabrück war nach dem großen europäischen Krieg ein europäischer Friede. Es hatte des verheerenden, allgemeinen Kriegs bedurft, um die Staaten Europas davon zu überzeugen, daß nur eine Ordnung, in die alle eingebunden waren, den

Gustav Adolf landet in Deutschland, Flugblatt, Köln 1632.
Am 6. Juli 1632 war der schwedische König Gustav II. Adolf (1611–1632) an der Spitze eines Bauernheers auf Usedom gelandet. Die bedrängten Protestanten scharten sich um den Erretter aus dem Nordland wie um einen evangelischen Kaiser. Das Flugblatt zeigt ihn als Moses bei der Befreiung des auserwählten Volkes: lorbeergekrönt steht er auf einer Anhöhe an der Ostsee und nimmt aus der Hand Gottes das Schwert entgegen. Die Bibelzitate stellen ihn in eine Reihe mit den Erlösern und Propheten Israels; in ihrem Licht erscheint der Krieg wie ein Ringen zwischen Gut und Böse im Geiste des Alten Testaments.

Kontinent auf die Dauer vom Krieg aller gegen alle erlösen konnte. Die europäische Staatengemeinschaft ging aus dem Dreißigjährigen Krieg hervor und gab sich mit dem Westfälischen Friedenswerk eine Art von europäischem Grundgesetz, das zum Ausgangspunkt für ein *ius publicum europeum*, ein europäisches Völkerrecht, wurde, das allerdings noch einer Reihe späterer Konventionen und Friedensschlüsse bedurfte, um die Stabilität des europäischen Staatensystems zu ermöglichen. Von nun an wurde das Miteinander der Staaten Europas durch verbindliche, über die Tagespolitik hinausreichende, auch in Kriegszeiten gültige Rechtsnormen geregelt, die die besondere Stellung der Diplomaten, die Formen von Kriegseröffnung und Friedensschluß, die Rechtmäßigkeit von Kriegen, die Erhaltung des Friedens, vor allem aber die Unantastbarkeit staatlicher Souveränität betrafen. Die Existenz und Souveränität jedes europäischen Staats war nunmehr von allen anderen europäischen Staaten anerkannt. Um aber die Balance dieses Staatensystems dauerhaft zu ermöglichen, bedurfte es einer schwachen, zersplitterten europäischen Mitte, die die starken Staaten der europäischen Peripherie – Schweden, Dänemark, Niederlande, Großbritannien, Frankreich, Osmanisches Reich und Rußland – voneinander trennte, die im Kriegsfall als europäisches Kriegstheater, im Frieden als strategisches und diplomatisches Vorfeld diente. So wurde das

Soldaten plündern einen Bauernhof, Sebastian Vrancx, um 1600. Raub, Mord, Vergewaltigung, Brandschatzung – das war der Krieg aus der Perspektive der Bevölkerung, wie hier der niederländischen Bauern, die von einer Rotte von Marodeuren drangsaliert werden. Das Bild ist bereits vor dem Dreißigjährigen Krieg entstanden, doch wo sich die Greuel abspielen, welche Partei sie begeht, ist fast gleichgültig. Die Detailgenauigkeit des Malers vermittelt uns das Leiden der kriegsgeplagten Menschen im gesamten katastrophalen 17. Jahrhundert.

Heilige Römische Reich in seiner tiefen Erschöpfung nach den Verwüstungen des langen Krieges zum weichen Kern des europäischen Staatensystems. Der Westfälische Friedensschluß war nicht nur ein großes, barock-ausladendes internationales Friedenswerk, sondern auch das Grundgesetz des Reichs. Zugleich wurden die Schweiz und die nord-niederländische Republik aus dem Reichsverband entlassen, dem sie allerdings schon lange nur noch formell angehört hatten.

Die alte Verfassung, wie sie von der Goldenen Bulle und von dem kon-fessionellen Friedenswerk von Augsburg 1555 vorgebildet worden war, wurde ergänzt und vertieft. Die Reichsinstitutionen waren fortan pa-ritätisch von Katholiken und Protestanten zu besetzen. Die Konfessions-parteien wurden ihrerseits zu Verfassungseinrichtungen des Reichs; als *corpus evangelicorum* und *corpus catholicorum* berieten sie auf den Reichsta-gen alle Religionsfragen getrennt und ohne die Gefahr der Majorisie-rung einer Konfession durch die andere. Indem der Calvinismus als drit-te reichsrechtlich gesicherte Glaubensgemeinschaft anerkannt wurde, war die Mehrkonfessionalität des Reichs rechtlich abgesichert. Zugleich erhielten die Fürsten formell die volle Landeshoheit in allen geistlichen und weltlichen Angelegenheiten. Sie besaßen fortan das Recht, eigene Streitkräfte aufzustellen, und konnten zudem Bündnisse untereinander und mit ausländischen Mächten abschließen. Damit waren die deutschen Fürsten allesamt selbständige Völkerrechtssubjekte; ihre Souveränität war nur noch durch ihre Treuepflicht gegenüber dem Reich und dessen Ein-richtungen – Reichstag, Reichskammergericht, Reichshofrat – begrenzt.

Die Zersplitterung und weitgehende Entmachtung des Reiches zu-gunsten der «Libertäten», der Freiheitsrechte der deutschen Fürstentümer und Reichsstädte, wurden durch zwei europäische Flügelmächte garan-tiert, durch Frankreich, das die Bistümer Metz, Toul und Verdun sowie die habsburgischen Herrschaftsrechte im Elsaß erhielt und zugleich durch eine höchst aktive Bündnispolitik mit deutschen Fürsten seinen Einfluß im Reich zu stärken suchte, und durch Schweden, das zugleich mit Vor-pommern und den ehemaligen Bistümern Verden und Bremen bedeu-tenden Besitz an den Mündungen von Oder, Elbe und Weser erhielt und somit Reichsstand wurde. Später, nach den schwedischen Niederlagen gegen Rußland in den Nordischen Kriegen und dem Niedergang der schwedischen Macht, trat Rußland in die Rolle der östlichen Garantie-macht des Reiches ein und bemühte sich im Verein mit Frankreich fortan, jede Veränderung innerhalb des Reichs nach Möglichkeit zu unter-binden: Die Verfassung des Reichs war fortan eine europäische Angele-genheit.

III. Abenddämmerung des Reiches (1648–1806)

Die Deutschen haben den Friedensschluß von Münster und Osnabrück später meist als Unglück, als einen Tiefpunkt der deutschen Geschichte angesehen. Und wirklich mußte sich diese Friedensordnung aus einem Blickwinkel, aus dem der Nationalstaat als notwendiges Ziel aller deutschen Geschichte erschien, wie ein schwerer Rückschlag darstellen: «Die Reichsgewalt und die nationale Gesinnung», klagte der Historiker Heinrich v. Sybel 1889, «waren auf Null heruntergesunken. Der Partikularismus hatte von dem deutschen Boden und dem deutschen Geiste vollständig Besitz ergriffen.» Das war nicht völlig falsch, aber auch nicht ganz richtig. Das Erstaunliche, wenig Beachtete war, daß dennoch das Heilige Römische Reich weiterbestand, nicht nur durch die Garantien der europäischen Mächte, sondern auch wegen seiner aus dem Mittelalter überkommenen lehnsrechtlichen Grundlagen, auf denen die Bindungen der Reichsfürsten an den Kaiser, ihren Lehnsherrn, auch weiterhin gegründet waren. Kaiser und Reich bildeten nach wie vor eine auf altem Herkommen beruhende Rechtsgemeinschaft, schwerfällig und unbeweglich, kompliziert und in seinen Verästelungen kaum noch durchschaubar, aber doch eine friedensstiftende Ordnung des Ausgleichs, die die Rechte und Ansprüche der kleinsten wie der großen Reichsterritorien schützte und der bunten, gewachsenen Vielfalt deutscher Staatlichkeiten einen allseits respektierten Rahmen verlieh: Eine kleinere europäische Friedensordnung inmitten des größeren, gesamteuropäischen Konzerts.

Aber dieses Gebilde schien doch schon den Zeitgenossen altertümlich, zurückgeblieben und schwer verständlich. Daß das Reich einem Monstrum gleiche, wie 1667 der Staatsrechtler Samuel v. Pufendorf in einer berühmten und von der kaiserlichen Zensur alsbald verbotenen Kritik an der Reichsverfassung behauptete, wurde von allen Seiten aufgenommen und wiederholt. Und wirklich kam vieles zusammen, um die hergebrachte Rückständigkeit des Reichs im Vergleich mit seinen westlichen Nachbarn zu vertiefen. Dem drastischen Rückgang der Bevölkerung und der allgemeinen Armut nach dem Ende des Dreißig-

Friedrich August I., Kurfürst von Sachsen, als König August II. von Polen, Louis de Silvestre d. J., um 1728. August der Starke (1694–1733) war einer der prächtigsten und volkstümlichsten deutschen Barockfürsten. Die sächsische Hofkultur, basierend auf einer blühenden Wirtschaft, wetteiferte mit der Prachtentfaltung des Wiener Hofs, und auch politisch reüssierte Friedrich August I., indem er zum Katholizismus übertrat und 1697 die polnische Krone erlangte. Als polnischer König präsentiert er sich auf dem Portrait von Louis de Silvestre; über den Harnisch spannt sich das blaue Band des polnischen Ordens des Weißen Adlers. Die Schärpe um seine Hüften trägt die polnischen Farben; die polnischen Krönungsinsignien im Hintergrund sind eine Erfindung des Künstlers.

jährigen Kriegs entsprach eine weithin stagnierende Wirtschaft, denn die Territorien des Reichs waren vom atlantischen Welthandel, von den Früchten der kolonialen Eroberungen jenseits der Weltmeere abgeschnitten, abgesehen von den entschlossenen, aber mit unzureichenden Mitteln vorangetriebenen Versuchen des brandenburgischen Kurfürsten Friedrich Wilhelm (1640–1688), des «Großen Kurfürsten», an der westafrikanischen Küste Kolonien zu gründen – er verkaufte sie schließlich an die Niederlande. Zum Kapitalmangel gesellten sich die Kleinflächigkeit der meisten Territorien des Reichs, die die Bildung größerer Wirtschaftsräume kaum zuließ, und die ans Lächerliche grenzende Dichte der Zollschranken – ein Kaufmann, der seine Waren auf dem Rhein von Basel nach Köln transportieren wollte, mußte etwa alle zehn Kilometer an einem Zollhaus anlegen. Die vielen Klein- und Kleinstfürstentümer, die das Bild des Reichs im großen und ganzen prägten, besaßen nicht die Mittel und die Kraft, sich in moderne Verwaltungsstaaten umzubilden.

Um so eifriger bemühten sich viele der kleinen Fürsten, ihre politische Selbständigkeit unter Beweis zu stellen, indem sie die Prachtentfaltung des Hofs von Versailles und des Wiener Kaiserhofs kopierten. Die barocke Demonstration der fürstlichen Würde, das höfische Zeremoniell, die Betonung des herrscherlichen Gottesgnadentums, die höfische Distanz zum gewöhnlichen Volk – das alles diente der Inszenierung des Absolutismus, dessen Urbild in Versailles residierte und Ludwig XIV., der Sonnenkönig, hieß. Für die Untertanen ergab sich oft eine besonders unangenehme Abart des höfischen Absolutismus, denn anders als im Fall der großen Staaten wie Frankreich, Spanien oder Österreich fanden sich in den engen Verhältnissen der kleinen deutschen Territorien kaum Ausweichmöglichkeiten. Fürstliche Durchlaucht war seinen Untertanen allzu nah: «Gehe nicht zu Deinem Fürst/Wenn du nicht gerufen wirst», empfahl deshalb der Volksmund: schlechte Voraussetzungen für die Entfaltung eines freien, selbstbewußten bürgerlichen Geistes.

Nach außen zeigte sich das Reich schwach und wenig imposant. Das Frankreich Ludwigs XIV. (1643–1715), das Spanien als westeuropäische Vormacht abgelöst hatte, griff nun weit nach Osten und Norden aus, zum einen, um die strategische Heerstraße zu durchstoßen, die sich vom habsburgischen Oberitalien via Oberrhein und Elsaß zu den spanischen, später österreichischen Niederlanden zog und die Verbindung zwischen beiden Zangenköpfen herstellte, die Frankreich bisher strategisch unter habsburgischen Druck gesetzt hatten. Es ging dem «Sonnenkönig» aber auch darum, die natürliche Rheingrenze zu gewinnen, sie mit Brückenköpfen auf dem östlichen Ufer zu sichern und soviel Gelände wie möglich zwischen Paris und den Aufmarschgebieten feindlicher Armeen zu legen. Der Widerstand der Reichstruppen gegen die französischen Heere, die im Elsaß und in der Pfalz vordrangen und das Land grausam verwüsteten, war schwach. Der französische Gesandte in Wien führte beleidigende und drohende Reden, die Kaiser Leopold I. (1658–1705) nicht zurückzuweisen wagte. Mächtige Reichsfürsten wie die rheinischen Kurfürsten, vor allem aber der «Große Kurfürst» Friedrich Wilhelm von Brandenburg, besaßen keine Bedenken, sich zeitweise mit Frankreich gegen den Kaiser zu verbünden. Nach der Einnahme der Reichsstadt Straßburg durch französische Truppen schlossen Kaiser und Reich 1684 zu Regensburg einen schimpflichen Waffenstillstand ab, in dem Frankreich im Besitz aller eroberten Gebiete und Städte belassen wurde; im Frieden von Rijswijk folgte 1697 die formelle Bestätigung. Es gab keine Wahl; das Reich hatte sich eines noch gefährlicheren Feindes zu erwehren, der im Einvernehmen mit Frankreich die Ostgrenzen bedrohte.

1683 stand der Erzfeind der Christenheit in Gestalt einer türkischen Armee unter dem Großwesir Kara Mustapha vor Wien. Der Entsatz durch Reichs- und polnische Truppen unter Karl von Lothringen und dem polnischen König Jan Sobieski kam wie durch ein Wunder in letzter Minute. Und ein Wunder schien es auch, daß der bislang träge, von Waffenstillstand zu Waffenstillstand sich fortwurstelnde Kaiser Leopold I. sich zusammenraffte und in einer mächtigen Kraftkonzentration den Entscheidungskampf gegen die osmanische Bedrohung suchte. Der Türkenkrieg (1683–1699) verlief, anders als die Abwehr Ludwigs XIV. am Rhein, überwältigend erfolgreich. Die kaiserliche Propaganda lief auf Hochtouren, die Namen der siegreichen Feldherren Prinz Eugen von Savoyen, «der edle Ritter», Max Emanuel von Bayern, der «blaue Kurfürst», oder Markgraf Ludwig von Baden, der «Türkenlouis», waren in aller Munde, ihre Taten boten Stoff für ungeheuerliche Gerüchte, sensationelle Flugblätter, volkstümliche Lieder. Eine Welle der Sympathie für Kaiser und Reich rollte durch Deutschland.

Bemerkenswert allerdings war, daß im öffentlichen Bewußtsein zwar die Niederlagen gegen Frankreich dem Reich zugeschrieben, die Siege über die Heere Süleymans III. und Achmeds II. dagegen Österreich angerechnet wurden: ein Erfolg der habsburgischen Propaganda, ein Zeichen aber auch dafür, wie sehr sich Österreich bereits als moderne Großmacht vom Reich zu emanzipieren begann.

Der Kaiser zu Wien war zugleich Haupt der *Casa d'Austria*, des Hauses Österreich, tatsächlich eine Anzahl durch Personalunion miteinander verbundener Territorien mit ganz unterschiedlichen Rechtsformen und ständischen Repräsentationskörperschaften. Da waren die deutschen Erblande mit dem Erzherzogtum Österreich, den Herzogtümern Steiermark, Kärnten, Krain und der Grafschaft Tirol, weiterhin das Königreich Böhmen mit der Markgrafschaft Mähren und dem Herzogtum Schlesien, darüber hinaus noch das Königreich Ungarn außerhalb der Reichsgrenzen. Die Macht des Kaisers war seit dem Westfälischen Frieden eng begrenzt; um so stärker konzentrierten sich die habsburgischen Herrscher auf die Zusammenfassung und Stärkung der österreichischen Hausmacht, die eine ganz eigene bunte Welt umfaßte. Sie konzentrierte sich in der Hauptstadt Wien, die in dieser Epoche zur europäischen Metropole aufstieg. Hier mischten sich die Kulturen Süddeutschlands, Böhmens und Ungarns ebenso wie die des übrigen katholischen Europa, Italiens,

Prunkjagd im Park von Schwetzingen, Jacobus Schlachter (?), um 1730. Im Park von Schwetzingen findet eine «Wasserjagd» statt, bei der das Wild in ein künstliches Bassin getrieben und von der Festgesellschaft vor stimmungsvoll gemalter Kulissenlandschaft ohne weitere Mühe niedergestreckt wird. Die Jagd gehörte zu den exklusiven adligen und höfischen Vorrechten; sie galt als ritterliche Übung, und Jagdfrevel und Wilderei, begangen von einfachem Volk, wurden als Verstoß gegen adlige Privilegien und Aufruhr übermäßig hart bestraft. Die aufwendigen Parforcejagden kamen allerdings im 18. Jahrhundert außer Mode; die Jagd wurde zu einem degenerierten höfischen Dauervergnügen. Kein anderes adliges Privileg ist bis in das 19. Jahrhundert hinein so erbittert verteidigt worden, kein anderes hat bei der Landbevölkerung so nachhaltigen Haß ausgelöst.

Entsatz von Wien 1683,
um 1700.
Im Juli 1683 rückte ein 250 000
Mann starkes Heer unter Großwesir Kara Mustapha vor Wien.
Nach neunwöchiger Belagerung
wurde die Stadt in höchster
Gefahr von einem vereinigten
Christenheer unter dem polnischen König Jan III. Sobieski und
dem kaiserlichen Feldmarschall
Karl von Lothringen befreit.
Damit war der Höhepunkt türki-
scher Expansion überschritten;
die nachfolgenden Türkenkriege
wendeten den Blick Habsburgs
auf die Dauer nach Südosteuropa.

Spaniens und Frankreichs: eine barocke, kosmopolitische Prachtentfaltung, wie sie die altväterisch-hausbackenen Residenzen im Reich sonst nicht annähernd kannten.

Die Machtprojektion Österreichs reichte jedoch nicht weit über die katholischen Konfessionsgrenzen hinweg nach Norden. Zu dem geringeren kaiserlichen Einfluß in Norddeutschland kam die zunehmende Schwäche der polnischen und schwedischen Nachbarn. In dieses mitteleuropäische Machtvakuum stieß das aufsteigende Brandenburg-Preußen hinein. Was hier entstand, war ein durch den puren Herrschaftswillen der Hohenzollern und ihr enormes Organisationstalent überdauerndes, weitgehend künstliches territoriales Gebilde: Kurbrandenburg in Mitteldeutschland, Kleve, Mark und Ravensberg am Unterrhein und Preußen – später sagte man Ostpreußen – am äußersten nordöstlichen Rand des deutschen Sprachraums, bereits außerhalb der Grenzen des Heiligen Römischen Reichs gelegen. Daß Kurfürst Friedrich III. (1688–1713) sich 1701 eigenhändig in Königsberg zum «König in Preußen» krönte und seither König Friedrich I. genannt sein wollte, löste in Wien Erheiterung aus und wurde nicht ernstgenommen; für seine Staaten änderte sich dadurch nichts. Ein geschlossenes Staatsgebiet, vergleichbar etwa mit Frankreich, Bayern, ja selbst mit den habsburgischen Erblanden Österreichs, existierte also nicht. Verstreute Staatsgebilde dieser Art gab es mehrfach in diesem Raum, aber sie überlebten den Zufall aus Kriegsglück und

Allegorie auf die Krönung Friedrichs I. in Preußen am 18. Januar 1701, Kupferstich, 1. Hälfte 18. Jh. «Friedrich I. machte zwar einige Erwerbungen, sie waren aber zu unbedeutend, um die Blicke Europas auf sich zu lenken. Selbst seine Schwächen schlugen zum Vorteil seines Hauses aus. Seine Eitelkeit brachte ihm die Königswürde ein, die anfangs ganz chimärisch erschien, in der Folge jedoch die ihr fehlende feste Grundlage erhielt.» (Friedrich II.)

dynastischer Erbfolge, dem sie ihr Entstehen verdankten, in aller Regel nur kurze Zeit, um bald wieder zu zerfallen. Preußen war die große Ausnahme, denn es fand die erfolgreiche Antwort auf sein Problem.

Das Problem bestand in einem an sich unlösbaren Paradox: Die mitteleuropäische Lage Preußens verlangte eine Politik, durch die kein Nachbar sich bedroht fühlte. Zugleich aber stand der Staat so lange am Rande seiner Existenz, wie seine Grenzen offen und jedem Druck ausgesetzt waren. Aus dieser Lage führten zwei historisch erprobte Auswege. Preußen mußte sich entweder, wie das Reich als Ganzes, den politischen Einwirkungen seiner Nachbarn öffnen und es ihnen gestatten, seine Politik zu beeinflussen und zu kontrollieren. Das war der Weg, den der andere große Staat der europäischen Mitte, nämlich Polen, betrat: Die Folgen für den polnischen Staat waren Aushöhlung seiner Souveränität, innenpolitische Anarchie und schließlich die Aufteilung zwischen den Nachbarn. Oder aber Preußen organisierte sich und rüstete so weit auf, daß es imstande war, jeden Krieg an seinen weit auseinanderliegenden, ungeschützten Grenzen auch gegen eine gegnerische Koalition zu führen und zu gewinnen. Und auf das Gewinnen kam es an, denn anders als im Fall der großen europäischen Staaten, die bei einer Kriegsniederlage mit Kontributionen und Abtretungen rechnen mußten, im Kern aber stets unangetastet blieben, ging es in jedem Konflikt für den Parvenü Preußen um Sein oder Nichtsein. Und es kam hinzu, daß Brandenburg-Preußen bettelarm war, praktisch über keinerlei natürliche Ressourcen verfügte und auch eine vergleichsweise geringe Einwohnerzahl besaß: Um 1700 lebten in den preußischen Staaten 3,1 Millionen Untertanen, in Polen dagegen 6 Millionen, in den habsburgischen Staaten 8,8 Millionen, in Rußland etwa 17 Millionen, in Frankreich, dem bevölkerungsreichsten Land Europas, 20 Millionen.

Im Vergleich mit den übrigen europäischen Staaten war Preußen 1740 an Bodenfläche der zehnte, an Bevölkerung der dreizehnte, nach seiner militärischen Macht aber der dritte oder vierte europäische Staat. Daher jenes Übergewicht des Militärischen im preußischen Staatswesen, deshalb die bürokratische Durchorganisation aller Lebensbereiche, um auch die letzten Kräfte zu mobilisieren, daher jener Zug von Angestrengtheit, Ernst und jener Mangel an Urbanität und Lebensfreude, der das preußische Wesen und später das deutsche bei den europäischen Nachbarn so unbeliebt gemacht hat. Alles das waren Voraussetzungen für das Überleben Brandenburg-Preußens, allerdings auch für den gut kalkulierten Griff, den der soeben auf den preußischen Thron gelangte Friedrich II. (1740–1786) im Dezember 1740 nach dem österreichischen Schlesien tat.

Der Coup des jungen Preußenkönigs war eine europäische Sensation. Der Horizont des Kontinents hatte sich mit dem Tod Kaiser Karls VI. am 20. Oktober 1740 kriegsschwanger verdunkelt. Der Kaiser hatte keine männlichen Erben hinterlassen, und obgleich er seit Jahrzehnten versucht hatte, die Zustimmung der europäischen Mächte zur «Pragmatischen Sanktion» zu erlangen, mit der seine Tochter Maria Theresia die Erb-

Grenadier James Kirkland von der Riesengarde Friedrich Wilhelms I., Johann Christof Merk, um 1714. Preußens Aufstieg zur europäischen Macht hatte mit einer Besonderheit zu tun, die Graf Mirabeau in den vielzitierten Satz faßte: «Die preußische Monarchie ist nicht ein Land, das eine Armee, sondern eine Armee, die ein Land hat, in welchem sie gleichsam nur einquartiert steht.» Friedrich Wilhelm I. (1713–1740) hat zwar die im Verhältnis zur Einwohnerzahl größte Armee Europas aufgebaut, aber nie einen Krieg geführt. Statt dessen sammelte er in ganz Europa groß gewachsene Soldaten für sein Potsdamer Leibregiment und scheute dabei trotz aller sonstigen Sparsamkeit keine Kosten. Die «Potsdamer Wachtparade» wurde in ganz Europa als Marotte Friedrich Wilhelms I. belächelt, die preußische Armee nicht ernstgenommen.

**Friedrich II. von Preußen
als Feldherr,**
Antoine Pesne, um 1745.

folge im ungeteilten Österreich antreten sollte, war die Versuchung groß, die Schwäche Habsburgs auszunutzen. In den Kabinetten Frankreichs, Spaniens, Bayerns und Sachsens hatte man schon vor dem Tod des Kaisers damit begonnen, Aufteilungspläne für die Konkursmasse der anscheinend zur Auflösung bestimmten Habsburgermonarchie auszuarbeiten, aber Friedrich II. kam allen zuvor. Mit dem Griff nach Schlesien hatte er alles auf eine Karte gesetzt. Er war sich darüber im klaren, daß sein Staat eine Niederlage wohl nicht überstehen würde. Nicht, daß Grenzverschiebungen im 18. Jahrhundert selten gewesen wären. Als Folge der großen Kriege wechselten Provinzen und ganze Reiche ihre Besitzer. So erwarb Österreich den größten Teil Ungarns gegen die Türken, dazu Banat, Serbien und einen Teil der Walachei. Frankreich sicherte sich 1766 Lothringen, Neapel mit Sizilien wechselte gleich zweimal den Besitzer. Rußland gewann Estland und Livland von Schweden, die südlichen Niederlande wechselten von der spanischen zur österreichischen Herrschaft. In allen diesen Fällen hatten die strengen und zeremoniellen Regeln des Völkerrechts und der Diplomatie geherrscht; aber anders als selbst im Fall der großen Raubkriege Ludwigs XIV. nahm Friedrich II. nicht einmal den Schein des Rechts für sich in Anspruch. Ihn leitete bei seinem Glücksspiel der Wunsch, «seinen Namen in den Zeitungen und dereinst in der Geschichte zu lesen», wie er an Voltaire schrieb, und daneben die Staatsraison: Preußen sollte europäische Großmacht werden, nicht mehr wie bisher «ein Zwitterwesen, eher ein Kurfürstentum denn ein Königreich».

Friedrich profitierte von dem Überraschungsmoment, von dem ausgezeichnet ausgebildeten und bewaffneten Heer, das ihm sein Vater vermacht hatte, und von der Machtgier der übrigen europäischen Mächte, die das Bündnis mit dem bedenkenlosen Friedensbrecher suchten, um ihren Anteil an der habsburgischen Beute zu sichern. Mit der Unterstützung Sachsens, Bayerns, Spaniens und Frankreichs konnte Friedrich im ersten Schlesischen Krieg (1740–1742) den größten Teil Schlesiens halten. Der zweite Schlesische Krieg (1744–1745), den Friedrich aus Besorgnis vor dem österreichischen Gegenschlag begann, wurde nur mit Glück gegen ein österreichisch-englisch-sächsisches Bündnis zum Remis gebracht: Österreich verzichtete auf den größten Teil Schlesiens, Preußen dagegen erkannte Maria Theresia als habsburgische Erbin und ihren Gemahl Franz Stephan von Lothringen-Toskana als Kaiser des Reichs an.

Aus mitteleuropäischer Perspektive war damit eine gewaltige Umwälzung geschehen. Deutschland war längs des Mains in zwei Lager gespalten. Der kaiserlichen Macht im Süden stand nun im Norden eine nahezu ebenbürtige Gegenmacht gegenüber, dem katholischen Kaiser war im Hohenzollernkönig so etwas wie ein protestantischer Gegenkaiser erwachsen, das evangelische Deutschland fand von nun an seinen Schutzherrn im Reich selbst, brauchte sich nicht mehr an außerdeutsche Mächte anzulehnen. Österreich konnte und wollte sich aber nicht mit dem Verlust Schlesiens abfinden – aus dieser reichen Provinz zog die Habsburger Monarchie 18% ihrer Einnahmen, und die strategische Lage Schlesiens

Kaiserin Maria Theresia als Königin von Ungarn, Marin van Meytens d. J., 2. Hälfte 18. Jh.

als der am weitesten nach Nordosten vorgeschobenen Bastion des Erzhauses Österreich im Reich schien dem österreichischen Staatskanzler Graf Kaunitz unverzichtbar. So kam es vierzehn Jahre später noch einmal zum Kampf um Schlesien und um die Vorherrschaft in Deutschland, zum Siebenjährigen Krieg (1756–1763), und nun war Preußen vollends der Störenfried des europäischen Gleichgewichts geworden, gegen den eine gewaltige Koalition zwischen Österreich, Frankreich, Rußland und den meisten Reichsfürsten antrat.

Erst in diesem Krieg gegen die Zahl und die Wahrscheinlichkeit wurde Friedrich ein Großer; er gewann ihn gewiß auch mit Hilfe englischer

71

Werbeplakat für das Infanterie-regiment von Anhalt, Deutschland, 1762. Noch im 18. Jahrhundert spielten nationale Loyalitäten nur eine geringe Rolle. Gelehrte, Adlige und Soldaten konnten jedem ausländischen Herrscher dienen, und war ein Kontrakt abgelaufen, war es keine Schande, beim Gegner Dienste zu nehmen. So konnte auch ein Prinz von Anhalt, dessen Verwandte hohe Stellungen in der preußischen Armee bekleideten, während des Siebenjährigen Kriegs im Dienst der französischen Krone ein deutsches Regiment aufstellen. Werbeplakate suggerierten ein fröhliches Leben bei der Armee – man mußte zwar exerzieren, dafür aber winkten «Unterricht im Tanzen und Fechten», Studium der französischen Sprache sowie «im Schreiben und Lesen», ein «gutes und baares Handgeld» sowie Fässer voll Wein.

Subsidien und dank dem unerwarteten Tod der Zarin Elisabeth im Jahr 1762, vor allem aber kraft seines Feldherrngenies, gepaart mit einem an das Selbstmörderische streifenden harten Willen und märchenhaftem Glück. Dabei war alles das nur ein Nebenkriegsgeschehen im weltgeschichtlichen Ringen zwischen Frankreich und England um die Vormacht auf den Weltmeeren und den Besitz der großen Kolonialreiche in Amerika und Asien. In englischer Perspektive war Preußen lediglich ein «Festlandsdegen», mit keiner anderen Bestimmung als der, Frankreichs Kräfte zu binden und am Einsatz in Indien und Amerika zu hindern. Der Erschöpfungsfriede von Hubertusburg am 15. Februar 1763, in dem die preußische Großmachtstellung wie auch der preußische Besitz Schlesiens garantiert wurden, folgte um fünf Tage dem Frieden von Paris, in dem Frankreich den Großteil seiner überseeischen Besitzungen an England abtrat. Amerika, bemerkte der frühere britische Premierminister William Pitt (1708–1778), sei in Deutschland erobert worden.

Nach dem Siebenjährigen Krieg konnte es scheinen, als habe sich die deutsche Staatenwelt vom Reich weitgehend emanzipiert und auf die Höhe der souveränen und handlungsfähigen Nachbarn im europäischen Staatensystem emporgeschwungen. Österreich, Preußen, Bayern, Sachsen, Württemberg waren Staaten in demselben Sinn, in dem dies Frankreich oder Polen waren. Und das Reich? Ein verblassender Mythos eher denn Staatswirklichkeit, ein juristisches Konstrukt, gegenwärtig allenfalls in einigen Institutionen wie dem Reichshofrat in Wien, dem Reichskammergericht in Wetzlar oder dem «Immerwährenden» Reichstag in Regensburg. Dem jungen Johann Wolfgang Goethe erschien 1764 die Königskrönung des nachmaligen römischen Kaisers Joseph II. in der alten Reichsstadt Frankfurt wie ein fremdes, exotisches Spektakel, ein endloses, kompliziertes, altväterisches Zeremoniell voll unverständlicher Symbolik, und dennoch anrührend, weil «das durch so viele Pergamente, Papiere und Bücher beinah verschüttete Reich wieder für einen Augenblick lebendig» wurde.

Das hieß nicht, daß das Reich vollends in metaphysische Gefilde davongeglitten wäre. Für die kleinen deutschen Reichsstände, die geistlichen Fürstentümer, die Reichsstädte, die Reichsritterschaften, die sonst schutzlos dem Zugriff der gefräßigen Großmächte ausgeliefert gewesen wären, bedeuteten Kaiser und Reich immer noch Schutz und Beistand. Im Verlauf der langen Schlesischen Kriege hatten allerdings die Reichstruppen, die Kontingente der mit Habsburg verbündeten deutschen Staaten, neben den Truppen der großen europäischen Mächte nur eine

Hochlöbliches Teutsches Infanterie-Regiment

Von
ANHALT.

Auf Befehl des Königs

Wird kund und zu wissen gethan, daß diejenigen so Lust haben, Ihro Majestät dem König von Frankreich, unter dem hochlöblichen teutschen Infanterie-Regiment von ANHALT zu dienen, dieselben haben sich allhier bey dem Herrn Hauptmann   besagten Regiments, zu oder bey andern des Anhaltischen Regiments sich befindlichen und zur Werbung bestellten Herren Officiers oder Unter-Officiers zu melden, woselbst ihnen gutes und baares Handgeld, richtige Capitulation auf vier Jahre, schöne und vollkommene sowohl große als kleine Montirungs-Stücke, nebst völliger Ausrüstung ohne einigen Abzug gereicht, und so bald die Zeit aus ist, ein ehrlicher ordentlich gedruckter Abschied zugestellet werden wird. Junge Leute und besonders aus Deutschland genießen den Vortheil während der Unterhaltungs-Zeit sich nicht nur die französische Sprache im Reden, sondern auch im Lesen und Schreiben bekannt zu machen, empfangen auch Unterricht im Tanzen und Fechten, weilen Schreib- Tanz- und Fecht-Schulen gehalten werden; nebst diesem so bekommen sie auch Frankreich zu sehen, Stücke wornach viele andere streben und doch nicht anders als durch Verschwendung ihres Vermögens dazu gelangen. Diejenigen so ein Handwerk gelernet, können fast beständig in den unterschiedlichen Garnisonen auf selbigem arbeiten, mithin sich darinnen üben, gleich als ob sie dißfalls reiseten. Besonders ist auch zu bemerken, daß sowohl die so der Catholischen- als auch diejenigen so der Protestantischen Religion zugethan, freye und ohngekränkte Uebung ihres Gottesdienstes bey dem Regiment genießen. Ueberdaß so haben Ihro Königl. Majestät in höchst Dero Verordnung von 21. Decembris 1762. Art. 25. 26. 27. und 28. allergnädigst zugesagt, daß alle diejenige sowohl Catholische als Protestanten, welche die bestimmte Zeit Ihro Majestät treu und ehrlich gedienet, entweder in dem Königlichen Invaliden-Haus Verpflegung, oder aber ihr völliges Tractament in dem Ort und Land, wo sie es begehren, Zeitlebens empfangen, anbey mit neuer Montirung, als wären sie noch bey dem Regiment, versehen werden sollen, und deswegen Verordnung gethan, das diejenige, so sich in Deutschland oder andern auswärtigen Landen aufhalten wollen, durch Ihro Königl. Majestät Gesandten richtig werden ausbezahlet werden, wie dann wirklich schon verschiedene diese Guttthaten genießen. Endlich so haben diejenige so sich in Lesen und Schreiben, auch in der französischen Sprache befleißen, und sich wohl aufführen baldige und gewisse Beförderung zu hoffen. Ueberhaupt aber hat ein jeder wackerer Soldat alle mögliche Vorsorge und väterliche Liebe von seinen hohen Obern zu gewarten.

Diejenige so einen schönen Mann zuführen, werden wohl belohnet werden.

marginale Rolle gespielt; die populären Spottlieder über die Reichsarmee, die ausriß, wenn der große Friedrich nur auf seine Hosen klopfte, zeigten das Reich in seiner derzeitigen armseligen Verfassung in keinem guten Licht. In den Friedensjahren seit 1763 setzte daher eine breite Diskussion über die Erneuerung und Reform des Reichs ein. Die Idee eines dritten Deutschland neben den beiden, nur noch halb dem Reich zugehörigen Großmächten Österreich und Preußen gewann an Boden, eines erneuerten Staatenbundes der mittleren und kleinen deutschen Territorien, einer Rückkehr der Reichsfürsten zu ihren Verpflichtungen als Reichsstände und Vasallen, einer Belebung der Bindungen zwischen Kaiser und Reich. Seit Caesar, seit Karl dem Großen, seit Maximilian I. hatte sich das Reich so oft verwandelt und verjüngt – weshalb sollte die alte Hülle nicht auch ein weiteres Mal neue Form annehmen? Am Ende des 18. Jahrhunderts schien die Zukunft Mitteleuropas offen. Der neu entfachte Reichspatriotismus in den vielen kleinen, schutzbedürftigen Territorien kontrastierte lebhaft zu den vaterländischen Gefühlen der habsburgischen und hohenzollernschen Untertanen, die im Verlauf der Schlesischen Kriege erwacht waren.

Was allerdings «Deutschland» neben den Realitäten des Reichs und seiner Staatswesen heißen sollte, war nach wie vor nebelhaft. Der sächsische Beamte und Staatsphilosoph Ludwig v. Seckendorff (1626–1692) hatte 1656 seinen *Teutschen Fürsten-Staat* veröffentlicht – er hielt zwar daran fest, daß eine schwer beschreibbare «deutsche Nation» in politischer Bedeutung existiere, konstatierte aber, daß es in und unterhalb dieser Nation

Anteil der Stände an der Gesamtbevölkerung Deutschlands und Europas 1500 und 1800. Die gesellschaftliche Ordnung war nach dem Verständnis des Mittelalters und der frühen Neuzeit durch die Ständepyramide bestimmt. Grob gesagt waren da Adel und Geistlichkeit als herrschender Stand, darunter das Bürgertum, schließlich die Bauernschaft. Die Bevölkerungsanteile der Stände blieben sich jahrhundertelang weitgehend gleich und wichen in Deutschland kaum vom übrigen Europa ab: Ein hochgradig statisches Bild der Gesellschaft ergibt sich, das lediglich durch Verschiebungen im ländlichen Bereich, durch die Zunahme landarmer und besitzloser Familien Veränderungen erfährt, hervorgerufen hauptsächlich durch das Bevölkerungswachstum und die ständige Teilung der Höfe im Erbfall.

Stand	Bevölkerungsanteil in Prozent			
	Deutschland		Europa	
	1500	1800	1500	1800
Adel (herrschender Stand)	1–2	1	1–2	1
Bürger (Stadtbewohner)	20	24	20	21
Bauern (Landbewohner)	80	75	78	78
davon: Hofbesitzer	60	35	53	43
landarme und besitzlose Familien	20	40	25	35
Bevölkerung in Millionen	12	24	55	190

viele weitere Nationen gebe. Auch die mehr als dreihundert deutschen Fürstentümer beruhten auf Nationen, von Württemberg bis Anhalt-Zerbst, von Brandenburg bis Braunschweig-Calenberg.

Im 17. und 18. Jahrhundert war «deutsch» eine Sprache, nicht mehr, und selbst die Aussichten für die Zukunft dieser Sprache waren zeitweise trübe. Hier und da bildeten sich Sprachgesellschaften wie die «Fruchtbringende Gesellschaft» zu Weimar oder die «Pegnitz-Schäfer» zu Nürnberg, gelehrte Assoziationen, die sich in rührender Nachahmung der *Académie française* der Pflege der reinen deutschen Sprache widmeten, sich in ihrem rigorosen Purismus aber oft den Spott der Zeitgenossen zuzogen. Auffallend war, daß sich dergleichen Bemühungen um die deutsche Sprache weitgehend auf das protestantische Deutschland beschränkten – kein Wunder, denn der Maßstab der protestantisch-deutschen Literatur war der meißnisch-sächsische Dialekt der Bibelübersetzung Martin Luthers, und noch im 19. Jahrhundert hat der große Sprachwissenschaftler Jacob Grimm in der Vorrede zu seiner Deutschen Grammatik erklärt, man dürfe «das Neuhochdeutsche in der That als den protestantischen Dialekt bezeichnen».

Nie zuvor wie jetzt, im letzten Drittel des 18. Jahrhunderts, waren die Deutschen so sehr «ein Rätsel politischer Verfassung, ein Raub der Nachbarn, ein Gegenstand ihrer Spöttereien, uneinig unter uns selbst, kraftlos durch unsere Trennungen, stark genug, uns selbst zu schaden, ohnmächtig uns zu retten, unempfindlich gegen die Ehre unseres Namens, unzusammenhängend in Grundsätzen, gewalttätig in deren Ausführung, ein großes und gleichwohl verachtetes, ein in der Möglichkeit glückliches, in der Tat selbst aber sehr bedauernswürdiges Volk», so 1766 der Reichshofrat Friedrich Carl v. Moser. Und gleichzeitig waren sie wie nie zuvor auf dem Weg, sich selbst als Nation zu begreifen.

Gerade aus der Zersplitterung wuchs die Nation, aus den Bedürfnissen der Vielzahl kleiner Staaten und Regierungen. Die absolutistischen Staaten beanspruchten, in allen Winkeln ihrer Territorien präsent zu sein und in sämtliche Lebensbereiche ihrer Untertanen eingreifen zu können. Somit wuchsen Umfang und Aufgabenbereiche der Verwaltung und damit die Anforderungen an den Staatsbeamten, der von Wirtschaft und Handel so viel verstehen mußte wie von Recht und Finanzen. Nicht mehr allein der Stand von Geburt, sondern Fähigkeiten und Kenntnisse waren gefragt, und zur Heranbildung fähiger Staatsdiener sorgte nach Möglichkeit jeder Fürst für Höhere Schulen, Universitäten und Akademien. So entstand in ganz Deutschland im Verlauf der zweiten Hälfte des 18. Jahrhunderts eine gebildete adlig-bürgerliche Schicht aus Beamten, Pfarrern, Professoren, Juristen, Lehrern, Ärzten und Buchhändlern und anderen gehobenen freien Berufen, die allesamt eins gemeinsam hatten: Sie übten ihre Ämter nicht aufgrund ihres ererbten Standes, sondern aufgrund ihres erlernten Könnens aus.

Und mit der Herausbildung dieser neuen Bildungsschicht wuchsen die deutschen Dialekte und Mundarten zur Sprache deutscher Hochkultur

Musikgesellschaft,
Deutschland, Mitte 18. Jh.
Die Kaffeepause ist vorüber,
die Eltern präludieren bereits auf
Spinett und Laute, die Kinder
warten auf den Einsatz für ihren
Gesang. Hausmusik war mehr als
ein familiäres Vergnügen, sie war
die kulturelle Domäne eines Bürgertums, das sich von höfischen
Opern und Konzerten unabhängig gemacht und auf sparsame
Weise seine eigenen Darstel-
lungsformen gefunden hatte.

Herzogin Luise Dorothea von Sachsen-Gotha-Altenburg in ihrem Schreibkabinett, S. Hellmund, 1754.
Aufklärung bedeutete nicht in erster Linie eine klar umrissene Philosophie, sondern ein kulturelles Klima, das ganz Europa umfaßte und eine Gemeinschaft des Geistes über alle Grenzen hinweg hervorbrachte – zu der nun auch eine beträchtliche Anzahl von Frauen gehörte. Herzogin Luise Dorothea von Sachsen-Gotha-Altenburg (1710–1767) war mit Friedrich dem Großen befreundet, korrespondierte mit Voltaire, Diderot, Rousseau und der russischen Zarin Katharina der Großen; sie gründete in dem von ihrem Mann regierten Staat Fabriken und kümmerte sich um den Außenhandel. Wir sehen die Herzogin an ihrem Schreibtisch, auf dem sich Bücher und Briefe stapeln. Die Tür zur benachbarten Bibliothek ist geöffnet, links ein Globus, rechts die Statue der Minerva, Beschützerin der Künste.

zusammen. Deutsche Nationalliteratur, deutsches National- und Musiktheater schufen über die Grenzen der deutschen Territorialstaaten hinweg eine Einheit des Urteils und des Geschmacks. Wer in der zweiten Hälfte des 18. Jahrhunderts deutsch schrieb, tat dies nicht nur, weil der literarische Markt dies forderte, sondern er bekannte sich damit auch zur Einheit eines aufgeklärten bürgerlichen Geistes, der über den Staatsgrenzen stand und sich bewußt von der französischen Sprachkultur abgrenzte, wie sie an den Fürstenhöfen herrschte. In der sprachlichen Unterscheidung von der europaweiten französischen Kulturhegemonie erfuhr die deutsche Bildungselite ihre nationale Identität, und Justus Möser forderte die Deutschen bereits 1785 auf, sie sollten nicht mehr «Affen fremder Moden» sein. Schon sang Klopstock seine Vaterlandsode:

«Nie war, gegen das Ausland,
Ein anderes Land gerecht, wie du!
Sei nicht allzu gerecht. Sie denken nicht edel genug
Zu sehen, wie schön dein Fehler ist!»

Klopstock meinte die deutsche Nation, eine Nation freilich, die sich nur in den Köpfen ihrer Gebildeten fand. Wo vier von fünf Deutschen noch im bäuerlichen Lebensmilieu wurzelten und die große Politik allenfalls in kirchlichen Fürbitten für die landesherrliche Familie oder aber in den Drangsalen von Krieg, Einquartierung und Plünderung durch fremde und oft auch eigene Soldaten erlebten, wo die städtische Jugend, wie der junge Goethe, allenfalls «fritzisch» fühlte und den Preußenkönig Friedrich verehrte, der mit seinen Siegen über die französischen und russischen Heere das Beispiel eines nationalen Helden gestiftet hatte, da fehlte noch jeder Humus, aus dem eine Volksnation wachsen konnte. Nach Schätzung des Berliner Buchhändlers Friedrich Nicolai (1733–1811) waren es etwa 20 000 Menschen in ganz Deutschland, die sich um 1770 am nationalen Diskurs beteiligten, ohne daß dies jedoch irgendwelche politischen Folgen gehabt hätte. Die deutsche Nation war vorerst ganz sprachlich-kultureller Natur, und die zunehmende Verdichtung der Kommunikation zwischen den Gebildeten aller deutschen Territorien, der enorme Anstieg von Buchtiteln und Buchauflagen, die erhebliche Zunahme publizistischer Organe, das Florieren der Lesegesellschaften bis in die Kleinstädte schufen zwar eine räsonierende Öffentlichkeit neuer Art, aber, wie noch zu Beginn des 19. Jahrhunderts die französische Schriftstellerin Madame de Staël (1766–1817) feststellte: «Die Gebildeten Deutschlands machen einander mit größter Lebhaftigkeit das Gebiet der Theorien streitig und dulden in diesem Bereich keine Fessel, ziemlich gern aber überlassen sie dafür den irdischen Machthabern die ganze Wirklichkeit des Lebens.»

Die deutsche Nation entstand also in den Köpfen der Gebildeten, und sie war eine reine Kulturnation, ohne direkte politische Bezüge. So war es auch folgerichtig, daß nicht Fürsten und Kriegshelden die Nation verkörperten, wie in Frankreich oder England, sondern eine Vielzahl von

Der Gesellige, eine moralische Wochenschrift, Deutschland, 18. Jh. Zur bürgerlichen Aufklärung gehörte ein Massenpublikum, dem ein enorm expandierender Zeitschriften- und Buchmarkt gegenüberstand; für den deutschen Sprachraum sind für das 18. Jahrhundert etwa 4000 Zeitschriften bekannt. Ein verbreiteter Zeitschriftentyp waren die moralischen Wochenschriften, die bürgerliche Normen und Moral behandelten. Hier entstanden die Themen und Begriffe, die den geistigen Horizont der deutschen Kultur im 18. Jahrhundert absteckten. Gedankenwelten eines Bildungsbürgertums, das sich über die Territorialgrenzen hinweg auf deutsch verständigte und die Voraussetzungen für eine deutsche Kulturnation schuf.

Dichtern und Denkern, wenn man von Friedrich dem Großen, dem «Philosophen von Sanssouci», absieht. Für die Deutschen wurden Goethe und Weimar zur Mitte der Nation, wie für die Engländer der König und London, für die Franzosen Napoleon und Paris, und die politische Zersplitterung wurde nicht als Last empfunden: Wenn sie auch seit dem Zeitalter der Humanisten oft beklagt worden war, so hatte als Abhilfe durchaus nicht ein nationalstaatlicher Zusammenschluß in der Art Frankreichs oder Englands, sondern eine Stärkung der Fürstensolidarität, eine entschlossenere Unterstützung des Kaisers gegolten. Nicht die territoriale Fragmentierung des Reichs hielt man für das Übel, sondern den Egoismus der Herrschenden. Die Vielfalt der Herrschaften, Residenzen und Verfassungen des Reichs galt als Vorzug; despotischer Machtausübung, so faßte es Christoph Martin Wieland (1733–1813) zusammen, sei aus diesem Grund ebenso eine Grenze gesetzt, wie die natürliche Vielfalt der Sitten und Gebräuche, aber auch der Theater und Universitäten Kultur und Humanität befördere, und auch der Wohlstand sei auf diese Weise gleichmäßiger verteilt als in Staaten, in denen sich der gesamte Nationalreichtum an einem Ort konzentriere. Deutschland, so sagten Friedrich Schiller und Wilhelm v. Humboldt, war das neue Griechenland in seiner unerhörten kulturellen Blüte, machtlos, aber gedankenreich. Das neue Rom hingegen, hegemonial, hochorganisiert, zivilisiert, aber ohne jene Kultur, auf die die Deutschen sich soviel zugute taten, dieses neue Rom hieß Frankreich.

Im letzten Drittel des 18. Jahrhunderts häuften sich allenthalben in Europa die Unruhen, städtische und ländliche Rebellionen, die meist schnell eingedämmt wurden, die aber ein Klima allgemeiner Unsicherheit schufen. Krisen dieser Art, hervorgerufen durch Mißernten und damit verbundene Schwankungen der Lebensmittelpreise, hatte man seit dem Mittelalter gekannt; bisher war aber die Ordnung von Staat und Gesellschaft kaum strittig gewesen. Das änderte sich jetzt. Gottesgnadentum und «gutes altes Recht» waren im Licht der Aufklärung fadenscheinig geworden. Aufklärung – das war nicht so sehr eine elitäre Philosophie als vielmehr ein geistiges und kulturelles Klima, das alle Lebensgebiete durchdrang und die Menschen mit der Zuversicht erfüllte, daß es in ihrer eigenen Macht stand, nach den Gesetzen der Natur und des Verstandes glücklich zu werden. Das menschliche Heil lag nicht mehr im Himmel, sondern auf Erden, und um es zu erlangen, schien es nicht mehr zu bedürfen als des Gebrauchs der Vernunft und einiger Entschlossenheit. Schon hatte sich in Amerika das Volk gegen die Tyrannei der britischen Krone erhoben, und das Beispiel wirkte allenthalben in Europa. So war der Boden vorbereitet, als im Juni 1789 die Nachricht aus Paris kam: Der Dritte Stand der Ständeversammlung habe sich zur Nationalversammlung, zur alleinigen Vertretung des französischen Volkes proklamiert und gehe nun daran, eine Verfassung auf der Grundlage von Volkssouveränität und Menschenrechten zu verkünden.

In der deutschen Geisteswelt gab es nur eine Reaktion: «Diese Revolution», bemerkte Immanuel Kant, «findet doch in den Gemütern aller Zuschauer eine Teilnehmung dem Wunsche nach, der nahe an Enthusiasmus grenzt...» Aber das Entzücken der gebildeten Bürger darüber, daß der Geist der Aufklärung nun auch die Politik ergriffen hatte, blieb nicht lange ungetrübt. Die Revolution glitt blutig aus, und der revolutionäre Terror der Jahre 1793 und 1794, der erste Massenmord in der modernen Geschichte im Namen aller Tugenden der Aufklärung, wurde von den entsetzten deutschen Bürgern als Katastrophe der Vernunft empfunden. Zurück in die Innerlichkeit, fort von der Politik: Deutschlands glänzendste Dichter wie Novalis, Ludwig Tieck, Achim v. Arnim oder Clemens Brentano begaben sich auf die Suche nach der blauen Blume der Romantik, während Europa in Kriegen und Revolutionen versank.

Seit April 1792 herrschte Krieg zwischen dem revolutionären Frankreich und den übrigen Mächten Europas. Von seiten der französischen Revolutionäre schien der Krieg gefahrlos, denn man glaubte in Paris an die Schwäche Habsburgs, das mit inneren Spannungen zu kämpfen hatte, und hielt ein Bündnis zwischen Preußen und Österreich für

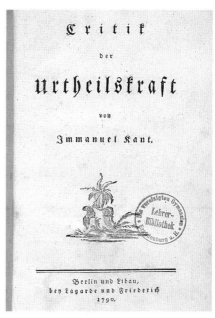

Immanuel Kant: Critik der reinen Vernunft, 2. Aufl., Riga 1787;
Critik der Urtheilskraft, Berlin 1790;
Critik der practischen Vernunft, 2. Aufl., Riga 1792.

Das Denken der Aufklärung hatte mit einem Widerspruch zu tun: Einerseits ging es darum, die Gesetzmäßigkeiten der Natur aufzudecken, andererseits darum, die Freiheit des menschlichen Individuums zu begründen. Der Königsberger Philosoph Immanuel Kant (1724–1804) überbrückte diesen Gegensatz. Die Wirklichkeit zeigt sich dem Menschen nicht so, wie sie an sich ist, sondern nur, wie sie ihm aufgrund seines Erkenntnisvermögens erscheint. Das «Ding an sich», die Idee, verbirgt sich hinter den Erscheinungen. Dies gilt aber nicht für das sittliche Handeln. Das moralische Gesetz, der «kategorische Imperativ» («Handle so, daß die Maxime deines Willens jederzeit zugleich als Prinzip einer allgemeinen Gesetzgebung gelten könne»), tritt dem Menschen unmittelbar entgegen und begründet in der Entscheidung dafür oder dagegen seine Freiheit. Der Mensch lebt also in zwei Welten: im Reich der Erscheinung, in dem er ein winziges Glied in notwendigen Zusammenhängen ist, aber auch in einem praktisch-sittlichen Reich der Freiheit.

unmöglich. Die Militärs der europäischen Mächte wiederum, die sich gegen Frankreich zu einer Koalition zusammengeschlossen hatten, hielten ihre im Siebenjährigen Krieg gestählten Armeen für unüberwindlich und gedachten mit dem aufständischen Lumpengesindel in Paris kurzen Prozeß zu machen. Wie so oft begann also auch dieser Krieg, weil man sich gegenseitig falsch einschätzte. Doch die Armeen der absolutistischen Staaten waren den französischen Bürgersoldaten, ihrer hohen Motivation, ihrem neuartigen taktischen Vorgehen und ihrer schieren zahlenmäßigen Übermacht nicht gewachsen. Binnen weniger Jahre hatte das revolutionäre Frankreich die Macht des Sonnenkönigs in den Schatten gestellt und diktierte die Zukunft des Kontinents. Krieg und Kriegsziele nahmen allerseits gewaltige Dimensionen an; nicht mehr Grenzverschiebungen innerhalb eines weiterhin bestehenden europäischen Gleichgewichtssystems standen in Frage, sondern eine revolutionäre Umgestaltung Deutschlands, Europas, ja der Welt, und alle Großmächte waren daran beteiligt: Während Frankreich danach trachtete, sich alles Gebiet westlich der «natürlichen» Rheingrenze einzuverleiben, und darüber hinaus daranging, östlich dieser Grenzen ein breites Vorfeld von Satellitenstaaten zu schaffen, von der Batavischen über die Helvetische bis zur Cisalpinischen und Ligurischen Republik, hatten die antirevolutionären Großmächte des Ostens, Rußland, Preußen und Habsburg, sich wahrhaft revolutionär betätigt, indem sie 1793 und endgültig 1795 Polen unter sich aufgeteilt und damit ein altes und bedeutendes Mitglied der europäischen Staatenfamilie von der Landkarte gewischt hatten. Und nicht nur um die Neuordnung des europäischen Kontinents ging es; der Krieg war über den halben Erdball gesprungen, hatte die Kolonialreiche erfaßt, und von Indien bis zu den beiden Amerikas tobte ein Seekrieg um den Besitz der Kolonien und um die Sicherung der Zugangswege. Ein veritabler Weltkrieg war im Gange, der zwar hier und dort immer mal wieder erlosch, aber nur, um an anderem Ort, mit veränderten Bündnissen und frischen Kräften neu zu entflammen. Das erste Mal in der jüngeren Geschichte ging es um Weltherrschaft und um die völlige Niederwerfung der anderen, und solange nicht einer der Hauptgegner, England, Frankreich oder Rußland, völlig darniederlag, war auf ein Kriegsende nicht zu hoffen.

Preußen allerdings, stets in der geostrategischen Zwickmühle zwischen Rußland und Frankreich, scherte mit dem Frieden von Basel 1795 aus der Koalition aus, gab das Rheinland ebenso auf wie die Treue gegen Kaiser und Reich und zog sich nach Osten zurück. Zehn Jahre lang herrschte im Schutz der preußischen Waffen in Nord- und Ostdeutschland Frieden – jener Frieden, den die Welt Goethes und Schillers, Novalis' und Humboldts brauchte, um sich entfalten zu können. Damit gab Preußen das Signal für die rücksichtslose Neuaufteilung der deutschen Landkarte, für eine revolutionäre Zusammenballung von Besitz und Macht und für das Ende des Heiligen Römischen Reichs.

Ein mitteleuropäischer Grundstücksmarkt nie dagewesenen Ausmaßes kam in Gang. Während Spanien und Portugal erschöpft aus dem Krieg ausschieden, Österreich Niederlage auf Niederlage hinnehmen mußte, England zunehmend isoliert dastand und Rußland desinteressiert war, um 1802 sogar mit Frankreich gegen England gemeinsame Sache zu machen, schritt Frankreich von Triumph zu Triumph: Belgien und das Rheinland annektiert und dem eigenen Staatsgebiet zugeschlagen, die Niederlande und die Eidgenossenschaft in Protektorate verwandelt, Italien in französische Tochterrepubliken aufgeteilt – die kühnsten Träume Ludwigs XIV. wurden von der revolutionären Wirklichkeit weit übertroffen. Frankreich besaß jetzt, gemeinsam mit Rußland, die Hegemonie in Europa. Die geschädigten deutschen Fürsten dagegen, Bayern, Hessen-Kassel, Württemberg und Baden, hatten nach preußischem Vorbild den Ausweg gefunden, aus dem Desaster billig und sogar mit Gewinn davonzukommen. Gegen die Abtretung des Rheinlandes an Frankreich versprach man sich gegenseitig «angemessene Entschädigung» auf Kosten derer, die weder Macht noch Fürsprecher besaßen: Das waren die kleinen Fürsten und Grafen, die geistlichen, reichsstädtischen und reichsritterschaftlichen Gebiete. Der Kaiser selbst, Franz II., zog in einem Geheimabkommen zum Frieden von Campo Formio 1797 nach, gab damit die Reichsintegrität zugunsten habsburgischer Interessen auf. Das letzte Wort sprachen nicht einmal die beteiligten deutschen Fürsten, sondern Frankreich und Rußland als Garantiemächte des Reichs: Ihr Entschädigungsplan wurde im Reichsdeputationshauptschluß von 1803 verabschiedet und einen Monat darauf vom Regensburger Reichstag bestätigt.

Seitdem gehörte die zersplitterte Kleinstaatenwelt Deutschlands der Vergangenheit an. Die Zahl der reichsunmittelbaren Territorien und Städte sank von 314 auf 30, die verbliebenen rund 300 Reichsritterschaften nicht gerechnet. Die Veränderungen waren enorm; Württemberg verdoppelte die Zahl seiner Untertanen, Baden besaß sogar auf einen Schlag mehr als das Dreifache seiner ursprünglichen Einwohnerschaft. Und was ging nicht alles unter: Da war die bunte und stolze Welt der alten Reichsstädte Frankens und Schwabens, meist winzige Flecken wie Wimpfen, Biberach oder Buchholz, aber auch bedeutende Kultur- und Handelszentren wie Ulm, Augsburg oder Heilbronn. Da waren die vielen kleinen Residenzen der Fürstenbergs, der Leiningen, der Fugger oder der Hohenlohe, deren Glanz bei aller Bescheidenheit doch den Untertanen Wohlstand und Ansehen gegeben hatte und die jetzt unter den Amtmännern und Kommissären einer fernen und unsichtbaren Regierung in Bedeutungslosigkeit versanken. Da war die rechtswidrige Beseitigung der Besitzungen der Malteser und des Deutschen Ordens im Breisgau und am Bodensee, die rücksichtslose Zerschlagung der fürstbischöflichen und klösterlichen Herrschaften, und da war die Vernichtung der oberdeutschen Klosterlandschaft, vom fränkischen Vierzehnheiligen bis zum oberschwäbischen Weingarten: Zusammenbruch einer nahezu tausendjährig gewachsenen Staats- und Rechtsordnung, revolutionärer Triumph des alles beherrschenden, sich alles unterwerfen wollenden modernen Zentralstaats.

Die treuesten Anhänger, die Kaiser und Reich besessen hatten, Reichsstädte, Reichsadel und Reichskirche, waren fast ausgelöscht, während die mit französischer Hilfe vergrößerten deutschen Mittelstaaten in der engen Anlehnung an Frankreich ihre einzige Zukunft sahen. Im Herbst 1804 unternahm Napoleon Bonaparte, seit vier Jahren Erster Konsul Frankreichs und dessen Diktator, eine Rundreise durch die Rheinlande; der Jubel der Bevölkerung war unermeßlich. Wenige Wochen darauf krönte sich Napoleon in Paris zum Kaiser der Franzosen, und das Szepter Karls des Großen, von dem man nicht wußte, daß es eine Fälschung war, spielte bei der Zeremonie eine große Rolle. Zwei Kaiser in Europa? Der Römische Kaiser Franz II. nahm die Kaiserkrone Österreichs an; Napoleon verspottete seinen Nebenbuhler in Wien als «Skelett, das nur ein Verdienst der Vorfahren auf den Thron gebracht hat». Der Todesstoß fiel leicht. Am 12. Juli 1806 unterzeichneten die Vertreter von sechzehn süd- und südwestdeutschen Staaten die Rheinbundakte, mit der sie sich vom Reich lossagten und dem Protektorat des Kaisers der Franzosen unterstellten.

Napoleon im Krönungsornat, François Gérard, nach 1806. Napoleon Bonaparte (1769–1821) beherrschte nicht nur West- und Mitteleuropa, sondern er suchte sich auch alle Legitimationen anzueignen, die ihn, den Aufsteiger aus dem Nichts, in die Traditionen europäischer Herrschaft stellen konnten. Das Prunkgemälde zeigt Gesicht und Frisur im Stil antiker Augustus-Büsten; die goldenen Bienen auf dem Krönungsmantel sind Attribute der Merowinger, verweisen also auf die Ahnherren der französischen Könige. Der Reichsapfel links auf dem Kissen gehört zu den Herrschaftszeichen Karls des Großen, und die barocke Inszenierung des Staatsportraits erinnert an Bildnisse Ludwigs XIV., dessen Ausdehnungspolitik Napoleon längst in den Schatten gestellt hatte.

Am 6. August 1806 legte Franz II. die römische Kaiserkrone nieder. Ein Streit seines Kutschers, bemerkte Goethe dazu, habe ihn mehr interessiert als diese Nachricht, und wie er ging alle Welt achselzuckend über das Ende des Heiligen Römischen Reichs Deutscher Nation zur Tagesordnung über. Ein Reich wie dieses, seit Julius Caesar fast zweitausend Jahre dauernd, immer wieder strauchelnd, immer erneut sich verwandelnd, bei aller Schwäche und Skurrilität in seinen letzten Jahrhunderten doch eine langdauernde Friedensordnung: Das war einzig in der Geschichte. Nur ein nichtdeutscher Reichsfürst, der schwedische König Gustav IV. Adolf, als Landesherr von Vorpommern Reichsstand, hatte eine Vorstellung davon, wie es weitergehen sollte; er teilte seinen Untertanen respektvoll und traurig die kaiserliche Entschließung mit und fügte hinzu: «Wenn die heiligsten Verbindungen . . . jetzt aufgelöset worden; so kann doch niemals die teutsche Nation vernichtet werden, und durch die Gnade des Allerhöchsten wird Teutschland, dereinst aufs neue vereinigt, zu Macht und Ansehen wieder hergestellt werden.»

IV. Die Geburt der deutschen Nation (1806–1848)

Der kriegerische Erfolg der französischen Bürgersoldaten, die im Namen ihrer «einen und unteilbaren Nation» kämpften und siegten, kam nicht von ungefähr. Denn, mit den Worten des Magisters Laukhard aus Halle, der in französische Gefangenschaft geraten war, in der Revolutionsarmee gedient hatte und also wußte, wovon er sprach: Die Franzosen besaßen, «was die edlen Verteidiger des alten Griechenlands auch an sich hatten, nämlich warme Liebe zu ihrem Vaterlande, eine Liebe, die der Deutsche deswegen nicht kennt, weil er als Deutscher kein Vaterland hat». Es konnte daher scheinen, als seien die französischen Heere unbesiegbar. 1805 schlug Napoleon Österreichs Hauptstreitmacht bei Austerlitz, der anschließende Friede von Preßburg ließ Österreich nur noch den Status einer Mittelmacht. Am 14. Oktober 1806 erlitt die preußische Armee bei Jena und Auerstedt ein ähnliches Schicksal; die preußische Niederlage war so vollständig, daß es zu weiteren größeren Schlachten nicht mehr kam. Napoleon zog in Berlin ein, von der Bevölkerung begeistert begrüßt. Im Jahr darauf unterzeichnete der preußische König Friedrich Wilhelm III. das harte Friedensdiktat des Siegers, und Preußen wäre wohl ganz von der Landkarte verschwunden, wenn nicht Napoleon und dem russischen Zar Alexander I. an einem strategischen Glacis zwischen ihren Machtblöcken gelegen gewesen wäre.

Deutschland war bisher ohne die Hülle des Reiches nicht denkbar gewesen. Die Hülle war seit 1806 geschwunden, und weniger denn je konnte man jetzt so recht sagen, was Deutschland sei. Als preußischer, bayerischer, sachsen-gothaischer oder schwarzburg-sondershausenscher Untertan konnte man sich zwar als «Teutscher» fühlen, aber «Teutschheit» konkurrierte ohne weiteres mit einem verbreiteten bürgerlichen Kosmopolitismus wie auch mit der Loyalität zum jeweiligen Landesherrn, und wenn von «Nation», «Vaterland» und «Patriotismus» die Rede war, dann konnte irgendein vage umgrenztes Deutschland ebenso gemeint sein wie das Staatswesen, in dem man lebte, aber auch ohne weiteres beides gemeinsam.

Der Schock der Niederlagen, das Gefühl der Demütigung, die schweren Finanzlasten, die die besiegten Staaten zu tragen hatten, die ver-

Königin Luise von Preußen, Nikolaus Lauer, 1799. Der Mythos der Königin Luise (1776–1810) setzte noch zu ihren Lebzeiten ein und steigerte sich nach ihrem frühen Tod. Die Demütigung, die ihr Napoleon 1807 zufügte, als er ihre Bitte um einen milden Frieden auf unhöfliche Weise zurückwies, galt als sinnbildlich für Preußens Demütigung durch Frankreich. Ihre Anmut und ihre bürgerliche Lebensführung erwarben ihr die Anhänglichkeit der Bevölkerung; der Dichter Novalis schlug bereits 1797 vor: «Jede gebildete Frau und jede sorgfältige Mutter sollte das Bild der Königin in ihrem oder ihrer Töchter Wohnzimmer haben … So könnte hier durch diese beständige Verwebung des königlichen Paares in das häusliche und öffentliche Leben ächter Patriotism entstehen.»

heerenden Durchmärsche der französischen Armeen, die sich aus dem Land ernährten und es auspreßten, die Teuerungen, die das französische Zollsystem hervorrief: Das alles kam zusammen, um zwei – einander durchaus entgegengesetzte –Veränderungen zu bewirken: die Reformen in den deutschen Staaten nach französischemVorbild und die Entdeckung der deutschen Nation.

Wo französische Satellitenregierungen installiert waren – das galt für das Königreich Westfalen und das Großherzogtum Berg –, wurden Verwaltung und Rechtssystem direkt von Frankreich oktroyiert. Die Verbündeten Frankreichs, also die Rheinbundstaaten, die schließlich sämtliche deutschen Länder mit Ausnahme Preußens und Österreichs umfaßten, übernahmen die französischen Institutionen und Rechtsnormen in unterschiedlicher Weise, oft eigenen Traditionen angepaßt.Verfassungen wurden erlassen, die Staatsverwaltungen nach französischem Muster modernisiert, der *Code Napoléon* wurde übernommen, das neue französische Zivilgesetzbuch, das die Feudalverfassung nicht mehr kannte und den bürgerlichen Staat der nachrevolutionären Ära in rechtliche Normen faßte. Bürgerliche Rechte, Abschaffung der Adelsprivilegien, Befreiung der Bauern – dieser Teil Deutschlands hatte seine Unabhängigkeit verloren, aber im Innern war er freier und fortgeschrittener als das übrige Deutschland.

Auch diejenigen Staaten, die außerhalb des Rheinbunds, aber stets unter napoleonischer Bedrohung standen, reformierten ihre Strukturen im wesentlichen nach französischem Vorbild: Öster-

Buonapartes Stufenjahre, Johann Michael Voltz, 1814. Napoleon nach seinem Sturz in der Karikatur: Der «corsische Knabe» erklimmt die Treppe seiner Lebensalter wie des Erfolgs, wird an der Seite Josephines Erster Konsul und Kaiser der Franzosen, und dann geht es abwärts: Aus Spanien muß er abziehen, ebenso aus Moskau, schließlich aus Deutschland; die Herrscher Österreichs, Preußens und Rußlands stoßen ihn von der Erfolgstreppe, und schließlich sitzt er Chronos gegenüber, der ihm aus einer Landkarte die Insel Elba ausgeschnitten hat, und seufzt: «Ach wie klein ist mein.»

reich und Preußen. Für die Regierenden und die leitenden Beamten dieser Staaten ging es vor allem darum, die Niederlagen von Austerlitz und Jena zu kompensieren und die Machtfülle ihrer Staaten wiederherzustellen und auszuweiten. Frankreich diente hier vor allem insoweit als Vorbild, als es den Reformern eingab: Eine Niederlage wie 1805 oder 1806 darf uns nie wieder passieren. Namentlich in Preußen, das sich bei den Reformen als zielgerichteter und veränderungsfähiger erwies als der schwerfällige Körper der Donaumonarchie, wurde der neue Staat in unerhörter Konzentration und Machtfülle gedacht. Es waren Staatsdiener, also Beamte, Soldaten und Juristen, die die Reformen trugen und die sich als legitime Vertreter des Staatsganzen sahen. Mit geradezu revolutionärem Schwung, geführt von den leitenden Ministern Karl Reichsfreiherr vom und zum Stein (1757–1831) und Karl August von Hardenberg (1750–1822), ging man daran, den neuen Staat per Dekret zu verfertigen. Es ging um die Ablösung des alten Söldnerheeres durch eine Armee freier Staatsbürger, deren Avancement nicht mehr Sache ihrer Geburt, sondern von Leistung und Verdienst sein sollte; um Straffung und Modernisierung von Regierung und Verwaltung; um die Aufhebung der Gutsuntertänigkeit der ostelbischen Bauern, um Städteordnung und Landgemeindereform, Judenemanzipation und Modernisierung der Justiz, Freiheit von Kapital und Gewerbe. Als Krönung des Ganzen versprach man eine preußische Nationalrepräsentation, in der die gewählten Vertreter des Volks der Krone gleichberechtigt gegenübertreten sollten.

Zugleich regte sich auch in der Bevölkerung Widerstand gegen die Besatzung. Die Reformen gingen langsam vor sich, und einer zunehmenden Zahl von Bürgern schien die diplomatische Unterwürfigkeit ihrer Regierungen gegenüber dem übermächtigen Frankreich schwächlich und ehrlos. Begriffe wie «Vaterland» und «Nation» wurden unter dem Eindruck der napoleonischen Okkupation zu Losungswörtern. Im Winter 1807 auf 1808 hielt der Philosoph Johann Gottlieb Fichte (1762–1814) im französisch besetzten Berlin seine «Reden an die deutsche Nation»: Das deutsche Volk, erklärte er, sei das ursprüngliche, das unverfälschte Volk, das gegen die militärische wie kulturelle Unterjochung durch Frankreich um seine Freiheit und Identität kämpfe und damit im Dienst des geschichtlichen Fortschritts stehe. Schon predigte Ernst Moritz Arndt (1769–1860): «Einmüthigkeit der Herzen sey Eure Kirche, Haß gegen die Franzosen eure Religion, Freyheit und Vaterland seyen die Heiligen, bei welchen ihr anbetet!»

Auch organisatorisch wurde eine Nationalbewegung erkennbar, vorwiegend in Form konspirativer Gruppierungen wie des Tugendbundes, des Deutschen Bundes des «Turnvaters» Friedrich Ludwig Jahn oder einer Fülle von mehr oder weniger informellen Gesprächskreisen. Allen diesen Gruppierungen war gemeinsam, daß sie eine zögernde, oft sogar verräterisch erscheinende Staatsführung zum nationalen Freiheitskampf drängen wollten, und wo das nicht ging, da entstanden aktivistische, patriotische Kleingruppen, die den Insurrektionskrieg übten, wie die

Aufstände und Streifzüge des hessischen Obersten Wilhelm v. Dörnberg, des preußischen Majors Ferdinand v. Schill, des Braunschweiger Schwarzen Herzogs im Jahr 1809 zeigten. Zu bewaffnetem Volkswiderstand gegen Napoleon kam es allerdings nur in katholischen Regionen Europas, im Namen der Religion und der traditionellen Herrschaft: die Aufständischen der Vendée, die italienischen Sanfedisten, die spanischen Guerrillas. Im deutschen Raum waren es Tiroler Bauern, geführt von dem Wirt Andreas Hofer (1767–1810), die mehrfach die bayerischen, mit Frankreich verbündeten Besatzungtruppen besiegten, von Österreich aber nicht ausreichend unterstützt wurden und 1809 die Waffen strecken mußten. Hofer wurde in Mantua standrechtlich erschossen. Die eigentliche Bedeutung dieses Widerstands lag aber im propagandistischen Effekt: Die direkte Aktion wirkte mächtig auf den erwachenden Patriotismus.

So erklärt sich auch der erstaunliche Stimmungsumschwung in Deutschland, als die Nachricht vom Brand Moskaus und von Napoleons verlustreichem Rückzug aus Rußland bekannt wurde. Während der Zusammenbruch des Reichs 1806 auf wenig Interesse gestoßen war und die Deutschen von Napoleon fasziniert gewesen waren, traf jetzt nach der Vernichtung der *Grande Armée* in Rußland der Aufruf Friedrich Wilhelms III. «An mein Volk» vom 17. März 1813 auf eine Massenbegeisterung, die in manchem Ähnlichkeiten mit den Aufstandsbewegungen der Französischen Revolution besaß, angefeuert durch eine Flut nationalistischer und franzosenfeindlicher Propaganda und Dichtung, an der zu beteiligen sich kaum ein deutscher Dichter zu schade war – mit der seltenen Ausnahme des Weltbürgers Goethe, dem die nationalen Aufwallungen seiner Landsleute zuwider waren und der Napoleons Orden auch dann noch trug, als das unpopulär geworden war. Die Freiheitskämpfe gegen Napoleon wurden als wirklicher Volkskrieg empfunden. Theodor Körner (1791–1813), Poet und Kriegsfreiwilliger, dichtete: «Es ist kein Krieg, von dem die Kronen wissen, es ist ein Kreuzzug, s'ist ein heil'ger Krieg.» Bildungsbürger wie Handwerker strömten in die Freikorps, während die Frauen Gold für Eisen gaben und Scharpie für Wundverbände zupften. Die Menschen wurden von einem Taumel erfaßt, der für knapp anderthalb Jahre die deutsche Nation zum sinnlichen Erlebnis machte.

Dennoch stand anfangs das Kriegsglück auf der Kippe. Rußland, England, Preußen und Schweden genügten nicht, um das letzte Aufgebot Napoleons in die Enge zu treiben; erst mußte noch Österreich, nach langem Zögern, der Koalition beitreten, und schließlich gingen die rheinbündischen Truppen in das alliierte Lager über, hastig gefolgt von ihren Fürsten. Im Frühjahr 1814 standen die verbündeten Armeen vor Paris, Napoleon dankte ab. Ein mehr als zwanzigjähriger Weltkrieg war zu Ende.

Während die Kriegsfreiwilligen ins Zivilleben zurückkehrten und von der Erfüllung ihrer Hoffnungen und der Versprechungen von Verfassung und deutscher Einheit träumten, traten in Wien die verbündeten Staatsmänner und Diplomaten zusammen, die nichts mehr fürchteten als die Entstehung einer nationalen Neuordnung in Europa, die ihnen revolutionär und gefährlich schien. Die Schlüsselworte der europäischen Diplomatie waren Restauration und Rückkehr zum vorrevolutionären Staatensystem und dessen politischer Ordnung. Noch einmal befand sich ganz Europa ohne Unterschied zwischen Siegern und Besiegten gleichberechtigt am Verhandlungstisch, und das Ergebnis war ähnlich wie das des Westfälischen Friedens nach dem Dreißigjährigen Krieg. Die großen Mächte wurden im wesentlichen entsprechend ihrem Besitz vor 1792 wiederhergestellt. Nur Preußen erhielt neben Teilen Sachsens auch ausgedehnte Gebiete am Rhein, während Österreich sich aus Belgien und vom Oberrhein zurückzog. Damit war die jahrhundertelange direkte Konfrontation Frankreichs und Österreichs beendet, die mit dem Ringen Franz I. und Karls V. um Italien und das burgundische Erbe begonnen hatte. Jetzt trat Preußen an die Stelle Habsburgs als deutscher Nachbar und potentieller Hauptgegner Frankreichs am Rhein; der preußische Staat reichte nun von Aachen bis Tilsit und verklammerte West- und Ostdeutschland miteinander. Österreich dagegen kehrte dem Westen den Rücken, war nur noch an der östlichen Peripherie Deutschlands präsent und blickte künftig nach Südost- und Südeuropa: Die Interessensgebiete der Donaumonarchie hießen von jetzt an Italien und der Balkan.

Verhandlungspause des Wiener Kongresses, Jean Baptiste Isabey, 1819. Im Herbst 1814 trafen sich die Vertreter der europäischen Mächte in Wien, um nach Napoleons Sturz die Neuordnung Europas und – unmittelbar damit im Zusammenhang – Deutschlands zu beschließen. Am linken Bildrand steht der Herzog von Wellington, vor ihm sitzt der preußische Staatskanzler Hardenberg, der den ihm gegenüber leger auf den Stuhl gesunkenen britischen Außenminister Castlereagh anspricht. Zwischen beiden steht der österreichische Staatskanzler Metternich. Die Diplomaten und Minister auf der rechten Bildseite gruppieren sich um Talleyrand, französischer Außenminister über alle Regimewechsel hinweg, der seine Loyalität gegenüber dem Bourbonenkönig Ludwig XVIII. durch seine Allongeperücke demonstriert, *Ancien régime* von Kopf bis Fuß. Über allen hängt ein Gemälde, Kaiser Franz I. von Österreich vorstellend, der auf die von ihm abgelegten Kroninsignien des Heiligen Römischen Reiches deutet: Nur Vergangenheit, oder auch Zukunft? *(Folgende Doppelseite)*

Mitteleuropa blieb zersplittert wie eh und je, zusammengefaßt durch das lockere Band des Deutschen Bundes, eines gewissermaßen säkularisierten Nachkommen des einstigen Heiligen Römischen Reichs. Es hatte lediglich zu einem lockeren Bündnis der 39 souveränen Staaten und Städte gereicht, mit einem ständigen Gesandtenkongreß, dem «Bundestag», als einzigem gemeinsamen Verfassungsorgan, präsidiert vom österreichischen Kaiser, doch mit einer Stimmenverteilung, die eine Majorisierung der übrigen Staaten durch Preußen und Österreich unmöglich machte. Diese beiden Großmächte gehörten dem Deutschen Bund lediglich mit ihren ehemaligen Reichsteilen an, während die Könige von Dänemark, England und den Niederlanden in ihrer Eigenschaft als deutsche Landesherren in Schleswig, Hannover und Luxemburg ebenfalls Mitglieder des Bundes waren. Die Ordnung Deutschlands war auf diese Weise mit der europäischen Ordnung verklammert: eine entschlossene

Verneinung des Nationalitätsprinzips, ein letzter Versuch, Deutschland nicht als kompakte Macht der Mitte, sondern als Feld des europäischen Interessenausgleichs zu ordnen. Das letzte Mal in der Geschichte Europas konnten die Staatsmänner eine vernunftgeleitete Politik des Gleichgewichts der Kräfte und der Friedenssicherung betreiben, ohne daran von Ideologien und Völkerhaß gehindert zu werden.

Die Ordnung Deutschlands und Europas, auf die sich die europäischen Mächte 1815 auf dem Wiener Kongreß geeinigt hatten, hatte die innenpolitischen Verhältnisse der Staaten einstweilen in der Schwebe gelassen; konservative wie liberale Verfassungsordnungen waren möglich. Aber die öffentliche Stimmung in West- und Mitteleuropa war durch die Freiheitskriege aufgewühlt. Die Versprechen von Freiheit und Verfassung, die die Regierungen in der Zeit der Not gegeben hatten, wurden nun lautstark reklamiert. Die Studentenschaften der meisten deutschen Universitäten trafen sich 1817 auf der Wartburg unter den Farben Schwarz-Rot-Gold – das waren die Uniformfarben des Lützowschen Freikorps, in dem viele Studenten gegen Napoleon gezogen waren: schwarz der Rock, rot die Beschläge, golden die Knöpfe. Man forderte ein einiges, freies Deutschland und warf Bücher der Schriftsteller, die man für reaktionär,

weil antinational hielt, ins Feuer. Zwei Jahre später erstach der Student Carl Sand den Schriftsteller August v. Kotzebue, weil der die Ideale der Nationalbewegung verspottet hatte. Die Sensation war ungeheuer – es war das erste politische Attentat in Deutschland, seit der habsburgische König Albrecht I. im Jahr 1308 von seinem Neffen Johannes Parricida ermordet worden war. Die Schattenseite des neuen nationalen Geistes war frühzeitig sichtbar geworden; der österreichische Kanzler Klemens Fürst v. Metternich (1773–1859), Architekt der neuen Staatenordnung, sah seine schlimmsten Befürchtungen bestätigt. Im August 1819 einigten sich die Minister der deutschen Staaten in Karlsbad darauf, revolutionäre und freiheitliche Regungen rigoros zu unterbinden. Von jetzt an stagnierte die Verfassungsentwicklung. Österreich und Preußen kehrten zum Absolutismus zurück, die Kräfte der National- und Freiheitsbewegung verschwanden im Untergrund. Der Damm gegen die Revolution schien gesichert zu sein; Metternich allerdings wußte, daß kein Weg zurückführte. «Mein geheimster Gedanke ist», trug er in sein Tagebuch ein, «daß das alte Europa am Anfang seines Endes ist.»

Deutschland trat jetzt in eine Phase ein, die im nachhinein als «Biedermeier» bezeichnet wurde. Zwei Jahrzehnte lang gab es keinen Krieg in Europa, die längste Friedensperiode seit Menschengedenken: Auch das ist zu bedenken, wenn man die Unfreiheit der Reaktionsepoche beklagt. Die politische Debatte trat in den Hintergrund, behindert nicht zuletzt durch Zensur und staatliche Verfolgungsmaßnahmen, und statt dessen entfaltete sich eine auf Kleinheit, Überschaubarkeit, Sparsamkeit der Mittel und Gemütlichkeit ausgerichtete Mentalität, in der die Idylle zu triumphieren schien. Der deutsche Michel avancierte zum deutschen Sinnbild: Treuherzig, gemütlich, verschlafen tritt er uns in unterschiedlichsten Verkleidungen in den romantischen, märchenhaften oder liebenswert verkauzten Gemälden Moritz v. Schwinds oder Ludwig Richters entgegen. Keine Epoche war musikalischer; der «Freischütz» wurde unter lebhaftem öffentlichen Interesse in Berlin als deutsche Nationaloper uraufgeführt, und ähnlich populär wie Carl Maria v. Weber waren Opernkomponisten wie Conradin Kreutzer oder Albert Lortzing, aber auch Ludwig van Beethoven, Franz Schubert oder Felix Mendelssohn-Bartholdy, die vor allem wegen ihrer Kammermusik Erfolg hatten – typisch für die Zeit war die Hinwendung zur Hausmusik, zu Klavier und Streichquartett und zum Lied. In der Dichtung herrschte das Epigonale und ebenfalls die kleine Form, der Essay wie im Falle Ludwig Börnes oder die Lyrik August Graf v. Platens, Eduard Mörikes, Friedrich Rückerts, vor allem Heinrich

Fabrik-, Büro- und Wohngebäude der Firma Dreyse & Collenbusch in Sömmerda, nach 1845.
Die beginnende Industrialisierung hatte die ihr gemäße architektonische Form noch nicht gefunden. Fabrik, Büros, Wohnhaus befinden sich unter einem Dach, der wohlgestutzte Ziergarten könnte dem vorangegangenen Jahrhundert entstammen. Dabei stellte die Firma ein äußerst fortschrittliches Produkt her – hier entstand das erste brauchbare Hinterladegewehr, das massenhaft produziert und seit 1841 in der preußischen Armee eingeführt wurde. Die waffentechnische Überlegenheit des Gewehrs M 41 erwies sich in den Kriegen von 1864 und 1866.

Emilie und Johann Philipp Petersen,
Friedrich Carl Gröger, 1806.
Die Petersens waren eine führende Hamburger Kaufmannsfamilie, die der Hansestadt jahrhundertelang Senatoren und Bürgermeister schenkte. Der Habitus des Paares ist unverkennbar bürgerlich, die vertrauliche Haltung ebenso wie das strenge Schwarz-Weiß der Kleidung. Aber es ist ein Bürgertum mit neuem Selbstbewußtsein – dafür spricht nicht nur das leuchtende Rot des Schals, ein eigentlich adliges Kleideraccessoire, sondern auch die Säule, bisher unverzichtbarer Bestandteil aristokratischer Portraits.

Das Hochwasser,
Antonie Waldorp, 1843.
Das Biedermeier wurde im Rückblick oft als die Postkutschenzeit
verklärt, und Poeten von Eichen-
dorff bis Lenau wetteiferten darin, dieses Verkehrsmittel in das
Licht romantischer Reize zu hül-
len, während in Wirklichkeit die
Unhaltbarkeit der postalischen
Zustände, die Unbequemlichkeit
der Kutschen, die Langsamkeit
des Verkehrs und die Unver-
schämtheit der Postillone allenthalben beklagt wurden. Wenn
gar, wie hier, das Hochwasser
die Passage einer Furt verwehrte,
dann war alles Weitere unabsehbar. 97

Heines, dessen täuschend schlichte Versmelodien eine ganze Generation aufs innigste entzückten. In der Architektur fand sich noch der Klassizismus eines Karl Friedrich Schinkel oder eines Leo v. Klenze, von klaren Formen und Proportionen, wenn auch schon gefährdet durch den historischen Zeitgeist, dem alles schön erschien, was nur irgendwie alt war und nach Geschichte aussah – die Marienburg in Westpreußen wurde als Sinnbild der preußischen Reformen in Erinnerung an die Vergangenheit ebenso restauriert und zu Ende gebaut wie der Kölner Dom als deutsche Nationalkirche, in deren Zeichen sich nicht nur die deutschen Stämme, sondern auch die Konfessionen vereinigen sollten. Man glaubte, daß die Gotik ein eigentümlich germanisch-deutscher Baustil sei, und fand erst später heraus, daß die Kathedrale von Amiens das Vorbild für Köln abgegeben hatte.

Aber die Idylle trog. Das zeigte sich bereits 1830 anläßlich der Pariser Julirevolution, deren Welle durch ganz Europa schwappte: In mehreren deutschen Staaten kam es zu Barrikadenkämpfen und anschließend zu fürstlichen Zugeständnissen an den liberalen Zeitgeist in Form von Verfassungsurkunden und Landtagen. Zwei Jahre später, bei dem «Allerdeutschenfest» auf dem Hambacher Schloß in der Pfalz, erwies sich die Nationalbewegung, bestehend aus Studenten, liberalen Bürgern und demokratisch gesinnten Handwerkern, als sehr lebendig, verstärkt noch durch soziale Protestbewegungen aus der südwestdeutschen Bauernschaft. Der Grund dafür lag in der rasanten Bevölkerungszunahme bei zurückbleibender Nahrungsmittelproduktion. Auf dem Land, vor allem in Ostelbien, kam es zu einer regelrechten Übervölkerungskrise, da namentlich die Zahl der besitzlosen, unterbäuerlichen Schichten in kurzer Zeit außerordentlich zunahm. Wer auf dem Land keine Arbeit und Nahrung fand, wanderte in die Städte ab, um die dort bereits vorhandenen Elendsmassen zu vergrößern. Die Handwerkerschaft hatte unter diesen Verelendungstendenzen ganz besonders zu leiden, denn durch die preußischen und rheinbündischen Reformen waren die Regulierungsmechanismen der Zünfte beseitigt worden, mit der Folge, daß das Handwerk

Veränderungen in der Zusammensetzung der Ernährung von 1800 bis 1850 in Prozent des Gesamtkalorienverzehrs. Der Siegeszug der Kartoffel als Volksnahrungsmittel fand erst im Laufe des 19. Jahrhunderts statt; bis etwa 1770 war Getreide das wichtigste Nahrungsmittel gewesen, bevor es wegen der steigenden Getreidepreise bei einkommensschwachen Gruppen durch Weißkohl ersetzt wurde – daher die Bezeichnung der Deutschen im Englischen als kraut. Seit etwa 1835 verbreitete sich der Kartoffelverbrauch so stark, daß Kartoffelkrankheiten zu Hungersnöten und Auswanderungswellen (wie 1846/47) führten.

Herkunft der Kalorien pro Person in Prozent			
Nahrungsmittel	1800	1835	1850
Getreide	52	44	44
Kartoffeln	8	26	28
Kohl und Gemüse	25	19	17
Tierische Produkte	15	11	11
Zusammen	100	100	100

Das

Lied der Deutschen

von

Hoffmann von Fallersleben.

Melodie nach Joseph Haydn's:
„Gott erhalte Franz den Kaiser,
Unsern guten Kaiser Franz!"

Arrangirt für die Singstimme

mit Begleitung des Pianoforte oder der Guitarre.

(Text Eigenthum der Verleger.)

1. September 1841.

Hamburg, bei Hoffmann und Campe.
Stuttgart, bei Paul Neff.

[Preis 2 gGr.]

Deutschland,Deutschland ü - ber Al - les, ü - ber Al - les in der Welt!

2.

Deutsche Frauen, deutsche Treue,
Deutscher Wein und deutscher Sang
Sollen in der Welt behalten
Ihren alten schönen Klang,
Uns zu edler That begeistern
Unser ganzes Leben lang —
Deutsche Frauen, deutsche Treue,
Deutscher Wein und deutscher Sang!

3.

Einigkeit und Recht und Freiheit
Für das deutsche Vaterland!
Danach laßt uns alle streben
Brüderlich mit Herz und Hand!
Einigkeit und Recht und Freiheit
Sind des Glückes Unterpfand —
Blüh' im Glanze dieses Glückes,
Blühe deutsches Vaterland!

Das Lied der Deutschen,
August Heinrich Hoffmann von
Fallersleben, Hamburg 1841.
Hoffmann von Fallersleben
(1798–1874) dichtete sein «Lied
der Deutschen» im August 1841
im Exil auf der damals englischen
Insel Helgoland; es wurde zum
ersten Mal von Hamburger Tur-
nern zu Ehren des demokratisch
gesonnenen Professors Welcker
auf die Melodie aus Haydns Kai-
serquartett gesungen. Die erste
Strophe war keineswegs aggres-
siv oder gar chauvinistisch ge-
meint; die erste Zeile stellt die
Einheit Deutschlands über die
Vielstaaterei des Deutschen
Bundes. Maas, Memel, Etsch und
Belt umgrenzten das Gebiet des
Deutschen Bundes oder deutschsprachiger Staaten, die zum
Deutschen Bund gehörten. Das
Lied stand im 19. Jahrhundert
ganz hinter der populären
«Wacht am Rhein», nach der
Reichsgründung 1871 hinter der
Kaiserhymne «Heil Dir im Sieger-
kranz» zurück und wurde erst
1922 von Reichspräsident
Friedrich Ebert in bewußter
Anknüpfung an die Traditionen
der Revolution von 1848 zur
Nationalhymne erklärt. Seit 1952
wird die dritte Strophe als Natio-
nallied der Bundesrepublik
Deutschland gesungen.

in kürzester Zeit übersetzt war und immer mehr Gesellen und Lehrlinge arbeitslos wurden. Man nannte diese massenhafte Verelendung «Pauperismus» und war ratlos, wie ihr zu begegnen sei.

Bis zu diesem Zeitpunkt waren die Umrisse eines künftigen deutschen Nationalstaats nur schemenhaft erkennbar. Zwar hörte man jetzt immer öfter von deutschem Volk und deutschem Vaterland, aber in aller Regel lediglich in Abgrenzung zum französischen Feind, und dabei meist vage-dichterisch ausgedrückt, ein Kultur- und Sprachbegriff, der die Überwindung des einzelstaatlichen Partikularismus und dessen Aufgehen in einem deutschen Nationalstaat nicht einmal ansatzweise bedeutete. Gefragt, wo sein Vaterland sei, antwortete der Dichter Wilhelm Raabe, es finde sich «da, wo aus alter Gewohnheit der mythische Name Deutschland auf der Landkarte geschrieben steht, da, wo das biederste Volk der Erde seit uralter Zeit Treu und Redlichkeit übt und, seit es aus dem Urschlamm entstand, seinen Regierungen nicht ein einziges Mal einen gerechten Grund zur Klage gegeben hat». Was das letztere anging, so sollte sich das bald ändern, doch das deutsche Vaterland der Freiheitskriege von 1813 und 1815 besaß noch keine feste Gestalt. Es war poetisch, historisch und utopisch, ein Ideal, das in seiner irdischen Inkarnation meist den Namen Preußen trug.

Möglicherweise hätten die deutschen Einzelstaaten es noch bis in die 1840er Jahre hinein vermocht, die Loyalität ihrer Bürger auf lange Zeit an sich zu binden, und Deutschland wäre nicht viel mehr als ein geographischer Begriff geblieben. Aber die einzelstaatlichen Reformen waren versandet; die wirtschaftliche Modernisierung durch Agrar-, Gewerbe- und Steuerreformen hatte zudem erhebliche gesellschaftliche Kosten zur Folge. So bildeten sich gefährliche gesellschaftliche Spannungslinien und Bruchzonen heraus, und es kam hinzu, daß der Griff der preußischen Reformer ins «Zeughaus der Revolution» nicht ohne Strafe blieb. Man konnte nicht die allgemeine Wehrpflicht einführen, die Nationalerziehung verbessern, das Instrument der öffentlichen Meinung spielen bis zur rasenden Aufpeitschung in den Freiheitskriegen und dann damit rechnen, daß das Volk sich weiterhin den weisen Erziehungsmaßnahmen einer aufgeklärten Beamtenelite unterordnete. Zu den wachsenden sozialen Spannungen des Vormärz gesellte sich die Verbitterung über gebrochene

Anzahl der Buchhandlungen in einigen Städten des Deutschen Bundes. In der Epoche zwischen Freiheitskrieg und 48er Revolution breitete sich die lesende Öffentlichkeit, entsprechend der enormen Zunahme der Lesekundigen, rapide aus, wenn auch mit kennzeichnenden regionalen Unterschieden; 1844 gab es bereits in Berlin mehr Buchhandlungen als in ganz Österreich. Das Buchangebot beschränkte sich allerdings weitgehend auf Belletristik und auf unpolitische Sachliteratur, nicht nur ein Zug der Zeit, sondern auch Folge der Zensurverordnungen.

Stadt	1831	1844	1855
Berlin	80	127	195
Wien	43	48	34
Leipzig	79	130	156
Stuttgart	17	36	55

Lesekabinett,
L. Arnoto (?), um 1840.
Um 1770 konnten etwa 15%
der erwachsenen Deutschen
lesen und schreiben; 1840 waren
es ungefähr 50%: eine Lese-
revolution. Dem entsprach ein
enorm ausgeweiteter Buch-
und Zeitungsmarkt, der politische
Argumente und Meinungen
lieferte und den Lesern die Wahl
zwischen den Parteien überließ.
So entstand eine kritische,
diskussionsbereite Öffentlichkeit,
die den Regierungen immer
häufiger die Themen und Ziele
aufzwang, aber mit Hilfe der
Presse auch erfolgreicher zu
beeinflussen war als je zuvor.

Verfassungsversprechen und über eine Obrigkeit, die, erschrocken ob der radikalen Töne in der oppositionellen öffentlichen Meinung und voller Furcht vor einer Französischen Revolution auf deutschem Boden, die Zensurschraube anzog und der zunehmenden Forderung, wirtschaftliche Freiheit mit politischer Partizipation zu verbinden, mit polizeilichen Mitteln Herr zu werden suchte. So wurden Staat und Gesellschaft weit auseinandergetrieben.

Nicht nur die soziale Spannung, auch die politische Unruhe nahm in Deutschland wieder zu – wie überhaupt auffällt, daß die großen emotionalen, politischen und nationalen Aufwallungen um 1813, 1817, 1830 und auch später stets zugleich mit außenpolitischen und wirtschaftlichen Krisen einhergingen. Nach den Ereignissen von 1830 hatten zwar die Mächte der Obrigkeit wieder die Zügel angezogen, aber allein die Tatsache, daß jetzt in den meisten deutschen Staaten Landtage existierten,

deren liberale Abgeordnete ohne Furcht vor Strafe reden und publizieren konnten, brachte der liberalen Opposition enormen Zulauf. Auch die nationale Einheitsidee gewann an Kraft, vor allem seit der Rheinkrise von 1840, als das erste Mal seit 1815 Frankreich wieder Expansionsneigungen in Richtung Rheingrenze erkennen ließ, was in Deutschland zu einer spontanen Massenbewegung führte, die sich auch gegen die lahmen Reaktionen des Deutschen Bundes wandte. Die Jahre seit 1840 sahen ein Wiederentstehen des deutschen Nationalismus und seiner Organisationen. Die Turnbewegung verbreitete sich über ganz Deutschland, und mit ihr die Ideologie-Mixtur von Körperertüchtigung und wehrhafter, nationaler Gesinnung. Daneben bildeten sich als weitere wichtige Glieder der Nationalbewegung die Gesangsvereine aus, die sich in Dachverbänden national organisierten und erste allgemeine deutsche Sängerfeste veranstalteten, die den nationalen Enthusiasmus befeuerten; hier wurde nicht nur nationales Liedgut gepflogen, sondern auch Aufrührerisches gepredigt. Erste gesamtdeutsche Wissenschaftskongresse betonten die Einheit von Wissenschaft und Nationalidee. In dieses Jahrzehnt fiel auch die Blütezeit der Nationaldenkmäler, die fertiggestellt oder angefangen wurden: der Kölner Dom, das Hermannsdenkmal bei Detmold, die Walhalla bei Regensburg, die Befreiungshalle bei Kelheim. Nationalidee und oppositioneller Liberalismus, das war deutlich erkennbar, waren zwei Seiten derselben Medaille.

Zur politischen wie sozialen Unruhe fehlte nur noch die ökonomische Krise, verbunden mit einem aufrüttelnden politischen Ereignis, um eine akute revolutionäre Situation wie 1789 zu schaffen. Die Wirtschaftskrise kam in doppelter Gestalt: 1846/47 als letzte europäische Krise alten Typs, eine durch Mißernten ausgelöste Hunger- und Gewerbekrise, und dann 1847/48 als die erste «moderne» Wachstumskrise, hervorgerufen durch einen Einbruch in der Konsumgüterkonjunktur. Während allenthalben in Deutschland spontane Hungerrevolten ausbrachen und nur durch den Einsatz von Militär niedergeworfen werden konnten, meldete sich der konstitutionelle Liberalismus zu Wort. Am 10. Oktober 1847 trafen sich in Heppenheim an der Bergstraße die führenden Vertreter dieser Richtung, um einen deutschen Bundesstaat mit kraftvoller, parlamentarisch verantwortlicher Regierung zu fordern. Bereits einen Monat zuvor hatten sich in Offenburg Vertreter des demokratischen Radikalismus, die Nachfolger der 1830er Bewegung, zusammengefunden, die einen republikanischen und einheitlichen Nationalstaat planten. Zudem rührten sich sozialrevolutionäre und sozialistische Vereinigungen um Friedrich Hecker, Wilhelm Weitling oder Moses Hess und die radikalen deutschen Gesellenvereine in der Schweizer, Pariser und Londoner Emigration. Dieser vielstimmige Chor der Unzufriedenheit und des Protestes, dem die Regierungen des Deutschen Bundes publizistisch nichts entgegenzusetzen hatten, stimmte die Öffentlichkeit auf die kommenden revolutionären Ereignisse ein.

Die schlesischen Weber, nach Carl Wilhelm Hübner, 1845. Die Gesamtbevölkerung des Deutschen Bundes war von 1815 bis 1848 von 22 auf 35 Millionen Menschen angestiegen, also innerhalb einer Generation um zwei Drittel, ohne daß die Nahrungsmittelproduktion Schritt halten konnte. Das Elend zahlloser Menschen wurde durch den Wandel von der alten Handwerks- zur neuen Industriegesellschaft verschärft – ein Problem, auf das zuerst die Chartisten in den englischen Midlands reagierten, indem sie die Maschinen in den Textilfabriken zerstörten, und das sich über ganz Europa ausdehnte. Da waren beispielsweise die schlesischen Weber, deren Produkte der Konkurrenz durch billige Fabriktextilien nicht mehr gewachsen waren; unmenschliche Arbeitszeiten, Kinderarbeit, Hungerlöhne waren die Folge. 1844 kam es in den Dörfern der Bezirke Langenbielau und Peterswalde zu verzweifelten Revolten, mechanische Webstühle wurden zerschlagen, Fabrikantenvillen geplündert. Preußisches Militär unterdrückte den Aufstand, aber die soziale Frage stand seitdem auf der Tagesordnung und verschärfte die gesellschaftlichen und politischen Spannungen, die sich 1848 entluden.

V. Blut und Eisen (1848 – 1871)

Wie 1830 begann es am 24. Februar 1848 mit der Nachricht aus Paris, wieder war dort ein König gestürzt worden, es hatte Barrikaden und revolutionäre Märtyrer gegeben. Die Unruhen weiteten sich auf den größten Teil Europas aus, allenthalben überkreuzten sich nationale, soziale und liberale Tendenzen, gerichtet allesamt gegen die antinationale, die freiheitsfeindliche Wiener Friedensordnung von 1815. Auch in fast allen deutschen Residenzen kam es zu Straßentumulten. In den Parlamenten forderte die gemäßigt-liberale wie die radikaldemokratische Opposition Presse- und Versammlungsfreiheit, Zulassung von Parteien und Volksbewaffnung, also die Aufstellung von Bürgermilizen als Gegengewicht zu den stehenden Heeren der alten Ordnung, und schließlich als Krönung des Umsturzes die Einberufung eines deutschen Nationalparlaments. Den «Märzforderungen» folgten die «Märzregierungen», Kabinette liberaler Honoratioren, die sich nun daranmachten, die Märzforderungen zu verwirklichen. Es herrschte nationale Frühlingsstimmung, die neue bayerische Regierung trat geradezu als «Ministerium der Morgenröte» auf, und das Schwarz-Rot-Gold der Nationalbewegung flatterte über fast ganz Deutschland.

Alles kam jetzt auf die beiden Vormächte des Deutschen Bundes an. In Wien wurde das gemäßigte liberale Element binnen weniger Tage von einem radikaldemokratischen Strom fortgeschwemmt. Metternich floh nach England, der Hof rettete sich nach Innsbruck, während in allen Teilen des Vielvölkerstaats nationale Aufstände ausbrachen. Binnen weniger Wochen war Österreich, Garant des restaurativen «Systems Metternich», handlungsunfähig. In Preußen schien es zunächst, als gelänge es Friedrich Wilhelm IV., die Entwicklung zu steuern und sich an die Spitze der Einigungsbewegung zu setzen. Aber der König zögerte zu lange, seine Zugeständnisse kamen zu spät, und auch in Berlin brach am 18. März offener Aufstand aus, der nur durch den Rückzug des Militärs und das Zugeständnis einer preußi-

Allegorie auf die Niederschlagung der Revolution von 1848/49, Düsseldorfer Schule, um 1849. Die Revolution scheiterte neben anderem an der revolutionären Zaghaftigkeit der bürgerlichen Liberalen, die ein bißchen Revolution hatten haben wollen, Einheit und Freiheit, aber nicht zuviel Gleichheit; Umsturz und Blutvergießen hatten nicht auf dem Programm gestanden. Angesichts radikaler Aufstände am Rhein, in der Pfalz, in Hessen, in Baden, in Mitteldeutschland schien die Revolution aber auf Jakobinerterror und Guillotine hinauszulaufen. So wurde das Erreichte hastig konsolidiert und im Bündnis mit den alten Mächten Preußen und Österreich für Ruhe und Ordnung gesorgt. Die Allegorie illustriert die bürgerlichen Ängste: Der Engel mit dem Flammenschwert zwingt den Teufel mit der roten Fahne zurück in die Hölle, die personifizierte Ordnung, erkennbar am Festungskranz im Haar, umarmt die Opfer der Anarchie, während der Friedensengel als Lohn für die wiederhergestellte Ruhe reiche Gaben aus dem Füllhorn gießt.

schen Nationalversammlung, die eine Verfassung für Preußen ausarbeiten sollte, beschwichtigt werden konnte.

Am 18. Mai 1848 traten in der Frankfurter Paulskirche die 585 Vertreter des deutschen Volkes zur Deutschen Nationalversammlung zusammen, um für ganz Deutschland eine freiheitliche Verfassung zu beschließen und eine nationale Regierung zu wählen: eine Heerschau der großen Namen des freiheitlichen und geistigen Deutschland. Dichter wie Ludwig Uhland oder Friedrich Theodor Vischer waren ebenso gewählt wie die Führer aus den Zeiten der Freiheitskriege, Ernst Moritz Arndt und Friedrich Ludwig Jahn; Historiker wie Friedrich Christoph Dahlmann, Johann Gustav Droysen oder Georg Gottfried Gervinus, aber auch Priester wie der Mainzer Bischof und Sozialtheoretiker Wilhelm Emmanuel Frhr. v. Ketteler, dazu die Führer des politischen Liberalismus sämtlicher Couleurs: Noch in der Mitte des 19. Jahrhunderts war das Bildungsbürgertum die eigentliche Trägerin des nationalen Einheitsgedankens.

Aber was sollte Deutschland sein? Über diese Frage hatte nie Einigkeit geherrscht, und auch die Paulskirchenabgeordneten waren darüber heillos zerstritten. Zwei Lösungsmöglichkeiten kristallisierten sich heraus: Da war Großdeutschland, die Zusammenfassung aller deutschen Gebiete ein-

Die Nationalversammlung in der Frankfurter Paulskirche, Paul Bürde, Lithographie, nach 1848. Die 585 Abgeordneten der deutschen Nationalversammlung, aufgrund des allgemeinen und gleichen (Männer-)Wahlrechts gewählt im Gebiet des Deutschen Bundes, aber auch in West- und Ostpreußen sowie in Schleswig, tagten in der Frankfurter Paulskirche vom 18. Mai 1848 bis zum 30. Mai 1849. Die Zeichnung zeigt Heinrich Frhr. v. Gagern am Präsidentenpult, umgeben von den wichtigsten und populärsten Abgeordneten.

Eine Whistgesellschaft! Vorerst nur ein Tisch mit einem Strohmann.

schließlich der Österreichs unter einem habsburgischen Kaiser. Dem widersprachen die Anhänger einer kleindeutschen Lösung, einer Vereinigung der deutschen Länder ohne Teile Österreichs, mit einem Hohenzollernkaiser an der Spitze. Über die Grenzen und die künftige Vormacht entbrannte ein monatelanger Streit, während revolutionär gestimmte Demokraten, namentlich in Südwestdeutschland, aufs Ganze gingen und durch Bundestruppen blutig niedergekämpft werden mußten. Immerhin verabschiedete man schließlich eine Verfassung in der ehrwürdigen Tradition amerikanischer, französischer und belgischer Vorbilder, und auch eine provisorische Zentralgewalt kam zustande. Aber es war eine Verfassung ohne Geltung, eine Regierung ohne Macht. In einer Revolution siegt, wer die Machtfrage zu seinen Gunsten beantwortet, und das Frankfurter Parlament war völlig machtlos.

Das zeigte sich bereits anläßlich der schleswigholsteinischen Krise. Die schleswig-holsteinischen Stände hatten am 24. März 1848 die Unabhängigkeit von Dänemark proklamiert, eine provisorische Regierung gebildet und die Nationalversammlung um Hilfe angerufen. Das Schicksal der Elbherzogtümer beunruhigte die deutsche Öffentlichkeit hochgradig, und in den Augen der deutschen National-

Eine Whistgesellschaft...
«Sonst spiele ich mit Szepter, Krone und Stern!»
Wilhelm Storck, 1848.
In England trafen sich die von der Revolution verjagten Häupter der europäischen Reaktion: König Louis Philippe, von dessen Hauptstadt die Revolution, wie schon mehrmals, ihren Ausgang genommen hatte; Fürst Klemens von Metternich, der eigentliche Dirigent der europäischen Friedensordnung von 1815, der am 13. März 1848 zurücktreten mußte und sich kaum vor dem Volkszorn retten konnte, wie auch Prinz Wilhelm, der Bruder des preußischen Königs und später dessen Nachfolger, der sich in den Märztagen 1848 in Berlin als Scharfmacher («Kartätschenprinz») unbeliebt gemacht hatte.

Die deutsche verfassunggebende Nationalversammlung hat beschlossen, und verkündigt als Reichsverfassung:

Verfassung
des deutschen Reiches.

Abschnitt I. Das Reich.

Artikel I.

§. 1.

Das deutsche Reich besteht aus dem Gebiete des bisherigen deutschen Bundes. Die Festsetzung der Verhältnisse des Herzogthums Schleswig, bleibt vorbehalten.

§. 2.

Hat ein deutsches Land mit einem nichtdeutschen Lande dasselbe Staatsoberhaupt, so soll das deutsche Land eine von dem nichtdeutschen Lande getrennte eigene Verfassung, Regierung und Verwaltung haben. In die Regierung und Verwaltung des deutschen Landes dürfen nur deutsche Staatsbürger berufen werden.

Die Reichsverfassung und Reichsgesetzgebung hat in einem solchen deutschen Lande dieselbe verbindliche Kraft, wie in den übrigen deutschen Ländern.

§. 3.

Hat ein deutsches Land mit einem nichtdeutschen Lande dasselbe Staatsoberhaupt, so muß dieses entweder in seinem deutschen Lande residiren, oder es muß auf verfassungsmäßigem Wege in demselben eine Regentschaft niedergesetzt werden, zu welcher nur Deutsche berufen werden dürfen.

§. 4.

Abgesehen von den bereits bestehenden Verbindungen deutscher und nichtdeutscher Länder soll kein Staatsoberhaupt eines nichtdeutschen Landes zugleich zur Regierung eines deutschen Landes gelangen, noch darf ein in Deutschland regierender Fürst, ohne seine deutsche Regierung abzutreten, eine fremde Krone annehmen.

§. 5.

Die einzelnen deutschen Staaten behalten ihre Selbstständigkeit, soweit dieselbe nicht durch die Reichsverfassung beschränkt ist; sie haben alle staatlichen Hoheiten und Rechte, soweit diese nicht der Reichsgewalt ausdrücklich übertragen sind.

---

bewegung konnte sich das deutsche Nationalparlament in Frankfurt nur dann legitimieren, wenn es ihm gelang, die Herzogtümer der Nation einzuverleiben. Aber die Nationalversammlung besaß keine eigene Macht, sie mußte sich preußische Truppen ausleihen, die auch weit nach Jütland vorstießen, aber auf den Protest der europäischen Mächte hin zurückgezogen werden mußten. Britische Kriegsschiffe demonstrierten in der Nordsee, russische Truppen marschierten an der ostpreußischen Grenze auf, französische Gesandte intervenierten bei den deutschen Regierungen: Das Ausgreifen des deutschen Nationalismus auf die Länder der dänischen Krone bestätigte die Befürchtungen der europäischen Höfe, daß ein deutscher Einheitsstaat im Herzen Europas das Gleichgewicht der europäischen Staaten insgesamt gefährdete. Gegen das europäische Mächtesystem, das war jetzt deutlich sichtbar geworden, waren Veränderungen in Mitteleuropa, war die deutsche Einheit nicht zu haben.

Aber nicht nur an der gesamteuropäischen Konstellation scheiterte die Nationalversammlung, sondern auch an der Gefahr einer Radikalisierung der Revolution. Die bürgerlich-liberalen Kräfte, die von einem konstitutionellen, wirtschaftsfreundlichen Nationalstaat träumten und die jetzt die zweite, die soziale Revolution, Jakobinerterror und Guillotine herannahen sahen, arrangierten sich mit den erstarkenden Kräften der Gegenrevolution in Berlin und Wien und suchten das Erreichte hastig zu konsolidieren. So genügte die Gewährung einer Verfassung in Preußen, um im November 1848 dort die Revolution faktisch, wenn auch mit Nachhilfe durch militärischen Druck, zu beenden. Und auch der späte Versuch der Nationalversammlung, die Machtfrage zu lösen, indem man über den eigenen Schatten sprang, auf die von der Mehrheit erhoffte großdeutsche Lösung verzichtete und dem preußischen König die Krone eines kleindeutschen Kaiserreichs anbot, scheiterte. Friedrich Wilhelm IV. hätte die Führung in Deutschland gerne gehabt, aber nur aus den Händen der Fürsten, nicht aus denen des Parlaments. Was die Delegation der Paulskirche ihm da anbiete, schrieb er an den Großherzog von Hessen, sei eine «Schweinekrone», ein «Reif aus Dreck und Letten», an dem der «Ludergeruch der Revolution» hinge. Überdies fürchtete er zu Recht den Protest der übrigen europäischen Mächte und die Intervention Österreichs. Ein neuer Siebenjähriger Krieg war aber Sache des friedfertigen und konfliktscheuen Monarchen nicht.

Verfassungsurkunde des Deutschen Reiches, 1849. Die deutsche Reichsverfassung von 1849 war ein ehrwürdiges Dokument aus dem Geist der Volkssouveränität und der Menschenrechte, das zwar nicht zur Geltung kam, aber doch zu den wichtigsten und eindrucksvollsten Dokumenten der deutschen Verfassungsgeschichte gehört. Es war eine Verfassung, die heute noch modern wirkt, klar in der Konzeption, präzise in den Einzelheiten. Der Grundrechtskatalog stand nicht am Anfang, war aber besonders sorgfältig ausgearbeitet – Rechtssätze, die das naturrechtliche Menschenbild der Aufklärung kodifizierten und der Staatsmacht unverrückbare Grenzen gegenüber den Freiheiten der Bürger zogen. Das Grundgesetz der Bundesrepublik Deutschland beruht in erheblichem Umfang auf dieser Verfassung.

Oberflächlich betrachtet konnte es scheinen, als sei die Revolution von 1848/49 gescheitert. Doch hatte der Konflikt zwischen den Mächten des Beharrens und denen der Bewegung immerhin mit einem Kompromiß geendet. Überall in Deutschland hatten sich jetzt die Herrschenden an geschriebene Konstitutionen gebunden und teilten ihre gesetzgebende Gewalt mit den Parlamenten. Andererseits war aber der Traum der Märzbewegung von 1848, der großdeutsche Nationalstaat auf der Grundlage von Volkssouveränität und Menschenrechten, gescheitert, am Widerstand der europäischen Mächte ebenso wie an der Heterogenität der revolutionären Kräfte. Eins hatte sich aber jedenfalls geändert: Über die Alternativen einer künftigen Lösung der deutschen Frage herrschte nach der Revolution Klarheit. Die Anhänger der Idee eines deutschen Nationalstaats hatten sich unter zwei Fahnen gesammelt, hie Großdeutsch, da Kleindeutsch.

Daß die kleindeutsche Partei dabei von Anfang an mehr Gewicht besaß, lag daran, daß ihre Forderung in wirtschaftspolitischer Hinsicht bereits verwirklicht war. Bereits 1834 war unter preußischer Führung, vorbereitet vor allem durch den preußischen Finanzminister Friedrich v. Motz (1775-1830), der Deutsche Zollverein ins Leben getreten, dem am Vorabend der Revolution von 1848 bereits 28 von 39 deutschen Bundesstaaten angehörten, mißtrauisch betrachtet von Metternich, der «die

Präponderanz Preußens» gestärkt und «die höchst gefährliche Lehre von der deutschen Einheit» durch dieses Gebilde befördert sah. In der Tat war der österreichisch dominierte Deutsche Bund lediglich ein Instrument des Status quo, ein Instrument der Verhinderung alles Neuen, während der preußisch geführte Zollverein ein in die Zukunft gerichtetes Gemeinwesen darstellte, ständig an wirtschaftlicher Kraft zunehmend und magnetisch auf die umliegenden Staaten wirkend.

Doch die tatsächliche Einheit dieses neuen, verhältnismäßig großen Wirtschaftsraums war solange nicht hergestellt, wie die Verkehrsverbindungen langsam und schwerfällig blieben. Es war vor allem dem Wirtschaftstheoretiker Friedrich List (1789-1846) und einigen rheinischen Industriellen zu verdanken, daß nach langem Anrennen gegen konservative, technikfeindliche Vorurteile am 7. Dezember 1835 die erste deutsche Eisenbahnlinie von Nürnberg nach Fürth eröffnet werden konnte, ganze 6 Kilometer lang – in Belgien gab es bereits 20, in Frankreich 141, in Großbritannien 544 Eisenbahnkilometer. Aber das Streckennetz in Deutschland wuchs sehr schnell – am Vorabend der Achtundvierziger Revolution waren es bereits knapp 5000 Kilometer innerhalb des Zollvereins, mehr als doppelt soviel wie in Frankreich, mehr als viermal soviel wie in Österreich. Die Eisenbahn machte den Markt des Zoll-

Entwicklung des Eisenbahnnetzes in Mitteleuropa bis 1866. Das Eisenbahnnetz über den Ländern des Deutschen Bundes wurde von Jahr zu Jahr engmaschiger. Kühne Konstruktionen aus genieteten vollwandigen Stahlträgern ermöglichten bald Brückenspannweiten, die bis dahin unvorstellbar waren.

Eisenbahnen bis 1845 eröffnet
Eisenbahnen 1846-55 eröffnet
Eisenbahnen 1856-66 eröffnet

vereins überhaupt erst möglich – erst jetzt gab es
ein einheitliches Wirtschaftsgebiet, in dem sich
Angebot, Nachfrage und Preise einheitlich ausbil-
den konnten, da nun erst der Wettbewerbsdruck
im gesamten Gebiet gleich stark wurde. Und
zudem brachte der Eisenbahnbau das gesamte ei-
senverarbeitende Gewerbe zu ungeahnter Blüte –
man brauchte Lokomotiven, Maschinen, Waggons,
Schienen; die Maschinenfabriken und eine weit-
gefächerte Zulieferindustrie blühten auf.

Soweit war also die industrielle Grundlage um
1848 gelegt. Da nach der Revolution politische Erschütterungen einstweilen nicht mehr zu be-
fürchten waren, lohnten sich jetzt langfristige
Anlageplanungen, und da zudem, unterstützt
durch sensationelle kalifornische und australische
Goldfunde, die Kapitalmenge enorm zunahm,
Kredite infolgedessen billig waren, während die
Preise anzogen und die Nachfrage zunahm, brachen für Unternehmer goldene Jahre an. Allenthalben, stimuliert vor allem durch den Kapital-
bedarf der Eisenbahnbauten, entstanden neue

Ludwigs-Eisenbahn,
Dose aus Papiermaché, lackiert,
bemalt, um 1836.
Am 7. Dezember 1835 wurde
die erste deutsche Eisenbahnlinie
eröffnet, ganze sechs Kilometer
von Nürnberg nach Fürth. Das
«Stuttgarter Morgenblatt» be-
richtete von der Jungfernfahrt:
«Pferde auf der nahen Chaussee
sind beim Herannahen des Un-
getüms scheu geworden, Kinder
haben zu weinen angefangen,
und manche Menschen haben
ein leises Beben nicht unter-
drücken können.» Dennoch stellt
der Reporter bei Tausenden von
Zuschauern ein «erhebendes Gefühl» fest: «Kein Skeptiker wird
imstande sein, ihnen den neuen
Glauben an den menschlichen
Geist und seine Macht zu erschüttern, um so weniger, da
er ein freudiger, ein erhebender
ist.»

Banken, Aktiengesellschaften wurden gegründet, und zwischen 1850 und 1857 nahmen Notenumlauf, Bank-Depositenbestände und einbezahltes Kapital im Gebiet des Deutschen Zollvereins um das Dreifache zu. Und ein weiterer Grund führte zum Wirtschaftsboom: Arbeitskräfte waren billig. Die neuen Fabriken saugten die Menschen an. Die elenden, pauperisierten Menschenmassen waren froh, überhaupt zu geregelter Arbeit und gesicherten Löhnen zu kommen: Bei aller noch so gerechtfertigten Kritik an den trostlosen Lebens- und Arbeitsbedingungen dieser ersten Generation von Fabrikproletariern wird man im Auge behalten müssen, daß im Vergleich zum vorindustriellen Massenelend der durchschnittliche Arbeiter jetzt besser dran war. Arbeitslosigkeit, Unterbeschäftigung, Unterbietung der Löhne durch Heimarbeit, Lohndruck durch britische und belgische Konkurrenz ließen nach, und obwohl die schlechten Ernten von 1852 und 1855 die Lebensmittelpreise erneut hochschnellen ließen, gab es diesmal in Deutschland keine Hungerrevolten mehr. Der Pauperismus, die soziale Bedrohung der europäischen Zukunft in der ersten Hälfte des Jahrhunderts, verblaßte und war eine Generation später nur noch dem Namen nach bekannt.

Mit der Industrialisierung Deutschlands entstand eine neue Gesellschaft. Nicht eine politische Revolution wälzte die alte Welt um, sondern die Revolution der Wirtschafts- und Arbeitsverhältnisse, verbunden mit einer Revolution der Kommunikationsmittel, von der Eisenbahn bis zum Telegraphen, und alles das hing miteinander zusammen und bedingte sich gegenseitig. Die explosionsartige Bevölkerungszunahme und die sich verschlechternden Lebensbedingungen in den ländlichen Gebieten ließen die Menschen wandern. Die Nachricht von sicheren Arbeitsplätzen in den neuen Industriegebieten in Schlesien, Sachsen, um Berlin, im Rheinland und an der Ruhr setzte die größte Massenbewegung der deutschen Geschichte in Gang. Ein Strom von Arbeitssuchenden ergoß sich aus dem agrarischen Ostelbien zunächst nach Berlin; später griff die Bevölkerungswelle nach Mitteldeutschland über, um dann, seit etwa 1860 ständig ansteigend, das rheinisch-westfälische Industriegebiet zu erreichen. Im neu sich formierenden Fabrikproletariat trafen die ungelernten unterbäuerlichen Wanderer auf die städtischen Handwerker, die sich in ihren

Deutsche Auswanderer 1820 bis 1913.		
1820–1829		50 000
1830–1839		210 000
1840–1849		480 000
1850–1859		1 161 000
1861–1870		782 000
1871–1880		626 000
1881–1890		1 343 000
1891–1900		529 000
1901–1910		280 000
1911–1913		69 000

Abschied der Auswanderer, Antonie Volkmar, 1860. Zwischen 1830 und 1913 verließen mehr als 6 Millionen Menschen Deutschland, davon mehr als die Hälfte zwischen 1861 und 1913. Wirtschaftliche Not war die wichtigste, aber nicht die einzige Ursache der Auswanderung nach Übersee, vor allem in das «gelobte Land» Nordamerika. Die sprunghaft anwachsenden Zahlen der Auswanderer in die USA nach der Revolution von 1848/49 haben auch mit der Hoffnung auf ein freieres, demokratisches Leben jenseits des Ozeans zu tun.

zünftischen Berufen nicht mehr halten konnten, weil die Nachfrage nach billigen Fabrikmassenwaren die nach teureren handwerklichen Einzelwaren immer mehr überstieg. Erst als im Laufe der 1880er Jahre der Elektromotor, das Kraftwerk des kleinen Mannes, eingeführt wurde, konnte der Handwerksbetrieb im industriellen Zeitalter konkurrenzfähig werden; die Prophezeiung von Karl Marx vom Aussterben des Handwerks ging nicht in Erfüllung.

Aber auch breite bürgerliche Mittelschichten wurden vom einsetzenden Mobilisierungsschub ergriffen. Die Freisetzung von Kapital und Arbeit durch die preußischen Reformen hatte ehemals ländliches Handwerk in die Städte, städtische Unternehmer in die aufstrebenden Industriemetropolen mit ihren vergrößerten Umsatzchancen gelockt; der expandierende staatliche Verwaltungsapparat entwickelte die Versetzung administrativen Personals in möglichst weit vom Herkunftsort entfernte Gebiete zum förmlichen Prinzip, kurz: die ständische Agrargesellschaft Alteuropas löste sich auf, und an ihre Stelle trat die städtische, in Proletariat und bürgerliche Mittelschicht getrennte moderne Industriegesellschaft.

Das vorherrschende Gefühl des Zeitalters war das der Entwurzelung – Familienbande zerrissen, religiöse Bindungen lockerten sich, herkömmliche Loyalitäten wurden aufgegeben. Das Industriemilieu, die Fabrik, die Verwaltung boten da keinen Ersatz, es überwog das Gefühl des Ausgeliefertseins an anonyme Kräfte, der Auswechselbarkeit und sozialen Atomisierung – mit einem Wort, es herrschte ein noch nie dagewesenes Gefühl des Normenverlustes, der gesellschaftlichen Orientierungsungewißheit und Identitätskrise. Wo Religion und feste gesellschaftliche Normen nicht mehr trugen, dort trat die Vielzahl der Mythen und Sinngebungsangebote der neuen Zeit ein, miteinander konkurrierend, sich aufs heftigste befehdend und einander kategorisch ausschließend: Da war der liberale Anspruch auf Freiheit, Glückseligkeit und wirtschaftliche wie politische Selbstbestimmung des Einzelnen, das säkulare Gegenprinzip der herrschenden vorrevolutionären absolutistisch-aristokratischen Obrigkeitsstrukturen, und damit verbunden die Idee von der Einheit der Nation, in der sich der Gemeinwille inkarnieren sollte.

Daneben bildete sich die zweite große Oppositionsideologie des Jahrhunderts heraus, der Sozialismus als Mythos der Klasse, die Beschwörung der Solidarität der Massen gegen den Eigennutz der Herrschenden, deren Wohlstand durch die Arbeit in den Fabriken erst ermöglicht wurde. Die alte Welt mobilisierte Abwehrkräfte, die ihrerseits wiederum massenwirksame Ideologien entwickelten – der Konservativismus bildete die Abwehrfront traditioneller Führungsschichten gegen den Aufstand des «Pöbels», nicht weniger gegen den Aufstieg des liberalen Kapitalismus. Der politische Katholizismus schließlich stellte die Reaktion einer von gesellschaftlichem Normenverlust weniger erfaßten traditionsgebundenen Bevölkerungsminderheit in Schlesien, dem Rheinland und Süddeutschland auf den Herrschaftsanspruch des aggressiv auftretenden, vorwiegend preußisch-protestantischen Liberalismus dar.

So entstand eine Vielzahl konkurrierender Ordnungs- und Legitimationsideen, die sich um die Kerne von Parlamentsfraktionen und politischen Zeitschriften zu Parteien kristallisierten. Das wurde deutlich, als mit dem Ende der 1850er Jahre in der Folge eines Wirtschaftseinbruchs und neuer Bewegungen in der europäischen Landschaft auch die Innenpolitik wieder in Bewegung geriet. Die ersten dauerhaften Organisationen einer selbständigen deutschen Arbeiterbewegung tauchten auf: Ferdinand Lassalle (1825–1864) entwarf 1863 das Programm des «Allgemeinen Deutschen Arbeitervereins», und gleichzeitig entstand der von August Bebel (1840–1913) und Wilhelm Liebknecht (1826–1900) gegründete «Vereinstag deutscher Arbeitervereine» als Keimzelle der Sozialdemokratischen Arbeiterpartei von 1869, beides Vorläufer der heutigen deutschen Sozialdemokratie.

Auch der parlamentarische Liberalismus wurde wieder munter. In Preußen war 1858 auf den zuletzt geisteskranken Friedrich Wilhelm IV. dessen Bruder Wilhelm I. gefolgt, der zur allgemeinen Überraschung den Zensurdruck lockerte und ein liberales Ministerium berief, schnell jedoch in Konflikt mit der liberalen Mehrheit im Abgeordnetenhaus geriet, da er gegen deren Willen die Präsenzstärke der Armee erhöhen, die

Wehrdienstzeit verlängern und zudem die Landwehr, das bürgerliche Gegengewicht zur Linienarmee, abbauen wollte. Die liberale Erregung schlug hohe Wogen, der Gegensatz der liberalen Parlamentarier Preußens gegen das herrschende Bündnis von Krone, landbesitzendem Adel und Armee geriet ins Grundsätzliche.

Und noch in weiterer Hinsicht kam Bewegung in die politische Landschaft. Napoleon III., Neffe des großen Korsen, der sich in Nachahmung seines Onkels zum Kaiser von Frankreich aufgeworfen hatte, suchte den alten französischen Griff nach Italien zu erneuern, indem er 1859 mit dem Königreich Piemont-Sardinien ein Bündnis gegen Österreichs Machtstellung in Oberitalien einging.

Das erste Mal seit dem Scheitern der Revolution von 1848 war die deutsche Öffentlichkeit wieder von nationaler Hochstimmung beherrscht. Das alte Motiv der deutsch-französischen Erbfeindschaft, das bereits 1813 die nationalen Gefühle befeuert hatte, feierte fröhliche Auferstehung, und die Forderung nach der schnellen Schaffung eines souveränen, außenpolitisch und militärisch mächtigen deutschen Nationalstaats wurde in Tausenden von Flugschriften, Pamphleten und Zeitungsartikeln erhoben. In den Feiern zum hundertsten Geburtstag Friedrich Schillers am 10. November 1859 im gesamten deutschsprachigen Raum erreichte die nationale Welle ihren Höhepunkt. Zugleich wurde aber auch deutlich, daß die Fronten, die sich während der Achtundvierziger Revolution innerhalb der deutschen Nationalbewegung herausgebildet hatten, weiterhin fortbestanden und sich nun auch organisatorisch verfestigten: Kleindeutsch oder Großdeutsch hieß die Losung, und es bezeichnete den politischen Vorsprung zur Genüge, den Preußen vor Österreich besaß, daß der kleindeutsche «Deutsche Nationalverein», der 1859 in Coburg ins Leben trat, organisatorisch, finanziell und vor allem propagandistisch die großdeutschen, vorwiegend katholisch-kleinstaatlichen Kräfte aus dem Feld schlug. Deren erst 1862 gegründete Gegenorganisation, der «Deutsche Reformverein», kam zu spät und war in sich zerstritten und ohne zündende Parolen.

Ein Handicap allerdings besaß die kleindeutsche Nationalbewegung: Ihre stärkste politische Stütze, die liberale Fraktion im preußischen Abgeordnetenhaus, befand sich in einem schweren Konflikt mit eben jener Macht, die die kleindeutsche Reichseinigung verwirklichen sollte, mit der preußischen Regierung. Am 24. September 1862 ernannte Wilhelm I. den als Hochkonservativen und als die personifizierte Konterrevolution verschrienen preußischen Gesandten in Paris Otto v. Bismarck (1815 – 1898) zum preußischen Ministerpräsidenten, nachdem dieser dem König im Verlauf eines langen Gesprächs im Schloßpark von Babelsberg die Stabilisierung der königlichen Macht und die Niederwerfung der liberalen Parlamentsherrschaft versprochen hatte. In der deutschen Öffentlichkeit stand Bismarck als Verkörperung aller nicht nur antiliberalen, sondern, da Liberalismus und Nationalismus die beiden Seiten derselben Medaille waren, auch aller antinationalen Bestrebungen da. Allerdings wurde

Bismarck von seinen Gegnern wie von seinen hochkonservativen Freunden falsch verstanden: Die preußische Ministerpräsidentschaft war für ihn nicht das Ziel, sondern nur das Mittel zur Erreichung eines höheren Zwecks. Ihm ging es um die Machterweiterung und Konsolidierung Preußens in einem revolutionären Europa, ein Weg, der nach seiner Überzeugung nur durch die Errichtung der preußischen Hegemonie in Deutschland zu gehen war, auf Kosten Österreichs, aber nach Möglichkeit im Einklang mit den anderen europäischen Mächten, gegen deren Widerstand, das hatte das Scheitern der nationalstaatlichen Träume von 1848/49 gezeigt, eine Veränderung der mitteleuropäischen Landkarte nicht möglich war.

Als im November 1863 das Herzogtum Schleswig von Dänemark, mit dem es bisher nur in Personalunion gestanden hatte, förmlich annektiert wurde, wurde Deutschland erneut von patriotischer Erregung ergriffen. In der Öffentlichkeit wie in den Parlamenten wurde die Entfesselung eines deutschen Nationalkrieges gegen Dänemark gefordert – wie schon 1848 war Schleswig-Holstein die deutsche Irredenta, Symbol für das von den europäischen Mächten gefürchtete Ausgreifen des deutschen Nationalismus über die Grenzen der Wiener Friedensordnung von 1815 hinaus. Es war charakteristisch für die Blindheit aller Fraktionen des deutschen Nationalismus, daß die europäischen Machtverhältnisse in ihren Debatten keine Rolle spielten; die Friedensordnung von 1815 galt den nationalen Kräften in allen europäischen Staaten, nicht nur den

deutschen, als reaktionäres Hindernis, dessen Bekämpfung mit allen Mitteln gerechtfertigt war.

Es gehört zu den ironischen Zügen der deutschen Geschichte, daß gerade die haßerfüllte Gegnerschaft der liberalen Nationalbewegung gegen Bismarcks Politik zu deren Erfolg beitragen sollte. Nichts hätte Bismarcks Pläne stärker behindert als ein Bündnis mit der Nationalbewegung, deren systemsprengende Ambitionen offenlagen. Er brauchte ihre Gegnerschaft, um hinter der Kulisse dieses Konflikts seine Stärke und seine Absichten zu verbergen und im rechten Moment um so überraschender handeln zu können. Unbeeindruckt von allen nationalen Aufwallungen erkannte er daher die Herrschaftsrechte des dänischen Königshauses in Schleswig-Holstein an, was England, Frankreich und Rußland zufriedenstellte, plante aber dennoch den bewaffneten Einmarsch in die Elbherzogtümer, weil durch die Einverleibung Schleswigs in den dänischen Staat alte schleswig-holsteinische Sonderrechte verletzt worden waren. Der Unterschied zwischen den Forderungen der Nationalbewegung und denen der zur allgemeinen Überraschung plötzlich Arm in Arm auftretenden beiden deutschen Großmächte war also eigentlich rein formell-rechtlicher Art, aber den deutschen Patrioten erschien die Anerkennung der dänischen Königsrechte und der Wiener Friedensordnung unerträglich. Während seit Januar 1864 preußische und österreichische Truppen in Jütland einmarschierten und bedeutende militärische Erfolge errangen, kannte die Wut der liberalen Öffentlichkeit keine Grenzen – nicht ohne Grund, wie sich beim Friedensschluß am 30. Oktober 1864 zeigte, als die befreiten Elbherzogtümer keineswegs als neuer deutscher Staat im Deutschen Bund aufgingen, sondern kurzerhand in Form eines Kondominiums zwischen Österreich und Preußen aufgeteilt wurden.

Aber viele Liberale erkannten auch, daß Bismarcks Politik zwar prinzipienlos scheinen mochte, aber offensichtlich erfolgreich war, im Gegensatz zur Nationalbewegung. Jetzt erwies sich der illusionslose Realismus der Äußerung Bismarcks 1862 vor dem Abgeordnetenhaus als gerechtfertigt, vor der die liberale Öffentlichkeit sich damals entsetzt hatte: «Nicht durch Reden und Majoritätsbeschlüsse werden die großen Fragen der Zeit entschieden – das ist der Fehler von 1848 und 1849 gewesen –, sondern durch Eisen und Blut.»

Bismarcks erster Schritt war getan: Die Nationalbewegung, die liberale Öffentlichkeit hatte sich als lautstark, aber machtlos erwiesen.

Napoleon III. und Bismarck am Morgen nach der Schlacht von Sedan, Wilhelm Camphausen, 1877. «Gestern früh (2.9.1870) weckte mich der General Reille, um mir zu sagen, daß Napoleon mich zu sprechen wünschte. Ich ritt ungewaschen und ungefrühstückt gegen Sedan, fand den Kaiser im offenen Wagen mit drei Adjutanten auf der Landstraße haltend. Ich saß ab, grüßte ihn ebenso höflich wie in den Tuilerien und fragte nach seinen Befehlen. Er wünschte den [preußischen] König zu sehen ... Wir entdeckten in Fresnois ein kleines Schloß mit Park, und dort schlossen wir die Kapitulation, vermöge deren 40000 bis 60000 Franzosen, genauer weiß ich es noch nicht, unsere Gefangenen wurden. Der vor- und gestrige Tag kosten Frankreich 100000 Mann und einen Kaiser. Heut früh ging letzterer mit allen seinen Hofleuten, Pferden und Wagen nach Wilhelmshöh bei Kassel ab ...» (Bismarck an seine Frau, 3.9.1870)

Dänemark war aus dem Deutschen Bund hinausgedrängt, Preußen beträchtlich arrondiert worden. Nun sollte das große Ziel verwirklicht werden, auf das Bismarck seit der Revolution hingearbeitet hatte: die endgültige Etablierung der preußischen Hegemonie in Deutschland und die Abrechnung mit Österreich – Konsequenz einer über hundert Jahre alten preußischen Politik, die 1740 mit Friedrichs Griff nach Schlesien ihren Anfang genommen hatte. Seit 1848/49 hatte ein labiles Gleichgewicht zwischen den beiden deutschen Vormächten geherrscht; ihre Rivalität war immer spürbar gewesen. Und dazwischen hatten die kleineren Staaten des «Dritten Deutschland» gestanden, die ihre Unabhängigkeit gegen die zwei Großmächte und die Aufrechterhaltung der bestehenden föderalen Bundesstruktur durch nord-südliche Schaukelpolitik zu bewahren suchten.

Mit dem dänischen Krieg hatte sich etwas geändert. Das erste Mal hatte sich die mitteleuropäische Landkarte gewandelt, ohne daß eine der Mächte von der europäischen Peripherie eingegriffen hätte – das hatte nicht nur an Bismarcks genialer Strategie gelegen, sondern auch daran, daß durch den Krimkrieg (1853 - 1856) das europäische Konzert gestört war, Rußland und England tief miteinander verfeindet und zu einem Zusammenspiel auf dem Kontinent vorübergehend nicht fähig waren. Damit hatte sich für einige wenige Jahre ein Fenster der Geschichte aufgetan. Eine mitteleuropäische Macht unter entschlossener, zielbewußter Führung besaß jetzt einen größeren Spielraum als lange Zeit zuvor wie danach.

Daß der entscheidende Waffengang um die Herrschaft in Deutschland bevorstand, war den Kabinetten in Wien wie in Berlin schon Anfang 1866 klar. Man suchte nur noch einen Vorwand, um den Gegner als Aggressor hinstellen zu können. Er war gefunden, als das soeben nach Bismarckschem Konzept geeinte Italien sich offen auf die preußische Seite schlug, was den Wiener Ministerrat am 21. März 1866 dazu zwang, die österreichischen Truppen zu mobilisieren. So kam die Lawine ins Rollen, um ihren Lauf am 3. Juli 1866 auf dem Schlachtfeld von Königgrätz abrupt zu beenden. Es war ein unerwarteter und glänzender Sieg der preußischen gegen die verbündeten österreichisch-sächsischen Truppen, errungen durch die technische Überlegenheit der preußischen Bewaffnung und Ausbildung, vor allem aber dank der militärischen Führung durch Generalstabschef Helmuth v. Moltke (1800 - 1891), der mit den Mitteln von Telegraf und Eisenbahn das erste Mal in der Kriegsgeschichte große Truppenmassen aus verschiedenen Richtungen auf dasselbe Ziel dirigiert hatte: die größte europäische Schlacht des 19. Jahrhunderts.

Der Krieg, der bei Königgrätz zu Ende ging, wird seitdem unter dem Vorzeichen des preußischen Siegs und als Schritt auf die deutsche Einheit hin gesehen. Bei einem österreichischen Sieg wären die wirklichen Zusammenhänge deutlicher hervorgetreten: Tatsächlich war es Preußen gewesen, das vor Kriegsbeginn den Bundesvertrag des Deutschen Bundes für nichtig erklärt und damit aus der europäischen Friedensordnung ausgeschert war, während Österreich als Präsidialmacht des Deutschen Bundes handelte. Also kein Krieg zwischen Preußen und Österreich, sondern zwischen Preußen und Deutschland. Die auf österreichischer Seite stehenden süddeutschen Bundestruppen trugen denn auch schwarz-rotgoldene Armbinden, als sie gegen die unter den Farben Schwarz-Weiß kämpfenden Preußen fochten.

Mit dem anschließenden Frieden von Prag war Österreich aus Deutschland hinausgedrängt, der Deutsche Bund Vergangenheit. Geblieben war ein Bundesstaat mit 22 Klein- und Mittelstaaten nördlich der Mainlinie, politisch, militärisch und wirtschaftlich total von Preußen dominiert: der «Norddeutsche Bund», durch eine Militärkonvention und durch das feste Band des weiterbestehenden Zollvereins mit den übrigen deutschen Staaten südlich der Mainlinie verbunden – eine sonderbare staatsrechtliche Konstruktion, die angesichts des Machtgefälles zwischen dem Norden und dem Süden Deutschlands keine Dauer haben konnte.

Es war die französische Regierung, die mit ihrem aggressiven außenpolitischen Taktieren ebenjene deutsche Einheit herbeizuführen half, die sie eigentlich um jeden Preis verhindern wollte. Nur durch Druck von außen, das wußte Bismarck, war das Einigungswerk zu vollenden, und diesen erwünschten Druck lieferte Napoleon III. Die französische Politik war bereits 1866 leer ausgegangen, die französischen Kompensationswünsche nach der Gründung des Norddeutschen Bundes waren von Bismarck brüsk zurückgewiesen worden, und so hatte sich in Frankreich ein Gefühl des verletzten Stolzes herausgebildet, das nach einem Ventil suchte. Im Frühjahr 1870 bot das spanische Parlament den vakanten Thron einem Mitglied des Hauses Hohenzollern-Sigmaringen an, der katholischen Hohenzollern-Nebenlinie. In Frankreich beschwor das uralte Einkreisungsängste herauf, und Napoleon signalisierte scharfen Widerspruch. Bismarck hätte die Angelegenheit fallengelassen, wenn er nicht erkannt hätte, daß Frankreich isoliert dastand; England und Rußland zeigten sich desinteressiert. Bismarck wollte den Krieg nicht aktiv herbeiführen, aber er ging ihm auch nicht aus dem Weg. Wilhelm I. war sogar bereit, den französischen Wünschen entgegenzukommen und den spanischen Thron einem nichtdeutschen Kandidaten zu überlassen. Der aufgeregten französischen Öffentlichkeit genügte das nicht. Der französische Botschafter Benedetti reiste nach Bad Ems und übergab dem dort befindlichen preußischen König die Forderung nach der Garantie, dergleichen Kandidaturen hohenzollernscher Prinzen für alle Zukunft auszuschließen. Wilhelm I. begriff das so, wie es gemeint war, als diplomatische Ohrfeige, und lehnte ab. Bismarck erhielt in Berlin eine Depesche aus Bad Ems, die den Vorgang in sachlicher Form schilderte, redigierte sie, indem er ihren Inhalt scharf zuspitzte, und gab diesen veränderten Text der «Emser Depesche» noch am selben Tag, dem 13. Juli 1870, an die Presse weiter. Er wußte, daß die schwache französische Regierung eine diplomatische Niederlage aus innenpolitischen Gründen nicht ertragen konnte, und er hatte Napoleon III. richtig beurteilt: Dieser trat die Flucht nach vorne an und erklärte am 19. Juli 1870 überstürzt und ohne außenpolitische Rückendeckung den Krieg.

Anders als noch der Kabinettskrieg von 1866 war der preußisch-französische Krieg von 1870/71, der durch die wirksam werdenden preußischen Bündnisverträge mit den süddeutschen Staaten zum deutsch-französischen Krieg wurde, ein Krieg der modernen Technik und der Massenheere, ein Volkskrieg, der die Schrecken des ungebändigten totalen Kriegs des 20. Jahrhunderts bereits vorausahnen ließ. In seiner ersten Phase spielte die technische und strategische Überlegenheit des preußischen Generalstabs unter Helmuth v. Moltke die entscheidende Rolle. Die deutsche Seite beherrschte Mobilmachung, Aufmarsch und die weiträumige Bewegung großer Truppenmassen besser, und nicht die legendenschweren Grenzschlachten von Mars-la-Tour und Gravelotte entschieden den Kriegsverlauf, sondern die großen, mit klinischer Präzision geplanten Umfassungsschlachten von Metz und Sedan, Meisterwerke abstrakter Generalstabskunst, die für den einzelnen Heerführer kaum noch Raum für Initiativen boten, überhaupt nur aus großer Entfernung überschaubar waren, dabei aber viel weniger Blut kosteten als die vorangegangenen Treffen, und die dennoch die französischen Armeen in die Kapitulation trieben.

Der zweite Teil des Krieges, in dem die Volksheere der neu erstandenen französischen Republik in einer *levée en masse* nach dem Muster von 1793 versuchten, den Feind zu erdrücken, führte zu Rückschlägen für die deutschen Heere, ohne aber den Sieg ernsthaft zu gefährden. Am 28. Januar 1871 wurde der Waffenstillstand abgeschlossen, der Präliminarfriede folgte am 26. Februar, während die deutschen Truppen vor der eingeschlossenen französischen Hauptstadt standen und so aus nächster Nähe Aufstand und Untergang der Pariser Kommune miterlebten: So etwas, das prägte sich konservativen deutschen Politikern und Militärs dabei mit Blick auf die deutsche Sozialdemokratie ein, durfte in Deutschland nie passieren.

Der Frankfurter Friedensvertrag vom 10. Mai 1871, der das besiegte Frankreich im wesentlichen die Provinzen Elsaß und Lothringen sowie eine Kriegsentschädigung in Höhe von 5 Milliarden Franc kostete, machte ein weiteres Mal deutlich, daß die mit begrenzten und rationalen Zielen geführten Kabinettskriege der Vergangenheit angehörten. Der öffentlichen Meinung in Deutschland, die mit verschwindend wenigen Gegenstimmen (darunter denen der SPD-Vorsitzenden Wilhelm Liebknecht und August Bebel) die «Wiedergewinnung alten deutschen Volksbodens», also des Elsaß und Lothringens, forderte, und dem preußischen Generalstab, der mit rein militärtechnischen Begründungen die Gewinnung des Vogesenkamms und der Festung Metz zum Kriegsziel erhob, war Bismarck nicht gewachsen, obwohl er sehr klar sah, daß damit sein Kriegsziel, nämlich die dauerhafte Beseitigung der Kriegsgefahr an der deutschen Westgrenze, bereits mit dem Friedensschluß bedroht war.

Parallel zu den kriegerischen Ereignissen vollzog sich die politische

Einigung der kriegsführenden deutschen Staaten. Die nationale Hochstimmung der Bevölkerung und die öffentliche Meinung übten einen derartigen Druck auf die Kabinette der süddeutschen Staaten aus, daß ihnen nur noch der wie auch immer geartete Weg des Zusammenschlusses mit dem Norddeutschen Bund gangbar schien. Die deutsche Einigung wurde eben keineswegs nur von «oben», von Fürsten und Regierungen, herbeigeführt, sondern auch von «unten», von den Kräften der bürgerlichen und liberalen Nationalbewegung – nicht ein Großpreußen war deshalb das Ergebnis, sondern ein Deutsches Reich. Es waren auch keineswegs zuerst die Fürsten, die am 18. Januar 1871 im Spiegelsaal von Versailles den preußischen König Wilhelm I. zum Deutschen Kaiser ausriefen, sondern es war die Deputation des Norddeutschen Reichstags, die bereits am 18. Dezember 1870 den preußischen König um die Annahme der Kaiserkrone bat, an der Spitze Reichstagspräsident Eduard v. Simson, der schon 1849 die Kaiserdeputation der Frankfurter Paulskirche geführt hatte und der damals von Friedrich Wilhelm IV. so schmählich zurückgewiesen worden war. Das neue deutsche Kaiserreich besaß also von Anfang an eine doppelte Legitimation: Es besaß einerseits die Zustimmung der fürstlichen Standesgenossen, andererseits war es parlamentarisch und plebiszitär fundiert. Das war das Doppelgesicht des neuen deutschen Nationalstaats – symptomatisch war allerdings auch der Gegensatz zwischen den grauen Zivilanzügen der Parlamentarierdelegation, die dem Akt etwas Gedrückt-Alltägliches verliehen, und den schimmernden Uniformen der Fürsten und Generäle, die die Erinnerung an die Reichsgründung überstrahlten.

VI. Deutsche Möglichkeiten – eine Abschweifung

Nach der Gründung des Kaiserreichs von 1871 schien es müßig, der Frage nachzugehen, ob der deutsche Nationalstaat denn entstehen mußte, und wenn ja, ob in dieser Form. Den Zeitgenossen und den beiden nachfolgenden Generationen schien der Bismarck-Staat eine historische Notwendigkeit ohne Alternative. Und sprach nicht auch vieles für diese Sicht? Holten die Deutschen nicht lediglich nach, was die meisten europäischen Nationen längst hinter sich gebracht hatten: «Verspätete Nation» (Helmuth Plessner)? Sprach nicht die Macht des wachsenden Nationalbewußtseins als Massenideologie ebenso für die Bismarcksche Lösung der deutschen Frage wie das Argument der wirtschaftlichen Modernisierung, des Schwergewichts der ökonomischen Strukturen? Hat es überhaupt Sinn, die Frage nach historischen Alternativen zu stellen?

Man muß sie stellen, denn erst die Rekonstruktion vergangener Möglichkeiten und Chancen befreit uns von fatalistischen Geschichtsklitterungen und ermöglicht das Urteil über tatsächliche historische Entwicklungen. Und aus der Perspektive der politischen Beobachter vor der Reichseinigung war das, was dann wirklich geschah, nur eine von mehreren möglichen Ereignisketten und vielleicht nicht einmal eine besonders wahrscheinliche.

Für die deutsche Frage gab es viele Lösungsmöglichkeiten. Der Deutsche Bund von 1815 war eine davon, und dafür sprachen gewichtige Tatsachen: die verbliebenen Reste der Reichstradition, die Rücksichtnahme auf bestehende Herrschaftsinteressen, die Ausgewogenheit der Bundesakte, die realistischerweise den beiden Vormächten ein erhebliches Gewicht zumaß, ohne es ihnen aber zu ermöglichen, die übrigen deutschen Staaten zu majorisieren, und nicht zuletzt das Interesse der europäischen Mächte an der Aufrechterhaltung des Gleichgewichts der Kräfte, das durch jeden mitteleuropäischen Einigungsprozeß gefährdet schien. Daß der Deutsche Bund dennoch nicht von Dauer sein konnte, lag in erster Linie an dem Patt zwischen Österreich und Preußen, das jede Modernisierung des Bundes, aber auch jede Machtzentralisierung verhinderte, und an der ideologischen Rückständigkeit dieses Staatengebildes, dessen Machtlegitimation und Machterhaltungssystem quer zu den massenwirksamen und sinnstiftenden Strömungen des 19. Jahrhunderts standen.

Der Streik (Detail), Robert Koehler, 1886.

«Mann der Arbeit, aufgewacht!
Und erkenne deine Macht!
Alle Räder stehen still,
Wenn dein starker Arm es will.

Brecht das Doppeljoch entzwei!
Brecht das Joch der Sklaverei!
Brecht die Sklaverei der Not!
Brot ist Freiheit, Freiheit Brot!

(Georg Herwegh: Bundeslied des Allgemeinen Deutschen Arbeitervereins, 1863)

123

Das Hissen der deutschen Fahne auf dem Fort Vanves vor Paris am 19. Januar 1871, Eugen Adam, 1878. Am 18. Januar 1871 war Wilhelm I. im Schloß von Versailles zum Deutschen Kaiser ausgerufen worden. Einen Tag später hißten die deutschen Belagerer – hier bayerische Soldaten – auf dem Fort Vanves südwestlich von Paris die neue deutsche Fahne. Sie trägt die Farben des Norddeutschen Bundes Schwarz-Weiß-Rot. Schwarz-Rot-Gold war dem König seit 1848 suspekt, das roch nach Revolution und Demokratie. Bismarck war das ziemlich gleichgültig: «Sonst ist mir das Farbenspiel ganz einerlei. Meinethalben grün und gelb und Tanzvergnügen oder auch die Fahne von Mecklenburg-Strelitz. Nur will der preußische Troupier [= König] nichts von Schwarz-Rot-Gold wissen.» Wie Schwarz-Weiß-Rot zustande kam, ist nicht ganz klar. Für Bismarck war allein wichtig, daß diese Farben neu und von keiner Partei besetzt waren. Erst 1888 wurden sie gesetzlich zu den deutschen Nationalfarben erklärt.

Die zweite Lösungsmöglichkeit wurde 1848/49 durchprobiert: die Begründung eines modernen deutschen, zentralistischen Nationalstaates auf den Grundlagen von Volkssouveränität und Menschenrechten. Auch dieses Modell erwies sich als nicht lebensfähig – es scheiterte an der sozialen und ideologischen Heterogenität seiner liberalen und nationalen Trägerschichten ebenso wie am Widerstand der europäischen Mächte, die ein Ausgreifen des deutschen Nationalismus über die Grenzen des Deutschen Bundes als Revolution gegen die europäische Gleichgewichtsordnung empfanden. Kein deutsches Nationalparlament konnte aber auf Legitimation vor den deutschen Patrioten hoffen, das auf die «Befreiung» der deutschen Irredenta, des Elsaß und Schleswig-Holsteins, verzichtete.

An weiteren Möglichkeiten war auch nach dem Scheitern der Achtundvierziger Revolution kein Mangel, sie wurden seit dem Wiedererwachen der Nationalbewegung um 1859 heiß diskutiert, und jede besaß ihr Lager. Da war der großdeutsche Gedanke, der Österreich, aber auch Böhmen und Oberitalien einschloß. Diese Idee war von allen Konzepten das berauschendste, weil sie die weitesten Perspektiven eröffnete und durch die Erinnerung an eine verklärte Reichsgeschichte emotional am stärksten wirkte. Dennoch war dieses Projekt auch schon in den frühen sechziger Jahren am hoffnungslosesten. Dagegen sprach zwar nicht unbedingt der preußische Hegemonieanspruch – das war hauptsächlich Sache der hohen preußischen Bürokratie, während König und hochkonservativer Adel die habsburgischen Vorrechte sehr wohl respektierten. Aber gegen Großdeutschland sprach die ökonomische Vernunft angesichts der fortgeschrittenen wirtschaftlichen Integration des Zollvereins, der relativen Rückständigkeit der Donaumonarchie und deren vorsintflutlicher merkantilistischer Wirtschaftspolitik. Im übrigen hatte Österreich längst seine Wanderung aus Deutschland heraus angetreten, auf dem Balkan und in Italien war es in außerdeutsche Händel verwickelt, und seine multinationale Verfassung hätte bei einem Aufgehen des Habsburgerstaats in einen deutschen Nationalstaat zu unlösbaren Problemen geführt.

Möglich war auch eine dualistische Hegemonie beider Vormächte im Deutschen Bund, wie sie Preußen zeitweise favorisierte und in Bundesreform-Konzepte zu gießen suchte. Das lief auf eine Teilung Deutschlands längs der Mainlinie hinaus, mit einem preußisch-norddeutschen Bund im Norden und einer süddeutschen, von Wien aus regierten

Donauföderation im Süden. Noch 1864 hatte Bismarck diese Lösung der deutschen Frage vorgeschlagen, die zugleich eine Lösung des ein Jahrhundert alten preußisch-österreichischen Dauerkonflikts gewesen wäre: eine realistische Alternative der deutschen Geschichte, die allerdings daran scheiterte, daß Österreich nicht ganz grundlos der preußischen Selbstbescheidung mißtraute und immer neue Forderungen der Berliner Regierung fürchtete.

Und da war schließlich die Trias-Idee der deutschen Mittelstaaten, die vor einer preußischen Hegemonie ebenso zurückschraken wie vor einer preußisch-österreichischen Doppelherrschaft. Lag es nicht nahe, die vielen rein deutschen Territorien zum Nationalstaat zu verschmelzen und Preußen wie Österreich, die beide über den alten Reichsverband hinausgewachsen waren und beträchtliche nicht deutsche Bevölkerungsanteile besaßen, ihre eigenen Wege als europäische Mächte gehen zu lassen? Das Konzept eines «Dritten Deutschland» gehörte zu den großen Gestaltungselementen der deutschen Geschichte seit Jahrhunderten: der Zusammenschluß der kleinen und mittleren Territorien mit dem Ziel der Abwehr hegemonialer Großmachtbestrebungen und der Bewahrung der überkommenen Libertäten. Das «Dritte Deutschland» war von jeher reichstreu in dem Sinne gewesen, daß die jeweilige Reichsverfassung am besten geeignet schien, die einzelstaatlichen Rechte zu garantieren. Allerdings gehörte dazu auch die Versuchung, sich an eine Großmacht anzulehnen, um dem Druck anderer Mächte zu widerstehen – das Modell des «Deutschen Fürstenbundes» von 1785 unter preußischem Patronat war ebenso denkbar wie das Bündnis mit einer außerdeutschen Macht, von dem schwedisch dominierten «Heilbronner Bund» von 1633 bis zum Rheinbund der napoleonischen Ära. Seit 1859 regte sich das «Dritte Deutschland» wieder, suchte die Bundesverfassung im Sinne der Stärkung föderativer Rechte zu reformieren und die Bundeskompe-

tenzen gegen die Vormächte Preußen und Österreich zu stützen. Allerdings zeigte sich schnell, daß die bayerischen, sächsischen und badischen Bundesreform-Pläne zu weit auseinanderstrebten, um ein einheitliches Vorgehen der Mittelstaaten zu erlauben, doch die Trias war stark genug, um zwischen Österreich und Preußen zu manövrieren und die beiden deutschen Großmächte im Bundestag gegeneinander auszuspielen. Im übrigen bestand aufgrund der Bundesakte von 1815 nach wie vor das Recht jedes Einzelstaats, Bündnisse mit nichtdeutschen Mächten abzuschließen, und eine Neuauflage der Rheinbundpolitik blieb denkbar.

Die endlich verwirklichte, die kleindeutsche Lösung der deutschen Frage unter preußischen Vorzeichen war also nur eine Option unter vielen, und wenn sie auch durch Zollverein, österreichische Schwäche und zeitweilige liberale Sympathien begünstigt war, so war doch ihre Verwirklichung nicht vorgezeichnet. Bismarck hat zwar einmal bekannt, «die nationale Einigung im Herzen» zu tragen, jedoch hinzugefügt: «Erreicht Deutschland sein nationales Ziel noch im 19. Jahrhundert, so erscheint mir das als etwas Großes, und wäre es in zehn oder gar fünf Jahren, so wäre das etwas Außerordentliches, ein unverhofftes Gnadengeschenk von Gott.» Das war im Mai 1868, knapp drei Jahre vor der Reichseinigung. Es brauchte zu ihr wenigstens zweierlei: eine internationale Ausnahmesituation, die den Interventionsmechanismus des europäischen Mächtesystems im Fall einer mitteleuropäischen Machtballung außer Kraft setzte; und eine preußische Staatsführung, die die Gunst der Stunde erkannte und ihr gemäß handelte.

Was das erste anging, so war das europäische Konzert seit dem Krimkrieg (1853–1856) gestört, als England und Frankreich an die Seite der von Rußland angegriffenen Türkei geeilt waren – nicht aus tugendhaften Erwägungen, sondern um das Zarenreich daran zu hindern, in den Mittelmeerraum auszugreifen. Der Krimkrieg hatte die Öffentlichkeit auf beiden Seiten zutiefst erregt, und so waren die europäischen Flügelmächte, England und Rußland, bei Kriegsende weit auseinandergerückt. Eine gemeinsame Intervention wie noch 1848 anläßlich des deutschen Eingreifens in Dänemark war dadurch unwahrscheinlicher geworden. Und das Frankreich Napoleons III. hofierte Wien wie Berlin in schöner Unparteilichkeit und hoffte, im Fall eines deutschen Entscheidungskampfes als lachender Dritter dazustehen. Die Manövrierfähigkeit Preußens war deshalb vorübergehend vergrößert, ohne daß aber die neuen Bewegungsgrenzen klar gezogen waren. Die Risiken der Grenzüberschreitung bei Strafe des Rückfalls auf den Status einer zweitrangigen Macht blieben enorm. Eine andere Führung der preußischen Politik, das Eingreifen Frankreichs in den Krieg von 1866, Rußlands oder Österreichs 1870, oder vielleicht auch nur eine anders verlaufene Schlacht, und die deutsche Geschichte wäre ganz anders weitergegangen.

Kaiserproklamation im Spiegelsaal des Schlosses von Versailles,
Anton v. Werner, 1878.
Im Augenblick seiner Gründung war der deutsche Nationalstaat sich bereits selbst historisch; die Kaiserproklamation zu Versailles geriet zur Allegorie eines römisch-germanischen Heerkaisertums – nicht ein einziger ziviler Rock ist zu sehen. Versailles stand aber auch für die vergifteten Ideen von der Erbfeindschaft zwischen Deutschland und Frankreich. Damit erhielt der Gründungsakt des deutschen Kaiserreichs auf französischem Boden seinen eigentlichen Sinn: «Ein Wahrzeichen der Rache, die Deutschland für mehrhundertjährige Unbill nahm, als Kennzeichen der Siege, durch die wir das von Ludwig XIV. geraubte Straßburg wiedererwarben», so sah es der Generaladjutant Wilhelms I., und so sah es das gedemütigte Frankreich. Ein halbes Jahrhundert später sollte in Versailles auf die deutsche Rache die französische Revanche folgen.

VII. Nationalstaat in der Mitte Europas (1871–1890)

Das Deutsche Reich, 1871 auf den Schlachtfeldern Frankreichs gegründet, war ein Bündnis der deutschen Fürsten, gestützt auf die preußischen Waffen, legitimiert durch den Jubel des nationalgesinnten deutschen Bürgertums, das 1848 vergeblich versucht hatte, den deutschen Nationalstaat auf der Grundlage von Volkssouveränität und Menschenrechten zu begründen, und das jetzt den Traum vom Staat aller Deutschen durch Bismarcks Machtpolitik verwirklicht sah.

Diese Grundlagen des Reichs – das Fürstenbündnis, die preußischen Waffen, die plebiszitäre Zustimmung des Volks – spiegelten sich in der Verfassung des Reichs. Sie sah als erste Kammer ein Vertretungsorgan der deutschen Fürsten vor – das Deutsche Reich war eigentlich keine Monarchie, sondern eine Oligarchie von Bundesfürsten. Diesem «Bundesrat» stand allerdings als zweite Kammer eine Volksvertretung gegenüber, der «Reichstag», der auf der Grundlage des revolutionären Reichswahlgesetzes von 1849 aus freien, gleichen und geheimen Wahlen aller deutschen Männer vom 25. Lebensjahr an hervorging. Gesetze mußten von beiden Kammern gemeinsam beschlossen werden: Die Verfassung erwies sich als eine fast vollkommene Balance zwischen Volks- und Obrigkeitsstaat. Allerdings war da noch ein drittes Element: die eigentlichen Stützen der staatlichen Macht, Armee und Verwaltung, die nicht dem Eingriffsrecht des Parlaments unterlagen, sondern fürstliche Prärogative blieben. Und weil drei Fünftel der Verwaltung preußisch waren, und vor allem, weil die preußische Armee hauptsächlicher Bestandteil des Reichsheeres war und das Reichsheer insgesamt dem preußischen König als Bundesfeldherrn unterstand, gab es eine weitere entscheidend wichtige Gewalt: die des preußischen Königs, der das Bundespräsidium innehatte und der in dieser Eigenschaft den Namen «Deutscher Kaiser» führte (Art. 11). Tatsächlich verbanden nicht die geringsten staatsrechtlichen Bezüge Wilhelm I. mit dem Habsburger Franz II., der 1806 die römische Kaiserkrone niedergelegt hatte, wie auch der großpreußisch-kleindeutsche Nationalstaat mit dem transnationalen Wesen des einstigen Heiligen Römischen Reichs Deutscher Nation nichts zu tun hatte. Aber das Bewußtsein der Anhänger der deutschen Nationalidee, hauptsächlich des liberalen Bürgertums, hatte sich generationenlang an den Bildern und Mythen einer romantischen, rückwärtsgewandten Utopie von der Wiedererrichtung einer angeblichen mittelalterlichen Deutschen Kaiserherrlichkeit gebildet, und dieser sinnstiftende Mythos war so stark, daß kein deutscher Nationalstaat ohne den Bezug darauf legitimiert sein konnte –

Otto von Bismarck,
Franz v. Lenbach, 1879.

sehr zum Unwillen Wilhelms I., der im Kaisertitel lediglich ein Zugeständnis an den Zeitgeist sah und glaubte, mit der Kaiserproklamation von Versailles werde das alte Preußen zu Grabe getragen.

Ideologisch war also der Aufstieg des neuen Staatswesens gesichert, aber auch wirtschaftlich: Nicht zuletzt mit Hilfe der französischen Kriegsentschädigungen herrschte im Deutschen Reich seit Kriegsende ein wahres Firmengründungs- und Spekulationsfieber. Industriekapazitäten wurden ohne Sicherung ihrer Rentabilität ausgebaut, in kürzester Zeit wurden gewaltige Vermögen gemacht. Und im Zusammenhang mit dem «Gründerboom» veränderte sich das Gesicht Deutschlands. Die hergebrachte Schlichtheit der alten gesellschaftlichen Oberschicht, geprägt von der preußischen Devise «Mehr sein als scheinen» und von Mangel an Geld, verschwand; an ihre Stelle traten überladener Pomp und neureiche Protzerei – das galt für die Architektur ebenso wie für Einrichtungsstil, für die Garderobe wie für die Lebensführung. Wilhelm I., der störrisch seine einfache, biedermeierliche Lebensweise beibehielt, dessen Gummibadewanne, die einmal wöchentlich aus einem Hotel ins Schloß gebracht wurde, Stadtgespräch war, suchte durch Vorbild und, im Bereich von Verwaltung und Offizierskorps, mit Anordnungen dem Geist der neuen Zeit zu widerstehen, aber er wirkte wie ein Fossil. Dem Gründertaumel folgte zwar mit dem Kollaps der Wiener Börse von 1873 der Gründerkrach, riesige Vermögen waren über Nacht ruiniert, aber wenige Jahre darauf waren die Wunden vernarbt, das Wirtschaftsbarometer und damit der bürgerliche Wohlstand stiegen unaufhörlich bis zum Weltkrieg an.

Nicht nur die Gesellschaft veränderte ihr Gesicht. Auf dem Hintergrund der wirtschaftlichen Triumphe wandelte sich Deutschland endgültig vom Agrar- zum Industriestaat. Wo vor einem halben Jahrhundert noch Dörfer und verträumte Kleinstädte das Gesicht des Landes geprägt hatten, dort breiteten sich jetzt mächtige Siedlungskonglomerate und weite Industrieareale aus; Essen beispielsweise, um 1850 noch ein beschauliches Landstädtchen mit 9000 Einwohnern, besaß fünfzig Jahre später deren 295 000, war also um ein Dreiunddreißigfaches angewachsen. Die Eisenbahnverbindungen von Aachen bis Königsberg, von Hamburg bis München waren durchgehend fertiggestellt, der Wirtschaftsraum Deutschland war ebenso wirklich geworden wie die politische Einheit, wenn man allerdings davon absah, daß der industrielle Westen Deutsch-

lands und das koloniale Ostelbien immer weiter auseinanderklafften –
hatte der Bahnreisende aus dem industriellen Westdeutschland die Elb-
brücke bei Magdeburg überquert, befand er sich mit einem Mal wieder
in einer agrarischen Welt, mitten in den weiten Roggenfeldern der Gutswirtschaft, nur hier und da unterbrochen von Herrenhäusern und von
durch backsteinerne Kirchtürme überragten Marktflecken.

Dem entsprach die Schichtung der neuen Gesellschaft: Da war der
landbesitzende Adel, dessen Machtstellung auch nach der Verfassungsordnung von Reich und Ländern noch gewaltig war, dessen ökonomische

**Der 70. Geburtstag
des Kommerzienrats
Valentin Manheimer**,
Anton v. Werner, 1887.
Selten sind Reichtum und Erfolg
des industriellen Besitzbürgertums im Kaiserreich so dicht dar-
gestellt wie auf diesem Gemälde
des Malerfürsten Anton von
Werner. Die prächtigen Roben
der Damen, die angedeutete
Säulenhalle mit repräsentativem
Anspruch wirken wie eine Illu-
stration des kaiserlichen «Es ist
erreicht!». Der erfolgreiche
Damenkonfektionär Valentin
Manheimer verkörperte die
gelungene Emanzipation der
Berliner Juden im Kaiserreich und
ihre bedeutenden unternehmeri-
schen Leistungen. 1815 als Sohn
eines Kantors der jüdischen
Gemeinde in Gommern geboren,
wurde er Textilkaufmann. 1836
kam er nach Berlin; es gelang
ihm, das traditionsreiche Berliner
Schneiderhandwerk industriell
zusammenzufassen und ihm
internationale Märkte zu
erschließen. 1873 wurde
Manheimer zum Kommerzienrat,
1884 zum Geheimen Kommer-
zienrat ernannt. Er gründete eine
Stiftung für invalide Arbeiter
und hinterließ nach seinem Tod
1889 ein Vermögen von etwa
12 Millionen Mark.

Bei der Stellenvermittlung,
Fritz Paulsen, 1881.
Eines der 460 «Gesinde-Vermie-
tungs-Bureaux» in Berlin um
1880, Anlaufstelle Zehntausen-
der junger Menschen aus dem
ländlichen Osten Deutschlands.
In der Mitte ein herrschaftliches
Paar im Gespräch mit einer
Spreewälder Amme – im Adel
und im höheren Bürgertum still-
ten die Mütter oft nicht selbst.
23% der erwerbstätigen Frauen
waren in Deutschland zu dieser
Zeit Dienstboten. Sie wohnten,
meist sehr schlecht, bei ihrer
Herrschaft und hatten weder
geregelte Arbeitszeiten noch
Anspruch auf feste Freizeit. Sie
waren der Gesindeordnung un-
terworfen, durften deshalb nicht
streiken und konnten aus gering-
fügigem Anlaß von ihren Arbeit-
gebern gezüchtigt werden, ohne
dagegen vor Gericht klagen zu
können. Deshalb blieben junge
Frauen nicht lange «in Stellung»;
wer nicht heiratete, zog meist
Fabrikarbeit vor. 133

Grundlage, die Gutswirtschaft, jedoch rasant an Bedeutung verlor. Da war neben dem älteren Bildungs- und Verwaltungsbürgertum das neue Besitzbürgertum, die wirtschaftliche Säule des Reichs, liberal oder liberal-konservativ, eigentliche Stütze des deutschen Nationalstaats. Da war das Kleinbürgertum und dessen Kern, die Handwerkerschaft, von ständiger Angst vor der Konkurrenz der Maschinen und vor dem sozialen Abstieg in ein gesichtsloses Proletariat gepeinigt und deshalb anfällig für antisozialistische und chauvinistische Bewegungen und Parolen. Und da war schließlich die immer größer werdende Masse des Fabrikproletariats, das jetzt zu seiner Identität als vierter Stand fand und sich in den Organisationen der Sozialdemokratie, in katholischen Gebieten auch in denen der Zentrumspartei und in den entsprechenden Gewerkschaften zusammenschloß. Der Eindruck einer sich formierenden Klassengesellschaft wurde durch den Kontrast verstärkt, den die Industriestädte boten: im Westen die durchgrünten Villenkolonien des Besitzbürgertums, im Osten (denn dorthin blies der Wind die üblen Ausdünstungen von Industrie und Menschenmassen) die steinernen Meere der Mietskasernen.

Diese enorme Vielfalt einander überkreuzender und sich bekämpfender sozialer und wirtschaftlicher Interessen, geronnen in Parteien, Massenorganisationen und Interessenverbänden, wurde noch verstärkt durch politische und gesellschaftliche Außenseiter. Mit der Entstehung des neuen deutschen Nationalstaats waren Minderheitenprobleme aufgeworfen worden, es gab beträchtliche französische, polnische und dänische Bevölkerungsanteile, und welche Rolle die deutschen Juden zu spielen hatten, war heiß umstritten. Die «innere Reichsgründung», der nationale Ausgleich zwischen den verschiedenen Gruppen, war das entscheidende innenpolitische Problem des Deutschen Reichs; Bismarcks Herrschaftstechnik versuchte, dieses Problem zu lösen, indem starke, aber nicht im Sinne des monarchischen Obrigkeitsstaats integrierbare Gruppen ausgegrenzt und zu «Reichsfeinden» erklärt wurden.

Da war zunächst die Zentrumspartei, der parlamentarische Arm des politischen Katholizismus, der seit Mitte des Jahrhunderts den politischen und kulturellen Zentralisierungsbemühungen des preußisch-protestantischen Staates zähen Widerstand entgegensetzte. Der «Kulturkampf», in dem es nach außen hin um die Frage der staatlichen Schulaufsicht und die Besetzung der Pfarrstellen ging, war in Wirklichkeit der Versuch des

ALLGEMEINE ELEKTRICITÄTS-GESELLSCHAFT BERLIN.

preußisch-deutschen Obrigkeitsstaates, die politischen Eigentendenzen des deutschen Katholizismus mit seinen transnationalen Aspekten national zu mediatisieren – ein halbes Jahrtausend, nachdem der französische und der englische Staat den Kirchenkampf geführt hatten. Und seit Ende der siebziger Jahre trat der Kampf gegen die Sozialdemokratie hinzu. August Bebel, Vorsitzender der SPD-Fraktion im Reichstag, hatte Regierende wie Besitzende tödlich erschreckt, als er am 25. Mai 1871 die Pariser Kommune als «kleines Vorpostengefecht» im Vergleich zu dem erklärt hatte, was den Zeitgenossen an sozialer Revolution noch bevorstehe. Das Sozialistengesetz von 1878 war die staatliche Antwort auf die Kampfansage der «Umsturzpartei», wenn es sich auch in Kenntnis politischer Unterdrückungsmaßnahmen des 20. Jahrhunderts fast harmlos ausnimmt – immerhin blieb die SPD-Reichstagsfraktion bestehen und erstarkte von Wahl zu Wahl. Auf der anderen Seite führte die Reichsregierung seit 1880 Schritt für Schritt eine staatliche Sozialversicherung ein, die vorbildlich für ganz Europa wurde, um aus besitzlosen Sozialisten konservative Rentiers zu machen – was das anging, erwies sich die europaweit vorbildliche, wenn auch ganz aus dem Geist des ostelbischen Paternalismus erdachte Sozialpolitik als erfolglos, denn nach der Aufhebung des Sozialistengesetzes 1890 war der Zustrom zur SPD stärker denn je.

Aber nicht nur nach innen mußte das neue Reich gesichert werden – auch nach außen hin stellte seine Existenz alles andere als eine Selbstverständlichkeit dar, wie bereits ein flüchtiger Blick auf die Karte des europäischen Kontinents zeigt. Die Einigung Mitteleuropas war ein neues und ungewohntes Element im europäischen Staatensystem und wurde als potentielle Gefährdung für das europäische Gleichgewicht empfunden. Der britische Oppositionsführer Benjamin Disraeli faßte die Sorgen der Kabinette in St. Peters-

Großstadtwachstum im 19. Jahrhundert. Mit steigender Übervölkerung und Erwerbsschwierigkeiten auf dem Land, vor allem in Ostdeutschland, setzte im Laufe des 19. Jahrhunderts eine tiefgreifende Landflucht ein. Lebten um 1800 noch fast 90% der Bevölkerung auf dem Lande und nur 5% in Großstädten, so wohnten 1871 bereits 50% der Bevölkerung in Orten mit mehr als 5000 Einwohnern. Gab es um 1800 in Deutschland nur 2 Großstädte mit mehr als 100 000 Einwohnern, so waren es 1900 bereits 33.

	1800	1850	1880	1900	1910
Berlin	172	419	1122	1889	3730
Hamburg	130	132	290	706	932
München	30	110	230	500	595
Leipzig	40	63	149	456	588
Dresden	60	97	221	396	547
Köln	50	97	145	373	516
Breslau	60	114	273	423	512
Frankfurt a. M.	48	65	137	289	415
Düsseldorf	10	27	95	214	358
Elberfeld-Barmen	25	84	190	299	339
Nürnberg	30	54	100	261	333
Charlottenburg			30	189	305
Hannover	18	29	123	236	302
Essen	4	9	57	119	295
Chemnitz	14	32	95	207	287
Duisburg			41	93	229
Dortmund			67	143	214
Kiel	7	15	44	108	211
Mannheim			53	141	193

Angaben in Tsd.

Das Arbeiter-Evangelium,
Jens Birkholm, 1900.
Eine sozialdemokratische Agitationsversammlung in den späten 1890er Jahren. Über allen strahlt die Büste des sozialistischen Propheten Karl Marx. Darunter auf der Tribüne die Polizeibeamten, die bei der geringsten ungesetzlichen Äußerung die Versammlung auflösen werden. Dem in gespannter Aufmerksamkeit lauschenden Publikum gegenüber steht der Redner, Verkünder des Worts, das Haupt ganz in der Tradition der Christus-Ikonographie, die rechte Hand wie segnend erhoben. Die frohe Botschaft des Sozialismus erreichte hauptsächlich die protestantische Industriearbeiterschaft – bei den Reichstagswahlen von 1871 gaben 3,2 Prozent der Wähler der Sozialdemokratie ihre Stimmen, 1912 waren es 34,8 Prozent.

burg, Paris und London in die Worte, bei der preußisch-deutschen Reichsgründung handle es sich um die größte Revolution des 19. Jahrhunderts, größer noch als die Französische Revolution des vergangenen Jahrhunderts, und die Gefahren für die Zukunft seien unabsehbar. Bismarcks größte Sorge war es, nach außen hin zu signalisieren, daß das Reich «saturiert» sei, daß der gärende deutsche Nationalismus kanalisiert und unschädlich gemacht und das europäische System gefestigt, nicht gefährdet sei. In der Tat verlor der großdeutsche Traum, der Generationen deutscher Liberaler beflügelt hatte, nach 1871 überraschend schnell an Bedeutung. Eine deutsche Irredenta in Osteuropa, von Österreich und Rußland befürchtet, wurde von Bismarck entmutigt, und das «Zwei-Kaiser-Bündnis» zwischen dem Deutschen Reich und Österreich-Ungarn von 1879 zeigte, daß trotz Königgrätz die beiden deutschen Staaten in der Mitte Europas zusammenkommen konnten, ohne daß das gesamteuropäische System aus den Fugen geriet.

Von jetzt an galt für die deutsche Außenpolitik, was Bismarck in seinem «Kissinger Diktat» vom Juni 1877 formulierte: daß alle europäischen Mächte außer Frankreich künftig mit dem Deutschen Reich zusammenarbeiten können sollten und daß es darauf ankomme, gegen Deutschland gerichtete Koalitionen zu verhindern. Um diesem *«cauchemar des coalitions»*, wie Bismarck sagte, zu entgehen, begab sich das Reich in die Rolle des «ehrlichen Maklers» zwischen den übrigen Mächten. Den Höhepunkt dieser Politik stellte der Berliner Kongreß von 1878 dar, auf dem unter maßgeblichem Einfluß des deutschen Reichskanzlers die europäische Situation fixiert und die Gefahr eines neuen großen europäischen Kriegs um den Besitz des Balkans gebannt wurde.

Ein Kunststück blieb diese Politik allemal, denn sie verlangte nicht nur eine politische Selbstbeschränkung, die gegen den expansionistischen Geist der Zeit schwer durchzuhalten war, ob es sich um nationalistische Kräfte handelte oder um industrielle Interessen, die weit über das Gebiet des einstigen Zollvereins hinausdrängten und nach Einflußsphären und Kolonien riefen, oder um imperialistische Liberale, die nach Seegeltung und Weltmacht Ausschau hielten. Vor allem brauchte es ungewöhnliche staatsmännische Fähigkeiten, als Macht der europäischen Mitte die antagonistischen Interessen der europäischen Mächte gegeneinander auszubalancieren und darüber hinaus Frankreich daran zu hindern, Koalitionen gegen Deutschland zu schließen – durch den deutsch-österreichischen Zweibund, dem sich in der Folgezeit noch Italien, Rumänien und zeitweise Serbien anschlossen, durch das Werben um Rußland, das zu dem Drei-Kaiser-Vertrag von 1881 führte, und schließlich durch den zweiseitigen deutsch-russischen Rückversicherungsvertrag von 1887, der St. Petersburg formal den Weg zu den Dardanellen freigab. Aber es blieb ein hochkompliziertes «Spiel mit fünf Kugeln» mit dem Ziel, «daß ein Schwert das andere in der Scheide hält», wie Bismarck erklärte, ein Ziel, das zunehmend durch die innenpolitischen Kräfte und Tendenzen in allen europäischen Staaten in Frage gestellt wurde. Das galt nicht allein für Deutschland, sondern beispielsweise auch für Frankreich, wo der Gedanke an den Revanchekrieg gegen das Reich und an die Rückeroberung von Elsaß-Lothringen so populär war, daß keine Regierung dies außer acht lassen konnte. Das galt auch für Rußland, dessen panslawistische Bewegung die türkischen wie die österreichisch-ungarischen Interessen bedrohte. Deutschland zwischen Rußland und Frankreich: die Angst vor dem Zwei-Fronten-Krieg, der alten Konstellation Preußens, blieb lebendig, die Gefahr einer Einigung zwischen den europäischen Flügelmächten auf Kosten der Mitte lag auf der Hand.

Bismarcks Entlassung am 20. März 1890 hatte unmittelbar nichts mit seiner Außenpolitik zu tun. Er hatte sich mit Wilhelm II. überworfen, der 1888 als Nachfolger seines Vaters, des Hundert-Tage-Kaisers Friedrich III., Deutscher Kaiser geworden war und den übermächtigen «Eisernen Kanzler» als drückende Last empfand. Namentlich in der sozialen Frage war es zwischen Kaiser und Kanzler zu scharfen Differenzen gekommen. Wilhelm II. wünschte die sozialen Gegensätze auszugleichen, die Gegnerschaft Bismarcks gegen die Sozialdemokratie war ihm lästig, und da auch der Reichstag nicht bereit war, das 1890 auslaufende Sozialistengesetz zu verlängern, saß der Kanzler am kürzeren Hebel. In den letzten Tagen seiner Amtszeit wurde auch noch die Frage der Verlängerung des deutsch-russischen Rückversicherungsvertrags aufgeworfen, der entscheidenden Stütze in Bismarcks Bündnissystem. Daß der Kaiser an der Vertragsverlängerung kein Interesse besaß, beschleunigte die Entfremdung. Mit Bismarcks Entlassung endete eine Epoche, der Versuch, in einem Zeitalter der zunehmend politisch wirksam werdenden Massenemotionen Politik im vorrevolutionären Stil zu betreiben: als Politik des Möglichen in der Diagonale der beteiligten Interessen, mit rationalen Mitteln und begrenzten Zielen. Das aber war die Voraussetzung dafür, daß ein deutscher Nationalstaat in der Mitte Europas überdauern konnte.

William Pap

VIII. Innere Reichsgründung und Weltmachtstraum (1890–1914)

Wilhelm II. verkörperte den Geist der neuen Epoche in vieler Hinsicht. Ganz anders als sein Großvater Wilhelm I. war er ein Mann der öffentlichen Pose, blendend und beeindruckend. Als Student in Bonn hatte er gelernt, daß Wissen Macht ist, als Potsdamer Kadett die Neigung zu klirrenden Auftritten und Preußens Gloria erworben. Ein Mann mit glänzenden Gaben, einem brillanten Gedächtnis und scharfem Verstand, aber bigott erzogen und bis ins Absurde romantisch gestimmt, zudem durch seinen verkrüppelten Arm und seine herrschsüchtige Mutter auch seelisch beschädigt: noch als Kriegsherr ein arroganter ewiger Kadett, ein technikverliebter Träumer, der wissenschaftliche Großforschungsinstitute begründete und sich vorzugsweise als Friedrich der Große oder als Großer Kurfürst verkleidete, ein Mann für viele Rollen, aber ohne sichere Identität. Wilhelm II. war das wandelnde Sinnbild für das Volk, über das er herrschte.

Seine Thronbesteigung im Jahre 1888 markierte einen Einschnitt in der Geschichte des Deutschen Reichs. Der symbolhafte Wechsel von dem schlichten Wilhelm I., der sich ganz als preußischer König fühlte und den Hermelin des Kaisermantels haßte, zu dem prunkliebenden, exaltierten, romantischen Enkel, der sich – ganz unhistorisch – in der Nachfolge der mittelalterlichen Kaiser sah, entsprach einem grundlegenden Stimmungswechsel im Reich. Wer will, mag dies auf dem Hintergrund ökonomischer Veränderungen erklären – nach Jahrzehnten des Freihandels, einer der wichtigsten Glaubenssätze des liberalen Bürgertums, erhoben seit Mitte der siebziger Jahre die westdeutschen Schwerindustriellen die Forderung nach Zollschutz gegen ausländische Konkurrenzprodukte, und angesichts der zunehmenden weltweiten Getreideüberproduktion schlossen sich die ostelbischen Landwirte dieser Forderung an. Nach langen publizistischen und parlamentarischen Kämpfen setzten sich die protektionistischen Interessen durch und mit ihnen auch die dahinterstehenden politischen und gesellschaftlichen Kräfte. Der bürgerliche Nationalliberalismus, im ersten Reichsjahrzehnt die Stütze der

Die kaiserliche Familie im Park zu Sanssouci, William Friedrich Georg Pape, 1891.
Hohenzollernsches Familienidyll im Park von Sanssouci bei Potsdam, überragt von einer Reiterstatue Friedrichs des Großen: Kaiser Wilhelm II. (1888–1941) im Interimsrock des Zweiten Garderegiments zu Fuß, angesichts seiner Vorliebe für grelle Uniformen sehr zurückgenommen. An seiner Seite Kaiserin Auguste Viktoria sowie fünf der sechs Söhne: Prinz Oskar, wie damals noch üblich, als Kleinkind in Mädchenkleidern, die Prinzen Eitel Friedrich, August Wilhelm, Adalbert sowie (mit Hund) Kronprinz Friedrich Wilhelm, allesamt in Matrosenanzügen, wie sie von Hunderttausenden Jungen getragen wurden: Der «Kieler Knabenanzug» signalisierte nationalen Stolz auf Deutschlands Flotte, die weit mehr als die Armee für deutsche Weltgeltung und Gleichberechtigung mit England stand.

Bismarckschen Politik, wurde mehr und mehr in die Opposition verdrängt, die konservativen Parteien traten in den Vordergrund. So verlor das liberale Bürgertum trotz seines zunehmenden ökonomischen Gewichts an politischem Einfluß, während namentlich der immer noch auf adliger Grundherrschaft beruhende ostelbische Agrarbesitz, ungeachtet seiner abnehmenden ökonomischen Bedeutung, nicht nur politisch, sondern auch gesellschaftlich an Statur gewann.

Damit einher nahm die Armee innenpolitisch an Gewicht zu, von parlamentarischer Kontrolle ohnehin frei und nur dem Souverän unterstellt. Sie sah sich selbst als einzigen Garant des Staats und der Monarchie, und dies nicht nur gegen äußere, sondern auch gegen innere Gegner, also gegen Sozialdemokraten, Katholiken und Liberale. Und es zeigte sich, daß in der Öffentlichkeit die Leitbilder des preußischen Militärs die des bürgerlichen Liberalismus zunehmend übertrumpften. Die zivilen Tugenden des für die deutsche Geschichte im 19. Jahrhundert so wesentlichen gebildeten und besitzenden Bürgertums verloren an Vorbildlichkeit, Tonfall und Haltung des preußischen Gardeleutnants gewannen an Ansehen. Gewiß, in der deutschen Provinz, vor allem in den Residenzen und Bürgerstädten des «Dritten Deutschland», namentlich in Süddeutschland, blieb das schlichtere bürgerliche Selbstverständnis der ersten Jahrhunderthälfte bestehen, doch das zunehmende politische Schwergewicht der preußischen Dreiheit Kaiserhof, Gutshof und Kasernenhof prägte das deutsche Selbstbewußtsein. Hinzu kam die hohe Wertschätzung, die die Armee seit den Einigungskriegen in der Bevölkerung genoß: Sie war der Stolz der Nation. Diese Hochachtung übertrug sich auf jeden Heeresangehörigen und verschaffte ihm innerhalb seiner sozialen Umwelt erhöhte Reputation. Aus diesem Grund wurde auch die allgemeine Wehrpflicht nicht als Last, sondern als Auszeichnung und soziale Chance empfunden. Um Waffen und Uniformen lag ein romantischer, idealisierender Glanz, der von Presse und Literatur verbreitet und verstärkt wurde, mit Ausnahme weniger liberaler und sozialistischer Zeitungen. Auch im Zivilleben wurde es wichtig, «gedient» zu haben. Beamte und Lehrer bezogen ihr Selbstbewußtsein aus ihrem Reserveoffiziers-Status und übertrugen die Normen, die sie in der Armee kennengelernt hatten, auf Ämter und Schulen. Daß dieser zunehmende «Gesinnungsmilitarismus» die politische Urteilsbildung beeinflußte, zunächst bei den Untertanen, dann auch bei den Regierenden, war nicht zu vermeiden.

Aber das reichte nicht aus, um einen gesellschaftlichen Stil zu bilden, es fehlte unter dem auftrumpfenden Gehabe an Substanz. Mit einer Flut von Äußerlichkeiten suchte man diesen mehr gefühlten als reflektierten Mangel zu verdecken. In der Architektur trat der Neobarock hervor – typisch dafür der Abriß des kaum 60 Jahre zuvor von Schinkel erbauten, kleinen und schlichten Berliner Doms zugunsten des massiven, überladenen, völlig unproportionierten gegenwärtigen Baus, den Raschdorff um die Jahrhundertwende errichtete. Dazu eine Flut von Symbolen und Allegorien, deren Beliebigkeit das Fehlen eines inneren geistigen Bandes der Nation anzeigte. Klirrendes Auftreten, darunter Unsicherheit und das Gefühl, daß das alles nicht dauern könne: Das war der Nenner des «Wilhelminismus».

Der wichtigste Grund dafür lag darin, daß die «innere Reichsgründung» nicht vorankam. Deutschland blieb innerlich zersplittert, die alten territorialen wie konfessionellen Spaltungen ließen sich in kurzer Zeit so wenig überbrücken wie die sozialen Gräben, die sich im Gefolge der Industrialisierung zwischen Industrie und Landwirtschaft, Adel und Bürgertum, Kapital und Arbeit aufgetan hatten. Die politischen Parteien, die diese Gegensätze eigentlich aufnehmen und ausgleichen mußten, waren dieser Aufgabe nicht gewachsen, nicht zuletzt, da sie in der deutschen Verfassungsordnung nicht mit politischer Verantwortung und also auch nicht mit dem Zwang zum Kompromiß belastet waren. So mühten sich die Parteien um philosophisch-ideologische Programme mehr als um pragmatische Politik, waren ihren Anhängern eher Ersatzkirchen als Interessenvertretungen; das deutsche Parteiensystem bestand aus unversöhnlichen Antagonismen, ein Gewirr von Schützengräben und Igelstellungen.

Und das alles war durchkreuzt und überformt von den organisierten Interessen. Vor allem seit Beginn der langen Deflationsphase nach 1873, dem Ende des wirtschaftlichen Booms und dem Beginn des langen Sterbens des Liberalismus, kamen die industriellen und agrarischen Interessenverbände auf: Da war der «Deutsche Landwirtschaftrat», Vertreter der preußischen Klein- und Mittelbetriebe, weiterhin der katholische «Zentralverband der Bauernvereine», beide aber politisch in den Schatten gestellt vom 1893 gegründeten «Bund der Landwirte», in dem sich hauptsächlich ostelbische Agrarinteressen unter der Führung des Großgrundbesitzes zusammenschlossen und dessen Vertreter in den Ministerien nicht weniger erfolgreich arbeiteten als in den Parlamenten, vor allem aber im gesellschaftlichen Umfeld von Kaiserhof und Preußischem Staatsministerium.

Auf industrieller Ebene entsprach dem der «Centralverband deutscher Industrieller», daneben seit 1895 der «Bund der Industriellen», letzterer die Interessen der Export-, ersterer die der Schwerindustrie vertretend. So organisierten sich alle ökonomischen und gesellschaftlichen Gruppierungen, bis hin zu den gewerkschaftlichen sArbeiterorganisationen, den sozialdemokratischen «Freien Gewerkschaften» und den katholischen «Christlichen Gewerkschaften»: Allesamt komplexe, hochorganisierte, zu Branchen- und Dachverbänden zusammengeschlossene Gebilde, daneben das dichte Netz der Verbandswirtschaft mit einer Fülle von Produktions-, Absatz- und Preis-Kartellen. Zwischen ihnen wie zwischen den Parteien herrschte Sprachlosigkeit, also eine tiefverwurzelte Unfähigkeit zum sozialen und politischen Ausgleich. Wo *common sense* oder der Bezug auf übergeordnete gemeinsame Wertmaßstäbe notwendig gewesen wären, herrschte der ideologisch aufgeladene Kampf aller gegen alle im gesellschaftlichen System, überformt lediglich durch einen gemeinsamen reichsdeutschen Nationalismus, der bis weit in die Arbeiterbewegung hineinreichte, allen internationalistischen Beteuerungen der Sozialdemokratie zum Trotz.

Aber dieser Nationalismus wurde blaß und schal. Mit der Reichsgründung war die Utopie verschwunden, die zwei Generationen deutscher Patrioten Sinn und Maß des politischen Handelns wie auch Identität gegeben hatte, und an die Stelle der Utopie war die Ökonomie getreten. Was fehlte, das war eine bürgerliche Kultur des *common sense*, der gemeinschaftlichen Üblichkeiten und Selbstverständlichkeiten, die die politische Kultur von Deutschlands westlichen Nachbarn regulierte, und es fehlte darüber hinaus eine einigende Idee, die über das Gegenwärtige hinaus in die Zukunft wies.

So gab es nur eine Instanz, die imstande war, diesen vergleichsweise dramatischen gesellschaftlichen Zustand zu entschärfen, indem sie sämtliche Konfliktlösungsbemühungen einschließlich der gesellschaftlichen Sinn- und Identitätsprobleme auf sich selbst bündelte: Das war der Staat, der preußisch-deutsche Obrigkeits-, Verwaltungs-, Erziehungs- und Verteilungsstaat, der sich für alles und jedes zuständig erklärte, von der Sozialfürsorge bis zur Friedhofordnung, und dessen Institutionen, dessen Verwaltung und vor allem dessen Militär der Ideologie huldigten, über

Ferdinand Eduard Freiherr von Stumm und Pauline Freiin von Stumm, geb. Freiin von Hoffmann,
Salvador Martinez Cubells, 1890. Ferdinand von Stumm (1843–1925) gehörte einer der vermögendsten Familien in Deutschland an; sein Bruder Karl war Chef des saarländischen Stumm-Konzerns (Kohle und Stahl) und allgemein als «König Stumm» bekannt. Die Familie war bürgerlicher Herkunft und erst 1888 von Friedrich III. nobilitiert worden. Ferdinand von Stumm hatte die Diplomatenlaufbahn gewählt; er trat 1890, im Jahr der Entlassung Bismarcks, von seinem Posten als deutscher Botschafter in Madrid zurück und ließ sich und seine Frau zur Erinnerung an seine spanischen Jahre von einem spanischen Maler konterfeien. Es hätte nahegelegen, daß für dieses repräsentative Portrait die prächtige Diplomatenuniform zu kleiden. Statt dessen ließ sich von Stumm als Reserveoffizier in der Uniform eines Majors des 8. Husarenregiments abbilden, obwohl der Rang eines Botschafters weit über dem eines preußischen Majors lag: ein sprechendes Beispiel für die gesellschaftliche Bedeutung, die dem Militär im öffentlichen Leben des Kaiserreichs zukam.

den Interessengegensätzen der Gesellschaft und unabhängig von ihnen zu existieren und das Wohl des Ganzen zu repräsentieren, eine im Kern antidemokratische, autoritäre Idee. Und dies um so mehr, als die wirkliche Volksvertretung, der Reichstag, als Stätte des Geschwätzes und des Zanks galt und deshalb wenig Ansehen besaß; mit den Worten eines konservativen Abgeordneten sollte der Kaiser jederzeit imstande sein, das Parlament von einem Leutnant mit zehn Mann schließen zu lassen. Wie tief dieses Leitbild vom über dem unverantwortlichen Volk und dessen Streitigkeiten stehenden «Vater Staat» verwurzelt war, zeigte nicht zuletzt die deutsche Sozialdemokratie, die für sich beanspruchte, der große Gegenentwurf zu diesem Staatswesen zu sein, tatsächlich aber in Geist wie Aufbau die Staatsorganisation bis ins Letzte kopierte. «Der Feind, den wir am tiefsten hassen/ Das ist der Unverstand der Massen»: Das war nicht Motto preußischer Amtsstuben, sondern ein Vers aus der sozialdemokratischen «Arbeiter-Marseillaise».

Plakat der Internationalen Kunstausstellung des Vereins bildender Künstler Münchens (Secession), Franz v. Stuck, 1898. Der akademischen, staatlicherseits geschätzten und geförderten Malerei eines Anton v. Werner oder Wilhelm Bleibtreu stellten sich, vor allem aus Frankreich angeregt, neue Kunstströmungen wie Symbolismus, Impressionismus oder Jugendstil entgegen. Die 1892 in München und 1898 in Berlin gegründeten Secessionen waren avantgardistische Künstlerbünde, denen Maler der Moderne wie Lovis Corinth, Franz v.Stuck und Max Liebermann angehörten und deren Ausstellungsplakate in ihrer stilisierten Schlichtheit in bewußtem Kontrast zum «Wilhelminismus» standen.

INTERNATIONALE KUNST-AUSSTELLUNG DES·VEREINS·BILDENDER·KÜNSTLER MÜNCHENS (SECESSION) KGL.KUNSTAUSSTELLUNGSGEBÄUDE KÖNIGSPLATZ· GEGENÜBER·DER·GLYPTOTHEK VON· 1.JUNI· BIS· ENDE· OCTOBER TÄGLICH· GEÖFFNET· VON· 9 - 6· UHR

Alles eine Nummer zu groß!
Bruno Paul, 1900.
Graf Bernhard v. Bülow
(1849–1929), ein eleganter
und kluger Mann von Welt und
Günstling Wilhelms II., war soeben zum dritten Nachfolger
Bismarcks ernannt worden;
der Karikaturist sieht ihn in der
Kürassieruniform Bismarcks,
und das Verdikt ist mitleidlos.
Tatsächlich gelang es Bülow
nie, eine klare außenpolitische
Konzeption zu entwickeln, um
Bismarcks Bündnispolitik wieder-
aufzunehmen. Er war sich durchaus klar über manche innen- wie
außenpolitische Webfehler des
Reichs, aber außerstande, dem
Kaiser hinreichenden Widerstand
entgegenzusetzen. Er trat 1909
zurück und lebte seitdem in Rom.

Die tiefen Brüche, die das wilhelminische Deutschland durchzogen, bildeten sich auch in jenen Bereichen ab, die neben dem Glanz und Gloria der Waffen den Ruhm des Reichs darstellten, in Wissenschaft und Kunst. Im kulturellen Bereich kennzeichneten schroffe Gegensätze die Epoche, Akademismus und Pomp auf der einen, Avantgarde auf der anderen Seite. Nie waren die Widersprüche schneidender. Das neobarocke Neue Rathaus in Hannover zum Beispiel entstand zur gleichen Zeit wie Peter Behrens' konstruktivistische Turbinenhalle in Berlin oder Walter Gropius' Fagus-Werke in Alfeld, eine lichtdurchflutete, funktionale Glas- und Stahlkonstruktion. Zwischen den Zeitaltern stand der Jugendstil, eher Ausdruck der Krise als Mittel ihrer Bewältigung und ohne schöpferisch weiterzuführen.

In der Malerei dominierten auf der einen Seite die akademischen, vom Hof geförderten Malerfürsten wie Anton v. Werner oder Hans Makart, denen Farbenprunk und photographische Genauigkeit als höchste Tugenden galten. Auf der anderen Seite standen die avantgardistischen Künstler der Münchener, Wiener und Berliner «Sezession», des Blauen Reiter und der Dresdner «Brücke» – Namen wie Franz Marc, Gustav Klimt, Max Liebermann wiesen in die Moderne des 20. Jahrhunderts. In der Musik traten zwei Tendenzen einander gegenüber, deren Anfänge mit den Namen Richard Wagner und Johannes Brahms gekennzeichnet sind: Johannes Brahms, der in der Tradition protestantischer Innerlichkeit seit Schütz und Bach stand, der die Ausdrucksfähigkeit der Romantik mit der

Formenstrenge älterer Polyphonie verband und von den Zeitgenossen als «akademisch» verstanden wurde; auf der anderen Seite Richard Wagner, der über die Musik hinaus zum Gesamtkunstwerk vorstoßen wollte und dabei bereits die herkömmlichen musikalischen Formen aufzulösen begann. Er war einer der großen Revolutionäre der Musikgeschichte (er hatte auch 1848 in Dresden auf den Barrikaden gestanden), wurde aber von einem immer größer werdenden Teil seines Massenpublikums, vor allem wegen seiner historisierenden und heroisierenden Opernstoffe, in reaktionärer Richtung mißverstanden. Nach diesen beiden Riesen der Musikgeschichte kamen auf der einen Seite die Spätromantiker wie Busoni oder Bruckner, auf der anderen Neutöner wie Gustav Mahler oder Richard Strauß. In der kühnen Musik Arnold Schönbergs sollten sich beide Entwicklungslinien wieder vereinen. Wagner allerdings erfreute sich der Gunst der Mächtigen, des bayerischen Königs Ludwig II. wie später Wilhelms II., der sich gerne als neuer Lohengrin sah; Richard Strauß dagegen überforderte den Kaiser: «Das ist keine Musik für mich!» sprachen Majestät und verließen 1911 vorzeitig und empört die Berliner Erstaufführung des «Rosenkavalier».

Lichtgebet,
Karl Johann Höppener
(= Fidus), 1894.
Die Suche nach Auswegen aus der bürgerlichen Sekurität der wilhelminischen Gesellschaft trieb viele verschiedene Blüten. Die bürgerliche Kleidung war wie die Gesellschaft, zu der sie gehörte, steif, zeremoniell, sie behinderte die Bewegung, schnürte den Atem ab. Was lag näher, als aus den Konventionen auszubrechen, indem man Reformkleider propagierte, und wo das nicht ausreichte, um das Spießertum zu ärgern, da blühten Sonnenanbetung und Nacktkultur. Der Maler und Grafiker Fidus (1868–1948), der sich ganz der Lebensreform-Bewegung verschrieben hatte, stellte oft den nackten, von gesellschaftlichen Schlacken befreiten Menschen dar, der zwischen Erde und Himmel die Ankunft des lebenspendenden Lichtes begrüßt.

Der Zusammenprall von Tradition und Moderne wiederholte sich allenthalben. Auf der Bühne brachen Dramatiker wie Gerhart Hauptmann oder Georg Kaiser ins klassische Repertoire-Theater ein, auf dem Gebiet der Literatur standen sich Naturen wie der zutiefst konservative Theodor Fontane und der expressionistische, bereits als Student durch Unfall ums Leben gekommene Dichter Georg Heym gegenüber, als seien sie durch Jahrhunderte getrennt. Aufbruch und Untergang hielten sich die Waage; aber daß die Welt und die Gesellschaft sich binnen kurzem vollkommen ändern würden, war ein tiefsitzendes Gefühl der Epoche, das die besitzbürgerliche Sicherheit des wilhelminischen Staatswesens schmerzlich untergrub. Karl Marx und Friedrich Engels und in deren Gefolge die großen und kleinen sozialistischen Denker der Zeit prophezeiten die soziale Revolution, den «großen Kladderadatsch» (Wilhelm Liebknecht) noch innerhalb der lebenden Generation. Friedrich Nietzsche postulierte die «Umwertung aller Werte» und sagte die Heraufkunft des moralfrei handelnden, durch «Willen zur Macht» geleiteten «Übermenschen» voraus, während Arthur Schopenhauer dem fortschrittsgläubigen Bürgertum seines Jahrhunderts die Sinnlosigkeit der Weltgeschichte predigte. Auch von anderer Seite wurde der positivistische Vernunftglaube der Zeit angegriffen, durch die heroischen, antibürgerlichen Zukunftsvisionen Richard Wagners nicht weniger als durch die Entdeckung des Unterbewußten und Triebhaften als des eigentlich Menschlichen durch Sigmund Freud.

Bei der bürgerlichen Jugend, die die *belle époque* als ein Zeitalter der spießigen Übersättigung, der geistlosen Großmannssucht erlebte, fanden die neuen Propheten massenhafte Gefolgschaft. Anders als die Elterngeneration, die die Reichsgründung miterlebt hatte und die jetzt mit dem ganzen Stolz des kaiserlichen «Es ist erreicht» auf die politischen und materiellen Erfolge Deutschlands blickte, waren große Teile der Jugend von nichts so überzeugt wie von der Hohlheit und Verlogenheit des wilhelminischen Staatswesens. Was in dieser Generation vor sich ging, läßt sich abstrakt als Antwort auf die gewaltsamen gesellschaftlichen und technischen Umwälzungen des Industriezeitalters beschreiben. Der Schock kam spät, und die Reaktion war Panik, Entfremdung, «Verlust der Mitte» (Hans Sedlmayr). Die Suche nach der großen Alternative führte zu radikalen Folgerungen. Mit aller Macht setzte man sich von den Werten der Eltern ab – Liberalität, Mäßigung, gesellschaftliche Formen, der Glaube an die Vernunft und an die Güte der Menschen, an die Maßstäbe bürgerlicher Zivilisation verfielen völliger Ablehnung. Die Eltern waren konservativ, nationalliberal oder freisinnig; die Töchter und Söhne wurden Völkische, Sozialisten oder Nihilisten, oder sie schlossen sich der Jugend- und Wandervogelbewegung an, die 1895 ihren Ausgangspunkt vom Steglitzer Gymnasium in Berlin nahm, und bekundeten mit dieser Flucht vor der sinistren Wirklichkeit ihre Verachtung aller Politik mitsamt der dazugehörigen Kultur. Experimente gegenbürgerlicher Kultur florierten in Menge, Kolonien und Kommunen entstanden, wobei

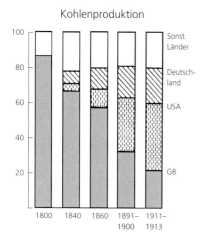

Kohlenproduktion

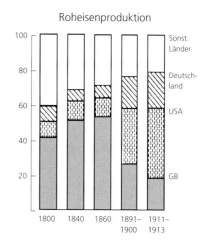

Roheisenproduktion

Kohle und Roheisenproduktion in England, Deutschland, USA im Vergleich zur Weltproduktion 1800–1913. Die Entwicklung der deutschen Schwerindustrie bot die Grundlage für Deutschlands wirtschaftlichen Aufschwung seit 1871. Im Kohlenbergbau holte Deutschland seinen wirtschaftlichen Rivalen England nie ganz ein, aber in den Wachstumsraten konnte sich Deutschland mit den USA vergleichen. Die deutsche Eisenindustrie verdankte ihr Wachstum der Kohlengrundlage wie auch den lothringischen Erzgruben. 1910 war die deutsche Eisenproduktion mit 14,8 Mio. Tonnen allen europäischen Konkurrenten davongeeilt; die britische Produktion lag bei 10,2 Mio. Tonnen.

antimerkantile Kunstbegeisterung, bündisches Gemeinschaftsverlangen und agrarromantische Züge sich die Waage hielten. Vom Monte Verità bei Ascona bis Worpswede und Emsland blühten die Gemeinschaften, in denen die alte Einheit von Mensch und Natur erneuert werden sollte. Anarchistische, lebensreformerische und anthroposophische Lebensoasen wetteiferten miteinander, den Neuen Menschen hervorzubringen, und alles das war ungeheuer lebendig und fruchtbar. Die zivilisatorische Übersättigung, die Erwartung des gänzlich Neuen: Das war der Boden für eine Geisteshaltung, die es der bürgerlichen Jugend leichtmachen sollte, im August 1914 mit Begeisterung in den Krieg zu ziehen, in die ersehnte Apokalypse.

Es war im wesentlichen dieselbe Jugend, die die Hörsäle der Universitäten und Technischen Hochschulen bevölkerte, welche eine nie dagewesene Weltgeltung beanspruchen konnten. Und die Zahl der Studenten wuchs unaufhörlich; bis um 1860 hatte sie stagniert, aber dann explodierte sie förmlich von 11 000 um 1860 auf 60 000 am Vorabend des Ersten Weltkriegs, darunter ungefähr 4000 Frauen, die sich allerdings erst seit 1908 regulär immatrikulieren konnten. Bildung, vor allem akademische Bildung war nach wie vor das Eintrittsbillett in die gehobenen, einträglichen und sozial angesehenen Berufe, und der Staat förderte diese Tendenz, denn die Universitäten, namentlich die expandierenden Juristischen Fakultäten, versorgten ihn mit fähigen Beamten, und die Technischen Hochschulen stellten die Kader für den wirtschaftlichen Aufschwung, auf dem der zunehmende Reichtum und die internationale Geltung des Deutschen Reichs beruhte.

«Wissen ist Macht» – dieser Satz galt für den Staat wie für den Einzelnen, bis hinein in die Arbeiterbewegung, für die die gesellschaftliche Emanzipation in erster Linie aus ihren autonomen Bildungsbemühungen erwuchs – die Arbeiter-Bildungsvereine stellten im wahrsten Sinne des Wortes Volkshochschulen dar. Aber der Staat organisierte und förderte nicht nur Schulen und Hochschulen, sondern er gründete auch modernste Einrichtungen der naturwissenschaftlichen Großforschung, um die britische, französische und amerikanische Forschung zu übertrumpfen. Die Kaiser-Wilhelm-Gesellschaft, 1911 in Berlin gegründet und teils vom Staat, teils von der Großindustrie finanziert, betrieb Grundlagen- und Projektforschung in bislang unbekannter Größenordnung. Bis 1918 gingen aus ihren Instituten nicht weniger als fünf Nobelpreisträger hervor: Albert Einstein, Max Planck, Emil Fischer, Fritz Haber und Max v. Laue. Wilhelm II. ließ es sich nicht nehmen, das erste Institut selbst einzuweihen; der von mittelalterlicher Kaiserherrlichkeit träumende Romantiker in Küraß und Adlerhelm, der da *big science* inaugurierte, verkörperte die ganze Gespaltenheit des Zeitalters.

Für die enorme wirtschaftliche und politische Dynamik, die sich hier entwickelte, schien das kleine Mitteleuropa zu eng. Die Begrenzung auf bescheidene, nur nach innen gerichtete Entwicklungen, auf saturierte Verhältnisse wurde vom deutschen Bürgertum als demütigend und im Vergleich zu den europäischen Nachbarn als diskriminierend empfunden. Nationale Politik hatte bislang geheißen, die Einigung Deutschlands und anschließend die innere Konsolidierung des Reichs herbeizuführen. Seit den 1890er Jahren aber hieß deutsche Politik Weltpolitik, gemäß den Sätzen Max Webers anläßlich seiner Freiburger Antrittsrede von 1895: «Wir müssen begreifen, daß die Einigung Deutschlands ein Jugendstreich war, den die Nation auf ihre alten Tage beging und seiner Kostspieligkeit halber besser unterlassen hätte, wenn sie der Abschluß und nicht der Ausgangspunkt einer deutschen Weltmachtpolitik sein sollte.» Weltmachtstreben also als Vollendung und Erfüllung der nationalen Einheit: Das war der entscheidende Bruch mit der Politik Bismarcks, die eine Politik der strikten Selbstbeschränkung auf Mitteleuropa gewesen war. Hinter dem Aufbruch in imperialistische Abenteuer stand keineswegs die alte adlige preußische Oberschicht, die ausländischen Beobachtern so unzivilisiert und schreckenerregend vorkam, die aber ganz mit der Verteidigung ihrer zunehmend unterhöhlten sozialen und innenpolitischen Stellung befaßt war und außenpolitisch nicht die geringsten Ambitionen besaß. Dahinter stand vielmehr das liberale und besitzende Bürgertum, Erbe der deutschen Nationalbewegung, das jetzt, mit dem Anwachsen seiner wirtschaftlichen Macht, auf Expansion und Weltgeltung setzte. Dabei ist schwer zu unterscheiden, was wirtschaftspolitisches Kalkül und was Kompensation nationaler Frustrationen angesichts der imperialistischen Ausdehnung der Nachbarnationen, Frankreichs, Englands und Rußlands war.

Der Ruf nach deutschen Kolonien und Einflußsphären war von Bismarck noch hinhaltend und widerstrebend behandelt worden. Das war

Der Kilimandscharo in Deutsch-Ostafrika, Walter v. Ruckteschell, 1914. «Die ganze Kolonialgeschichte ist ja Schwindel, aber wir brauchen sie für die Wahlen», meinte Bismarck 1884. Er war nur widerstrebend bereit, dem zunehmenden öffentlichen Druck nachzugeben und die von Kaufleuten und Abenteurern erworbenen afrikanischen Gebiete unter den Schutz des Deutschen Reichs zu stellen. Er glaubte noch, die Kolonialpropaganda dem Staat nutzbar machen zu können; seine Nachfolger neigten zunehmend dazu, den Staat in die Dienste der kolonialistischen und nationalistischen Massenorganisationen zu stellen. Für die deutsche Öffentlichkeit war überseeischer Besitz Unterpfand deutscher «Weltgeltung», romantisch-abenteuerlich umflort. Der 5895 m hohe Kilimandscharo in Deutsch-Ostafrika, dem heutigen Tansania, galt als «der höchste deutsche Berg».

die Zeit der kolonialen Abenteurer wie Carl Peters und Gustav Nachtigall gewesen, die die deutsche Fahne über Ost-Afrika und Kamerun aufgepflanzt und die dann mit Hilfe einer drängenden Presse und des Drucks von kolonialen Massenorganisationen und Wirtschaftsverbänden das Protektorat durch das Reich mehr oder weniger erzwungen hatten. Das änderte sich unter Bismarcks Nachfolgern. Unter dem Druck von Massenverbänden neuen Stils wie der 1887 gegründeten «Deutschen Kolonialgesellschaft» und vor allen Dingen des «Alldeutschen Verbands» von 1891 wurde die Errichtung von deutschen Kolonien in Afrika und Ozeanien zum offiziellen Bestandteil deutscher Außenpolitik: Südwest-Afrika (heute Namibia), Ost-Afrika (heute Tansania), Togo und Kamerun wurden ebenso zu deutschen Schutzgebieten wie das chinesische Tsingtau und ein Teil Neu-Guineas. Über die Verteilung der Welt konnte man sich mit den europäischen Nachbarn noch wie unter Gentlemen einigen. Das erwiesen die auf einer internationalen Konferenz in Berlin 1885 verabschiedete Kongo-Akte, der deutsch-britische Sansibar-Vertrag von 1891 und schließlich der Vertrag von Algeciras von 1906, mit dem die Marokko-Frage geregelt wurde.

Gefährlicher waren aber zwei weitere Elemente deutscher Weltpolitik. Da war einmal die Verlängerung der deutschen Einflußachse über Wien und Südosteuropa hinaus in das Gebiet des Osmanischen Reichs bis nach Mesopotamien, die mit der pompösen und Rußland wie England provozierenden Orientreise Wilhelms II. von 1897 und mit dem 1899 begonnenen Bau der Bagdad-Bahn ihren Höhepunkt fand. Damit waren die russischen Balkan- und Bosporus-Ambitionen ebenso wie die britische Mittelost- und Indienstellung angegriffen, und jeder Konflikt in diesen weltpolitisch neuralgischen Punkten mußte auf den Frieden in Mitteleuropa zurückwirken. Und da war weiterhin die deutsche Flottenpolitik. Seit der Übernahme der deutschen Außenpolitik durch Bernhard v. Bülow 1897 und der fast gleichzeitigen Ernennung des Admirals Alfred v. Tirpitz zum Chef des Reichsmarineamts wurde der Aufbau einer deutschen Kriegsmarine vorangetrieben, die der mächtigsten Seemacht, zur Zeit noch England, Paroli bieten sollte. Da war keineswegs klar kalkulierte Machtpolitik im Spiel, sondern eine Welle nationaler Begeisterung und Selbstbestätigungssucht, die tiefsitzende Minderwertigkeitsgefühle gegenüber dem in so vielem überlegenen «englischen Vetter» zu kompensieren suchte und von einer regelrechten Massenbewegung getragen wurde, an der Spitze der «Deutsche Flottenverein», mit über einer

Million Mitgliedern der stärkste deutsche Agitationsverband. Daß auf diese Weise die englischen Interessen an ihrer empfindlichsten Stelle getroffen, daß damit England an die Seite der europäischen Flankenmächte Rußland und Frankreich gedrängt wurde, hat in den öffentlichen Debatten der Zeit keine Rolle gespielt. Wie einst vor der deutschen Reichseinigung herrschte eine von Emotionen und dumpfen Massengefühlen aufgeheizte, gegen die Ratio des europäischen Gleichgewichts gerichtete allgemeine Stimmung. Diesmal allerdings besaß diese Bewegung ihre Vertreter auch in der politischen Führung, vor allem in der Person des Kaisers, der keine Gelegenheit ausließ, durch martialische Auftritte und schlecht überlegte Reden die britische Politik zu beunruhigen und zu provozieren.

So waren die Weichen für eine Neuformierung der europäischen Bündnisse gestellt, wie Bismarck sie in seinen Alpträumen vorausgesehen hatte. 1904 legten Großbritannien und Frankreich ihre kolonialen Streitigkeiten bei und schlossen ein weitgehendes Bündnis, die *Entente cordiale*. Nachdem 1905 der Versuch Wilhelms II. gescheitert war, das alte deutsch-russische Bündnis zu erneuern, folgte zwei Jahre darauf ein britisch-russischer Vertrag, mit dem die beiderseitigen Rivalitäten im Mittleren Osten beigelegt wurden. Deutschland sah sich eingekreist und politisch isoliert, nimmt man den österreichischen Bündnispartner aus, der aber wegen seiner dauernden Verwicklungen im Balkan eher eine Belastung darstellte.

Das Gefühl, eingekreist zu sein, löste in Deutschland eine trotzige Stimmung des «Nun erst recht» aus, eine Steigerung des neurotischen Massennationalismus, wie er in der zunehmenden Agitation des «Alldeutschen Verbands» seinen Ausdruck fand. Auch die militärische Planung stellte sich auf diese Lage ein. Der Chef des Großen Generalstabs, Alfred Graf v. Schlieffen, plante seit 1905 den Aufmarsch für den Fall des als unvermeidlich angesehenen Zweifrontenkriegs: Da das militärische Potential Deutschlands für einen gleichzeitigen Krieg gegen Rußland wie gegen Frankreich nicht ausreichte, sollte im Vertrauen auf die langsame russische Mobilisierung die Masse des deutschen Heeres im Westen konzentriert werden, um bei Kriegsausbruch in einer riesigen Schwenkbewegung um die Achse bei Metz über das neutrale Belgien und durch Nordfrankreich die französische Armee innerhalb weniger Wochen in einem Super-Cannae einzukesseln und zu vernichten, um sich anschließend gegen die russische Armee zu wenden. Diese Planung, die weder mit der Marineleitung noch mit der Leitung der deutschen auswärtigen Politik abgesprochen war, enthielt mehrere verhängisvolle Elemente: Da war zum einen die Automatik, die bei einer militärischen Verwicklung mit Rußland den Krieg mit Frankreich von vornherein notwendig machte, und da war zweitens die geplante Verletzung der belgischen Neutralität, die von Großbritannien garantiert war, so daß der britische Kriegseintritt gegen Deutschland geradezu erzwungen wurde.

Der außenpolitische Horizont verdunkelte sich, aber auch der innere. Der soziale Friede verlor an Stabilität. Die Sozialdemokratie erstarkte von Wahl zu Wahl, die zunehmenden Streiks erwiesen das wachsende Selbstbewußtsein der Gewerkschaften. Selbst die Grundlagen der Ordnung wurden öffentlich und ungestraft angegriffen, in der Presse wie in den Parlamenten: Die feudalen Regimenter erweckten Ärgernis, die Zusammensetzung des Offizierkorps, die Bevorzugung des Adels, die amtliche Doppelzüngigkeit beim Duellwesen – denn daß Herren von Stand ihre Ehrenhändel bis zum tödlichen Ausgang ausfechten konnten, ohne daß die Beteiligten gerichtliche Verfolgung wegen Totschlags und Mordes zu fürchten hatten, war ein Skandal. Und das alles war nur ein Vorgeschmack auf den Ausbruch des öffentlichen Zorns, als die «Zabern-Affäre» vom November 1913 ruchbar wurde, mit der die Militärkaste dem zivilen Deutschland zeigte, wer Herr im Hause war. In arrogantem Überlegenheitsgefühl hatten sich preußische Militärs auf die Bevölkerung im elsässischen Zabern (Saverne) Übergriffe erlaubt, die von der militärischen wie politischen Führung nicht geahndet, sondern gedeckt und gerechtfertigt wurden.

Das Klima innerer Spannungen lud sich immer stärker auf; so wirkte die Nachricht von der Ermordung des österreichischen Thronfolgers in Sarajewo am 28. Juni 1914 wie das sprichwörtliche reinigende Gewitter: In der sich rasant verschärfenden internationalen Krise und Kriegsgefahr fand das deutsche Volk seine Einigkeit wieder, der «Geist von 1914», die Begeisterung, mit der der Kriegsausbruch bis weit in die Sozialdemokratie hinein begrüßt wurde, war in erster Linie eine sozialpsychologisch erklärliche Reaktion auf den als unerträglich empfundenen außenpolitischen Druck wie auf den Verlust der inneren Einheit in den vorausgegangenen Jahren. Es gehört zu den verderblichen und tragischen Aspekten der deutschen Geschichte, daß die «innere Reichsgründung» des Bismarck-Reichs in Friedenszeiten immer mehr entglitt und nur im Krieg verwirklicht werden konnte, und auch das nur für kurze Zeit. Wurde der Krieg dann auch noch verloren, dann war die innere Einheit des Reichs erst recht verspielt; die eigentliche Wahrheit der Weimarer Republik sollte deshalb der Bürgerkrieg werden.

IX. Der Große Krieg und sein Nachkrieg (1914–1923)

«Ich kenne keine Parteien mehr, ich kenne nur Deutsche», erklärte Wilhelm II. anläßlich der Eröffnung des Reichstags am 4. August 1914. Der kaiserliche Ausspruch erklärt in gewisser Hinsicht die allgemeine Kriegsbegeisterung, die – heute nur schwer verständlich – die Mehrheit der Deutschen bei Ausbruch des Ersten Weltkriegs ergriffen hatte und die als «Geist von 1914» von der Propaganda beschworen wurde, nicht anders übrigens als ähnliche Ausbrüche von Massenbegeisterung in London, Paris oder St. Petersburg. In der deutschen politischen Tradition waren Parteien Sinnbilder für kleinliche Partikularinteressen, für innenpolitischen Streit und Gefährdung der nationalen Geschlossenheit. Jetzt, mit dem Kriegsausbruch, scharten sich die Parteien hinter der Reichsleitung zusammen und bewilligten einschließlich der großen Mehrheit der Sozialdemokratie die Kredite, die für die Führung des Kriegs benötigt wurden, eines Kriegs, von dem alle Welt glaubte, daß er in wenigen Wochen zu Ende sein werde. Und er mußte auch bald zu Ende sein – die strategische Planung des deutschen Generalstabs, der Schlieffenplan, konnte nur funktionieren, wenn schnelle militärische Entscheidungen fielen. Daß die materiellen Ressourcen Deutschlands nicht für einen langwährenden Zweifrontenkrieg reichten, war auch den ökonomischen Laien in der Reichsführung klar.

Aber Schlieffens Programm funktionierte nicht. Der Vormarsch der deutschen Armeen in Belgien und Frankreich scheiterte an der Marne, fast in Sichtweite von Paris, hauptsächlich, weil der rechte Flügel der Westfront zu schwach war. Entgegen den Warnungen Schlieffens hatte dessen Nachfolger, der jüngere Graf Moltke, den im Elsaß stehenden linken Flügel verstärkt, um französische Einbrüche nach Süddeutschland zu verhindern. Schon im Oktober 1914 ging der Krieg im Westen in einen Stellungskrieg über, in dem trotz zahlreicher mörderischer Offensiven von beiden Seiten die Frontlinien sich bis 1918 nicht wesentlich veränderten. Im Osten dagegen konnte die russische Armee, die in Ost- und Westpreußen erhebliche Anfangserfolge errungen hatte, unter dem Kommando des aus dem

Kriegswinter,
Hans Baluschek, 1917.
Die «Heimatfront» im «Kohlrübenwinter» 1917: Auf der Höhe eine Kokerei in Betrieb, davor Eisenbahngelände mit schäbigen Gartenlauben, über denen die Reichsflagge und die Flagge der preußischen Provinz Sachsen weht. Am unteren Bildrand eine Familie, die einen Kriegstoten beerdigt hat; der Sohn trägt eine Matrosenmütze, auf deren Band der Name des Kleinen Kreuzers «Emden» zu lesen ist, der zu Kriegsbeginn eine abenteuerliche Fahrt durch die Südsee unternommen hatte. Aber die Zeiten der Begeisterung sind längst vorbei, der Winter symbolisiert die Lage. Allein im Jahr 1917 starben in Deutschland 260 000 Zivilisten an Hunger oder an Hungerfolgen – das war fast die Hälfte der 620 000 im gleichen Zeitraum an der Front Gefallenen.

Ruhestand zurückgeholten Generals Paul v. Hindenburg niedergekämpft werden. Auch der weitere Kriegsverlauf im Osten wurde hauptsächlich durch weiträumige Operationen bestimmt, in deren Verlauf es nur zeitweilig und an einzelnen Frontabschnitten zu Stellungskämpfen kam. Vor allem unterstützt durch die Russische Revolution von 1917 und die völlige Demoralisierung des russischen Heeres, konnten deutsche Truppen bis zum Kriegsende 1918 das Baltikum, die Ukraine sowie Südrußland bis zum Kaukasus besetzen.

Der Krieg zog sich unabsehbar in die Länge, und die anfängliche Begeisterung verflackerte bald. Gewiß, in bildungsbürgerlichen Kreisen blieb die Stimmung hochgespannt. In unzähligen Predigten und Vorlesungen protestantischer Pastoren und nationalliberaler Professoren figurierte der Feind als Verkörperung des satanischen Prinzips, der «Weltenbrand» als Weltgericht, das deutsche Volk als Vollstrecker des göttlichen Willens. Die nationalistischen Massenorganisationen erlebten ihre größten Stunden, der «Alldeutsche Verband», die «Vaterlandspartei» und ähnliche lautstarke Gruppen wetteiferten in der Forderung nach Kriegszielen, die ans Größenwahnsinnige streiften, darin sekundiert vom Reichsverband der deutschen Industrie wie von führenden Militärs, die von einer Ausdehnung der deutschen Grenzen von Calais bis St. Petersburg träumten. Daß auch deutsche Dichter und Denker, darunter spätere Demokraten wie Thomas Mann oder Alfred Kerr, dem Gott der Schlachten huldigten und den Krieg als reinigendes Fegefeuer der Nation priesen, rundete den öffentlichen Eindruck einhelliger Kriegsbegeisterung ab.

Aber die Lebenswirklichkeit in Deutschland war weit von solchen Gedankenflügen entfernt. Nirgendwo reichte die Lebensmitteldecke, trotz immer schärferer Rationierung, trotz der Versuche, wenigstens die Grundnahrungsmittel zu bewirtschaften. «Ernährungswirtschaftlich», so ein zeitgenössischer Kritiker, «war der Krieg bereits zu Beginn des dritten Kriegsjahres verloren.» Im April 1917 legten das erste Mal Berliner und Leipziger Rüstungsarbeiter aus Protest gegen den Hunger die Arbeit nieder; neben sozialen Forderungen wurde auch der Ruf nach baldigem Friedensschluß laut. Auch in Armee und Marine wuchsen die Spannungen.

Der «Burgfriede», die Verpflichtung der Parteien und Verbände zum sozialen und politischen Stillhalten während des Kriegs, begann abzubröckeln. Im Juli 1917 sollte der Reichstag wiederum Kriegskredite bewilligen. Bisher hatte es keine Partei, einschließlich der großen Mehrheit der SPD, gegeben, die darin nicht ihre vaterländische Pflicht gesehen hätte, in der Überzeugung, daß von deutscher Seite ein reiner Verteidigungskrieg geführt werde. Die heftig geführte Diskussion um annexionistische deutsche Kriegsziele hatte diese Illusion jedoch nachhaltig zerstört, die Ernährungslage erschien so ungünstig wie die Lage an den Fronten, und zudem hatte die russische Februarrevolution eine Friedensformel geboren, die für ein erträgliches Kriegsende zu sprechen schien: «Frieden ohne Annexionen und Kontributionen». So fanden sich die Führer dreier Reichstagsfraktionen, der SPD, des Zentrums und der linksliberalen Fortschrittlichen Volkspartei, in einem «Interfraktionellen Ausschuß» zusammen, um zu planen, was seit dem Verfassungskonflikt in Preußen von 1862 kein deutsches Parlament mehr gewagt hatte: gemeinsam die Reichsregierung unter Druck zu setzen, indem man mit der Verweigerung der Zustimmung zu den Kriegskrediten drohte. Auch die nationalliberale Partei schloß sich dem an, und am 17. Juli 1917 erklärte sich die neue Reichstagsmehrheit für einen «Verständigungsfrieden... ohne erzwungene Gebietserwerbungen». Damit hatte der Reichstag sich als selbständige politische Kraft ins Spiel gebracht, und zwar unter der Führung derselben Parteien, die später das Rückgrat der Weimarer Republik bilden sollten: Die Geburtsstunde der ersten deutschen Demokratie schlug mitten im Weltkrieg, nicht erst danach.

Aber einstweilen konnte trotzdem von Demokratie nicht die Rede sein. Reichsleitung und Oberste Heeresleitung zeigten sich unbeeindruckt von dem Aufstandsversuch der Abgeordneten, der einstweilen auch keine Folgen hatte. Die Kriegslage spitzte sich zu; zwar brach in der Folge der Revolution in Petrograd die russische Front weitgehend zusammen, aber dafür befanden sich die USA seit dem 2. April 1917 im Kriegszustand mit Deutschland, und deren frische und ausgeruhte Truppen trafen in rascher Folge an der Westfront ein, während die deutschen Verbände weiter ausbluteten, menschlich wie materiell, ohne daß noch nennenswerter Ersatz in Aussicht stand – die Fronttruppen mußten sogar ihre Lebensmittelreserven halbieren, um die heimische Ernährungsbasis strecken zu helfen. Der Stabschef eines Gruppenkommandos in Flandern notierte: «Ganze Divisionen brennen in Stunden zu Schlacke aus und man schreit nach neuen, die nicht kommen. Wollte Gott, daß dies die letzte große Menschenschlächterei des Großen Krieges sein möge; heute früh haben wieder Tausende sterben müssen...»

Nicht auf die Parlamentarier des Reichstags richtete sich in dieser Situation die Hoffnung der Menschen, sondern auf das Feldherrenpaar Paul v. Hindenburg und Erich Ludendorff. Kein General, erst recht nicht irgendein Politiker war annähernd so populär wie diese strategischen Zwillinge, die seit ihrem gemeinsamen Sieg über die russischen Armeen in Ostpreußen 1914 dastanden wie St. Georg nach der Tötung des Drachen. Straßen und Plätze waren nach Hindenburg benannt, sein Bild stand in jedem patriotischen Krämerladen, im Volk war er allgegenwärtig und viel beliebter als der Kaiser. Die Berufung des Volkshelden an die Spitze der Obersten Heeresleitung am 29. August 1916 war eine Art vorweggenommenes Plebiszit gewesen, das der militärischen Spitze eine Legitimität verlieh, wie sie der 1912 gewählte Reichstag kaum noch besaß. Aber nicht Hindenburg war es, der das Profil der militärischen Führung bestimmte, sondern sein Gehilfe, der Erste Generalquartiermeister Erich Ludendorff. Er war der erste General der preußisch-deutschen Militärgeschichte, der als Bürgerlicher einen derart hohen Posten erreichte, und sein Blick ging über die rein militärtechnischen Probleme hinaus.

Politik, schrieb Ludendorff später, indem er Clau-sewitz auf den Kopf stellte, sei immer Krieg, Friede die Illusion schwächlicher Zivilisten, und daraus ergab sich für ihn, daß militärische und politische Führung eins sein mußten. Allein der militärische Führer sei imstande, die Nation so zu organisieren, daß sie den Krieg total zu führen ver-stand, und dazu bedurfte es der totalen Mobil-machung.

Was der Bürger-General Ludendorff seit Ende 1916 in die Tat umzusetzen begann, waren lange unterdrückte Gedanken von der Nachtseite des bürgerlichen Geistes, die Entfesselung des Krieges aus seinen herkömmlichen Bindungen, jenes «Du bist nichts, Dein Volk ist alles», das die Vorausset-zung der totalitären Diktatur bildet. Nicht ohne Grund hielten später Lenin wie auch Hitler Ludendorffs kriegswirtschaftliche Organisation Deutschlands in den letzten Kriegsjahren für vorbildlich.

Aber es half nichts. Die soziale und innenpolitische Lage verschärfte sich weiter; die bolschewistische Oktoberrevolution hatte die aus der Ernährungsmisere erwachsenen Protestbewegungen mit den politischen Begriffen zusammengebracht und somit die Grundlage für eine revolu-tionäre Stimmung unter Rüstungsarbeitern, Etappensoldaten und in der Marine gelegt. Die deutschen Fronttruppen waren restlos ausgeblutet, die große deutsche März-Offensive von 1918 erwies sich als blutige Fehl-rechnung, und die alliierte Gegenoffensive vom August erzielte tiefe Ein-brüche in die deutschen Linien. Die Verbündeten, Österreich-Ungarn und die Türkei, streckten Friedensfühler aus, und am 28. September 1918 kapitulierte der bulgarische Bündnispartner. Am darauffolgenden Tag er-litt Ludendorff einen Nervenzusammenbruch. Da er einen erneuten und endgültigen Durchbruch alliierter Truppen im Westen fürchtete, forder-te er einen sofortigen Waffenstillstand.

Ludendorffs Ansinnen war an sich nur vernünftig, und vernünftig war auch, daß er vor der Abgabe des deutschen Waffenstillstandsgesuchs die Neubildung der Reichsregierung unter maßgeblicher Beteiligung der Parteien des «Interfraktionellen Ausschusses» forderte, da nur eine auf der Grundlage der parlamentarischen Mehrheit gebildete Reichsregierung in der Lage sei, bei den Alliierten Kredit für einen künftigen erträglichen Friedensschluß zu erlangen. Dennoch war die Entwicklung zu diesem Zeitpunkt und mit diesen Folgen verhängnisvoll: Zum einen, weil so die erste deutsche Demokratie nicht aus eigener Kraft der Parteien und des Parlaments geboren wurde, sondern als letzter Ausweg eines ratlosen Ge-neralstabs. Und zum anderen, weil so die Weimarer Demokratie im schlechtestmöglichen Moment entstand, im Augenblick der Niederlage, mit der ihr Entstehen und ihre *raison d'être* für immer verbunden bleiben

sollten. Und schließlich war die Entwicklung auch deshalb verhängnisvoll, weil jetzt zivile Politiker und nicht etwa die eigentlich Verantwortlichen für die Kriegslage, die Militärs der Obersten Heeresleitung, die Waffenstillstandsverhandlungen führen sollten. Durch die Koppelung der Forderung nach einem Waffenstillstand mit dem Verlangen nach Parlamentarisierung hatte Ludendorff die Verantwortung auf einen bequemen Sündenbock abgeladen. Die Dolchstoßlegende, die später das öffentliche Leben Weimars vergiften sollte, war bereits im Entstehen.

Für die Verwandlung des Reichs vom halbabsolutistischen Obrigkeitsstaat zur parlamentarischen Demokratie genügte die Veränderung einiger Sätze in der Bismarckschen Reichsverfassung. Der Reichskanzler bedurfte fortan des Vertrauens des Reichstags und trug die Verantwortung für die Politik; die Ernennung von Offizieren und Beamten erforderte seine Gegenzeichnung, und der Reichstag mußte künftig Kriegserklärungen und Friedensschlüssen zustimmen. Das genügte, um die deutschen Verfassungsverhältnisse revolutionär umzuwandeln.

Das deutsche Volk spürte nichts von der Tragweite dieser Veränderung. Was die Leute auf den Straßen bewegte, war jetzt nicht ein Verfassungstext, sondern der Weg zum Frieden. Die Dynamik der innenpolitischen Ereignisse ließ sich nicht aufhalten. Am 29. Oktober 1918 verweigerten die Matrosen der Hochseeflotte in Kiel und Wilhelmshaven den Gehorsam und bildeten revolutionäre Ausschüsse, die Revolte weitete sich wellenförmig aus, erst auf die übrigen Küstengarnisonen, dann ins Landesinnere. Das eigentlich Erstaunliche war nicht die Revolution, die

eigentlich nicht mehr darstellte als das «Ohne mich» einer total entkräfteten Bevölkerung, sondern die völlige Passivität, mit der die bisher herrschenden Mächte das hinnahmen. Die jahrhundertealten Herrscherhäuser verzichteten ohne jede Gegenwehr auf ihre Rechte, und kein einziger Gardeleutnant fand sich, der sich vor sie gestellt hätte. Auch die Resignation Wilhelms II., der am 9. November 1918 nach Holland ins Exil ging, rief kaum noch öffentliches Interesse hervor – die Menschen hatten genug damit zu tun, die Katastrophe der Kriegsniederlage und die Furcht vor einer bevorstehenden Neuauflage der russischen Revolution mit ihren Greueln zu bewältigen. Zwei Tage später unterzeichnete der noch amtierende kaiserliche Staatssekretär und Zentrumsabgeordnete Matthias Erzberger in einem Eisenbahnwaggon in einem Wald bei Compiègne den Waffenstillstand. Der Erste Weltkrieg war zu Ende; er hatte etwa 10 Millionen Gefallene gefordert, darunter 2 Millionen Deutsche. Aber in Deutschland setzte sich der Krieg fort, jetzt als Bürgerkrieg.

Die Ausgangslage nach Deutschlands Zusammenbruch war in der zweiten Novemberwoche 1918 von einem labilen Gleichgewicht zwischen drei um die Macht konkurrierenden Gruppierungen gekennzeichnet. Neben den Überresten der alten staatlichen Gewalten, Armee und Verwaltung, standen die gemäßigten Kräfte der Reichstagsmehrheit von 1917, Sozialdemokratie, Zentrum und Linksliberale, die für die Umwandlung des monarchischen Obrigkeitsstaates in ein modernes demokratisches Staatswesen bei grundsätzlicher Beibehaltung der bestehenden wirtschaftlichen und sozialen Strukturen eintraten, also gewissermaßen die Revolution von 1848 zu vollenden trachteten. Diesen Kräften einer schwarz-rot-goldenen Revolution standen die Anhänger einer roten Revolution gegenüber: eine heterogene Sammlung linksrevolutionärer Gruppen, allen voran der «Spartakusbund» Rosa Luxemburgs und Karl Liebknechts, die unter Berufung auf die russische Oktoberrevolution und unterschiedliche Rätemodelle den Parlamentarismus grundsätzlich ablehnten und einen sozialistischen Staat, einen Wirtschaft und Gesellschaft gleichermaßen umfassenden Umsturz anstrebten.

Im Grunde entschied sich der Machtkampf aber schon in den ersten Tagen der Revolution zugunsten des schwarz-rot-goldenen Lagers. Der «Rat der Volksbeauftragten», die revolutionäre Reichsregierung, gebildet aus Sozialdemokraten und den links von ihnen stehenden Unabhängigen Sozialdemokraten unter Führung Friedrich Eberts und Hugo Haases, war

Deutsche Kriegsplakate: Zeichnet Kriegsanleihe – Die Zeit ist hart, aber der Sieg ist sicher, Bruno Paul, 1917; **Helft uns siegen!,** Fritz Erler, 1916. Um nicht den inneren «Burgfrieden» zu gefährden, finanzierte das Deutsche Reich die Kriegsausgaben nicht über Steuern, was der solide Weg gewesen wäre, sondern durch fünfprozentige Anleihen; für die Deckung sollte später der besiegte Feind sorgen. Seit 1916 wurden die Plakate, die zur Zeichnung von Kriegsanleihen aufriefen, mit martialisch-patriotischen Motiven versehen. Der Kriegsheld und Chef der Obersten Heeresleitung, Paul v. Hindenburg, verkörperte die Garantie für den Sieg und die Einlösung der Kriegsanleihen. Fritz Erlers Bild des Frontsoldaten sollte tausendfach nachgeahmt werden; Stahlhelm, Stacheldraht und Gasmaske standen für den mörderischen Stellungskrieg, die verschatteten, in die Ferne gerichteten Augen entpersönlichten das Bild und erhöhten es zu einer Ikone.

Postkarte: Der Rat der Volks-beauftragten, Berlin 1918. Die am 10. November 1918 ins Leben getretene revolutionäre Reichsregierung nannte sich «Rat der Volksbeauftragten». Trotz der paritätischen Zusammensetzung aus drei Mehrheits- und drei Unabhängigen Sozialdemokraten erwiesen sich die MSPD-Mitglieder von Anfang an als überlegen: Die beiden Vorsitzenden der MSPD, Friedrich Ebert und Philipp Scheidemann sowie der rechts im Parteispektrum stehende Rechtsanwalt Otto Landsberg waren zähe und politisch erfahrene Taktiker. Die USPD-Mitglieder, der redliche und idealistische Parteivorsitzende Hugo Haase, der farblose Funktionär Wilhelm Dittmann sowie der Vertreter der Revolutionären Obleute in den Betrieben, Emil Barth, waren ihren Kollegen selten gewachsen, zumal Barth häufig anders votierte als Haase und Dittmann. Theoretisch sollte der Vollzugsrat der Arbeiter- und Soldatenräte den Rat der Volksbeauftragten kontrollieren, aber dazu kam es nicht.

die tatsächliche Staatsspitze. Der letzte kaiserliche Reichskanzler, Prinz Max von Baden, hatte sein Amt am 9. November 1918 formell, wenn auch verfassungsrechtlich fragwürdig, dem SPD-Vorsitzenden Friedrich Ebert übergeben. Die Verwaltung stellte sich deshalb zu Eberts Verfügung, und die Oberste Heeresleitung schloß mit dem «Rat der Volksbeauftragten» ein Bündnis auf Gegenseitigkeit: Mäßigende Einwirkung der SPD auf die Soldatenräte wurde von Ebert, die Unterstützung der revolutionären Reichsregierung dagegen vom neuen Ersten Generalquartiermeister Wilhelm Groener zugestanden. Dieses Bündnis ermöglichte es der SPD, ihren Machtanspruch in bürgerkriegsähnlichen Kämpfen in Berlin und im übrigen Reich, gestützt auf das alte Heer und Freiwilligeneinheiten, durchzusetzen, den radikaleren Partner USPD aus der Reichsregierung zu drängen und am 19. Januar 1919 Wahlen zur Verfassunggebenden Nationalversammlung durchzuführen. Das erste Mal in der deutschen Geschichte gingen Männer und Frauen gemeinsam an die Wahlurnen – während die Männer im Krieg an den Fronten gekämpft hatten, waren es Frauen gewesen, die die Industrieproduktion, die Verkehrsmittel und die Verwaltung in Schwung gehalten hatten, und ihnen die politische Gleichberechtigung zu versagen, ging nun nicht mehr an. Von den 423 gewählten Abgeordneten waren 41 weiblich,

Der Rat der Volksbeauftragten

also 9,6%; weder die folgenden Reichs- noch die deutschen Bundestage haben einen so hohen Prozentsatz an Frauen wieder erreicht.

Das Wahlergebnis bestätigte und legitimierte den Machtanspruch der schwarz-rot-goldenen Kräfte im nachhinein: Sozialdemokratie, Zentrum und linksliberale DDP erhielten zusammen 76% der Stimmen. Die auf dieser breiten Basis gebildete erste demokratisch gewählte Reichsregierung der deutschen Geschichte stand unter der Leitung des Reichsministerpräsidenten Philipp Scheidemann (SPD); zum Reichspräsidenten wählte die Nationalversammlung Friedrich Ebert (SPD). Diese Regierung hatte zwei vordringliche Aufgaben zu bewältigen: die Konsolidierung der neuen Republik gegen den Machtanspruch ihrer linken Gegner, was mit Hilfe der alten Armee und der neuentstandenen Freikorps gelang, und den Abschluß des Friedensvertrags mit den alliierten Siegern. Die Reichsregierung rechnete mit einem erträglichen Frieden, allenfalls mit einigen territorialen Abtretungen und ähnlichen finanziellen Opfern, wie Frankreich sie ohne erhebliche Schwierigkeiten 1871 hatte bringen müssen.

Die Illusion verflog jedoch, als am 7. Mai 1919 die alliierten Friedensbedingungen bekannt wurden. Die geforderten Gebietsabtretungen überstiegen die pessimistischsten Vorhersagen, die Entwaffnung ließ eine allenfalls für Polizeieinsätze verwendbare Armee übrig und nahm Deutschland jede Chance, sich militärisch zu verteidigen; die wirtschaftlichen und finanziellen Forderungen waren einstweilen noch unabsehbar, aber der Tenor des Dokuments rechtfertigte schlimme Ahnungen. Die Ablehnung war auf deutscher Seite fast einhellig. Scheidemann legte sich öffentlich auf die Nichtunterzeichnung fest, falls nicht wesentliche Änderungen zugestanden würden. Die Alliierten beharrten aber auf fast allen ihren Forderungen. Unter dem Druck der fortbestehenden Hungerblockade und der Drohung, den Krieg wieder aufzunehmen, falls Deutschland den Vertrag nicht bedingungslos annahm, erklärte sich schließlich die Mehrheit der Nationalversammlung zur Vertragsunterzeichnung bereit. Am 28. Juni 1919 erschienen zwei deutsche Bevollmächtigte, der Reichsaußenminister Hermann Müller (SPD) und Reichspostminister Johannes Bell (Zentrum), in Versailles, um die letzte und schwerste Folgerung aus dem verlorenen Krieg zu ziehen. *La journée de Versailles*: Die Unterzeichnungszeremonie fand im Spiegelsaal des Schlosses Ludwigs XIV. statt, an demselben Ort, an dem nicht einmal ein halbes Jahrhundert zuvor das Deutsche Reich ausgerufen und Wilhelm I. zum Deutschen Kaiser proklamiert worden war – damals wie jetzt ein Symbol für den Triumph der eigenen Sache und für die Demütigung des besiegten Gegners, der nicht nur zahlen, sondern auch kriechen sollte.

Bei aller Schwere waren es doch nicht so sehr die materiellen Folgen des Versailler Vertrags, die das weitere Schicksal der Republik beeinflußten, als vielmehr das in Deutschland vorherrschende Gefühl, einem ungerechten Gewaltakt wehrlos ausgeliefert zu sein. Der britische Premierminister Lloyd George erkannte früh die Gefahren des Vertrages: «Die müden und ausgebluteten Nationen unterwerfen sich jedem Frieden. Schwer aber ist es, einen Frieden so zu gestalten, daß er auch dann noch dauerhaft ist, wenn die Geschlechter heranwachsen, die den Tod selbst noch nicht am Werk gesehen haben.» Anstatt das Deutsche Reich entweder, wie dies die französische Generalität forderte, erneut in eine Vielzahl deutscher Kleinstaaten aufzulösen oder aber die neuerstandene deutsche Demokratie, die Republik von Weimar, ohne Wenn und Aber in den Kreis der westlichen Staaten aufzunehmen, hatte man sich zu einem zerstörerischen Mittelweg entschlossen. Mit dem Vertrag von Versailles wurde Deutschland unter Sonderrecht gestellt, militärisch entmachtet, wirtschaftlich ruiniert und politisch gedemütigt. Aus dem deutschen Blickwinkel erschien das «Diktat von Versailles», wie man damals sagte, als Instrument westlicher Willkür. Die europäische Friedensordnung von 1919 schien ebenso unannehmbar wie die Demokratie, die innenpolitische Ordnung der Siegermächte, die aufgrund des Kriegsausgangs auch die des geschlagenen Deutschland geworden war. Das war der entscheidende Grund dafür, daß für die meisten Deutschen der Kampf gegen den Versailler Vertrag, gegen die europäische Friedensordnung und gegen die Demokratie ein und dasselbe bedeutete. Wer von nun an in der politischen Arena zur Mäßigung und zum vernünftigen Ausgleich mit den Kriegsgegnern mahnte, war von vornherein mit dem Makel der Schwäche, wenn nicht des Verrats behaftet. Das war der Humus, auf dem schließlich das totalitäre und aggressive Regime Hitlers wachsen konnte.

Was wir verlieren sollen!
Plakat zu den Friedensbe-
schlüssen von Versailles,
Louis Oppenheim, 1919.

Im Verlauf der zweiten Jahreshälfte 1919 schien die Republik jedoch konsolidiert zu sein. Die schweren Aufstände, bis hin zur Münchener Räterepublik, waren niedergeworfen, mit der Verkündung der Weimarer Reichsverfassung am 14. August 1919 war auch die Grundordnung des Staates festgelegt, die Revolutionsära damit beendet. Die Gefahr für die Republik, die bisher von links gedroht hatte, zeigte sich jetzt jedoch von der entgegengesetzten Seite. Die Enttäuschung über den Friedensvertrag, die weiterbestehenden wirtschaftlichen Probleme, der glanzlose und bedrückende Alltag führten zu einem Stimmungswandel in der Öffentlichkeit, der der Agitation nationalistischer und monarchistischer Kräfte entgegenkam. Hinzu trat die Notwendigkeit, aufgrund des Versailler Vertrags das Heer erheblich zu verkleinern. Von der Entlassung waren in erster Linie die Freikorps betroffen, die im Bürgerkrieg und im östlichen Grenzschutz gegen Polen und Sowjetrussen gekämpft und nun das Gefühl hatten, von der republikanischen Regierung, die sie ohnehin verachteten, verraten zu sein. Am 13. März 1920 besetzten Freikorpsverbände Berlin, und unter ihrem Schutz etablierte sich eine konservativ-agrarische Putschregierung unter der Leitung des ostpreußischen Generallandschaftsdirektors Wolfgang Kapp. Der legalen Reichsregierung unter Reichskanzler Bauer war es gelungen, nach Stuttgart auszuweichen, von wo aus sie zum Widerstand gegen die Putschisten und, im Verein mit den Gewerkschaften, zum Generalstreik aufrief. Bereits nach fünf Tagen war der Putsch gescheitert, nicht in erster Linie

am Generalstreik, sondern an der Haltung der Berliner Bürokratie und der Reichswehrführung, die
Kapp den Gehorsam verweigert hatten.

Die Reichstagswahl vom 6. Juni 1920 war eine
Katastrophe für die Republik. Die schwarz-rot-
goldene Koalition, der einzige Parteienblock, auf
den sich die demokratische Verfassungsordnung
stützen konnte, verlor die Zweidrittelmehrheit, die
sie in der Nationalversammlung besessen hatte,
und verfügte im neuen Reichstag nur noch über
43 % der Sitze. Von nun an sollte es SPD, Zentrum
und DDP, den einzigen zweifelsfrei republikanischen Parteien, nie mehr gelingen, eine regie-
rungsfähige Reichstagsmehrheit zustande zu
bringen. Parlamentarische Regierungsbildungen
waren nur noch unter zwei belastenden Voraussetzungen möglich: entweder in Form einer Koalition des eindeutig demokratischen Lagers mit prin-
zipiell oder latent antidemokratischen Parteien
oder aber durch die Bildung von Minderheitska-
binetten, die von der parlamentarischen Duldung
durch ihre Gegner abhingen. Eine entschiedene
und langfristig angelegte demokratische Politik war unter diesen Umständen ebenso ausgeschlossen wie eine normale Lebensdauer eines

**Schießscheibe zur Ruhr-
besetzung**, 1923.
Die Bestialisierung des Gegners
ist symptomatisch für ideologisch
begründete Feindschaften, wie
sie für das Zeitalter der Religions-
kriege im 16. und 17. und dann
wieder, unter nationalistischen
Vorzeichen, für das 20. Jahrhundert kennzeichnend sind; das
aufgeklärte 18. Jahrhundert

dagegen dachte nicht daran, den
Gegner zu entmenschlichen. Hier
geht es um Propaganda gegen
die Besetzung des Ruhrgebiets
durch französische und belgische
Truppen im Jahr 1923; der dadurch aufgeputschte deutsche
Nationalismus gebärdete sich um
so neurotischer, als Deutschland
in dieser Situation wehrlos war.

Kabinetts: Die Republik erlebte 16 Reichsregierungen, durchschnittlich alle achteinhalb Monate eine neue. So entstand ein Teufelskreis, denn je schwächer eine Regierung erschien, um so leichter neigten die Wähler zu den rechten oder linken Alternativen, die jedenfalls autoritäre Machtausübung versprachen. Daß die Weimarer Republik schließlich scheiterte, kann nicht überraschen. Erstaunlich ist vielmehr, daß sie unter ihren unendlich schweren Belastungen immerhin vierzehn Jahre überdauerte.

Einstweilen hieß die Lösung «Bürgerblock» – die Republik trat unter einer Koalition von Zentrum, DDP sowie erstmals der nationalliberalen Deutschen Volkspartei (DVP) Gustav Stresemanns, einer im Grunde noch monarchistisch gesinnten Partei, in ihre innere Normallage ein. Die SPD, die eigentliche Mutter der Republik, verabschiedete sich aus der Regierungsverantwortung, ohne damit allerdings machtlos zu werden – sie stellte nicht nur weiterhin den Reichspräsidenten Friedrich Ebert, sondern vor allem den Ministerpräsidenten des Freistaats Preußen, Otto Braun, der gemeinsam mit dem preußischen Innenminister Carl Severing drei Fünftel des deutschen Staatsgebiets in einer Mischung sozialistischer und traditionell preußischer Regierungspraxis effektiv und dauerhaft verwaltete. Den Demokraten der Weimarer Zeit galt Preußen deshalb als Bollwerk der Republik.

Die politische Krisenlage war allerdings nicht beseitigt, sie verlagerte sich lediglich von der Innen- zur Außenpolitik. Die nächsten drei Jahre waren in erster Linie von den Auseinandersetzungen zwischen der deutschen und der alliierten Seite um die Ausführung des Friedensvertrages gekennzeichnet. Daß im Konfliktfall die Reichsregierung immer unterlag, trug entscheidend zur Schwächung ihres Ansehens bei der Bevölkerung und damit zur Unterhöhlung der Legitimität der Weimarer Republik überhaupt bei. So ging es auch, nachdem Anfang 1921 die Höhe der alliierten Reparationsforderungen durchgesickert war: die Reparationskommission der Entente-Mächte war bei ihrer Berechnung von den Kosten sämtlicher Kriegsschäden einschließlich der Rentenzahlungen an alle alliierten Kriegsteilnehmer ausgegangen: eine ungeheure Summe. Es ging wie beim Versailler Vertrag. Die Reichsregierung lehnte entrüstet ab, von der deutschen Bevölkerung darob bejubelt, und mußte schließlich doch die Forderungen der Gegenseite erfüllen: 132 Milliarden Goldmark, jährlich mit 6% zu verzinsen und zu tilgen. Die deutsche «Erfüllungspolitik» war unvermeidlich, da nur auf diese Weise der Vorwurf namentlich Frankreichs zu entkräften war, die Deutschen weigerten sich, ihren vertraglichen Verpflichtungen nachzukommen. Nur der Nachweis der deutschen Zahlungsunfähigkeit konnte zu einer Revision der Reparationsforderungen führen. Andererseits lieferte diese Politik der rechtsoppositionellen Agitation die Stichworte, die auf nationalistische Fanatiker blutig wirkten; es waren die Jahre der rechtsradikalen Mordverschwörungen, denen Matthias Erzberger, der Unterzeichner des Waffenstillstands, und Walter Rathenau, der Außenminister der Republik, zum Opfer fielen.

Bei diesen immerwiederkehrenden Niederlagen und Demütigungen der deutschen Außenpolitik gab es nur einen Lichtblick: den Vertrag von Rapallo, am 16. April 1922 zwischen Deutschland und der Sowjetunion abgeschlossen. Der Vertrag enthielt nicht mehr als den gegenseitigen Verzicht auf den Ersatz von Kriegsschäden sowie die Aufnahme von Handelsbeziehungen. Die von Reichskanzler Joseph Wirth wie vom Chef der Heeresleitung, General Hans v. Seeckt, und vom Auswärtigen Amt angestrebte «Ostpolitik», das Bündnis der beiden Verlierer des Ersten Weltkriegs gegen das Entente-System, wurde allerdings nie Wirklichkeit; daß die Revision von Versailles auf diese Weise nicht zu erreichen war, war offensichtlich.

Die deutschen Versuche, in der Reparationsfrage alliierte Zugeständnisse zu erwirken, brachten die französische Regierung Poincaré zu der Überzeugung, daß man sich mit Gewalt holen müsse, was die Deutschen freiwillig nicht geben wollten. Am 11. Januar 1923 besetzten belgische und französische Truppen das Ruhrgebiet, um es direkt auszubeuten. Die Reichsregierung entschloß sich zu passivem Widerstand und rief gemeinsam mit Parteien und Gewerkschaften im Ruhrrevier zum Streik gegen die Besatzer auf. Tatsächlich kostete die Ruhrbesetzung Frankreich mehr, als sie einbrachte, da die Kohleförderung schlagartig zurückging. Für Deutschland allerdings waren die Kosten weitaus höher. Millionen Menschen in den besetzten Gebieten mußten unterstützt werden, die Kohle, die man aus dem Ruhrgebiet nicht mehr bekam, mußte im Ausland eingekauft werden, und da noch ein enormer Ausfall an Steuern und Zöllen hinzukam, ergab sich ein riesiges Defizit der öffentlichen Haushalte, das nur durch die Notenpresse auszugleichen war. Auf diese Weise erhielt die seit Kriegsende unablässig steigende Inflation einen weiteren zusätzlichen Auftrieb und wurde unbeherrschbar. Deutschland trat in die traumatisierende Periode der Hochinflation ein, in der Gehaltszahlungen sofort in Waren umgesetzt werden mußten, weil das Geld innerhalb weniger Stunden nichts mehr wert war, in der schließlich der Heizwert eines Bündels Banknoten höher war als der der Kohle, die man dafür kaufen konnte. Schließlich brach der Geldumlauf zusammen, alle Welt kehrte zur urtümlichen Tauschwirtschaft zurück.

Am 13. August 1923 trat der DVP-Vorsitzende Gustav Stresemann als Kanzler eines Kabinetts der Großen Koalition, von SPD bis DVP, an, um die katastrophale Lage zu meistern – wider alle Erwartungen mit Erfolg. Stresemann benötigte nur kurze Zeit, um zu erkennen, daß wieder einmal die Kapitulation den einzigen Weg zum Überleben darstellte. Am 26. September 1923 gab die Reichsregierung den Abbruch des passiven Widerstands an der Ruhr bekannt; am selben Tag war der US-Dollar 240 Millionen Mark wert. Nie seit 1871 war das Reich der Auflösung so nahe wie jetzt. In den besetzten Gebieten erfreute sich der rheinische Separatismus der wohlwollenden Förderung durch Frankreich, während in Sachsen und Thüringen Volksfront-Regierungen in Gestalt «proletarischer Hundertschaften» eigene Bürgerkriegsarmeen aufzustellen begannen. Stresemann zögerte nicht, Truppen einzusetzen; die rebellischen Landesregierungen traten zurück.

Noch gefährlicher war die Lage in Bayern, denn dort war es die Reichswehr selbst, die der Regierung in Berlin den Gehorsam aufsagte und den Eid auf die bayerische Regierung unter dem Generalstaatskommissar Gustav Ritter v. Kahr leistete. Dieser beabsichtigte, von der «Ordnungszelle» Bayern aus die Ordnung in das übrige Reich, vor allem in den «marxistischen Pfuhl» Berlin zu tragen. Seine Verbündeten waren der bayerische Wehrkreisbefehlshaber General v. Lossow sowie Adolf Hitler, dem es gelungen war, die zahlreichen völkischen Verbände Bayerns unter der Führung seiner Nationalsozialistischen Deutschen Arbeiterpartei (NSDAP) zu vereinen, und der beabsichtigte, seine Verbündeten Kahr und Lossow auszumanövrieren, um die ganze Macht an sich zu reißen. Er deckte seine Karten zu früh auf; am 9. November 1923 wurde ein Demonstrationszug mit Hitler und Ludendorff an der Spitze an der Münchener Feldherrnhalle von bayerischer Landespolizei zusammengeschossen, Hitler und sein Anhang verhaftet. Die bayerische Reichswehrdivision unterstellte sich wieder dem Chef der Heeresleitung, General v. Seeckt, der im Namen der Reichsregierung die vollziehende Gewalt in Deutschland übernommen hatte. Damit war die schwerste Gefahr für die Republik abgewendet. Die Stabilisierung der Währung durch die Stillegung der Notenpressen und die Einführung der Rentenmark am 16. November 1923 trug das Ihre zur innenpolitischen Beruhigung bei.

In den schweren Krisen des Herbsts 1923, die nur durch ungewöhnliche und unpopuläre Maßnahmen der Regierung Stresemann gemeistert werden konnten, hatte sich die Gemeinsamkeit der Parteien der Großen Koalition verbraucht. Am 23. November 1923 stürzte Stresemann über ein parlamentarisches Mißtrauensvotum, bei dem auch der bisherige Regierungspartner SPD gegen ihn stimmte, blieb aber Außenminister, und als solcher begann er jetzt jene Serie außenpolitischer Erfolge einzustreichen, die die relativ glücklichen, weil außen- wie innenpolitisch

Entwicklung des Brotpreises 1919–1924.

1 kg Brot kostete:	
Dezember 1919	–,80 Mark
Dezember 1920	2,37 Mark
Dezember 1921	3,90 Mark
Dezember 1922	163,15 Mark
Januar 1923	250,– Mark
April 1923	474,– Mark
Juli 1923	3465,– Mark
August 1923	69000,– Mark
September 1923	1512000,– Mark
Oktober 1923	1743000000,– Mark
November 1923	201000000000,– Mark
Dezember 1923	399000000000,– Mark
Januar 1924	–,30 Mark

ruhigen «goldenen Jahre» der Weimarer Republik einleiteten. Das lag in erster Linie an der Änderung der außenpolitischen Großwetterlage; in England wie in Frankreich kamen neue Regierungen an die Macht, die sich den deutschen Wünschen und Nöten gegenüber aufgeschlossener zeigten als ihre Vorgänger. Als erstes Ergebnis dieses Umschwungs kam am 9. April 1924 der Dawes-Plan zustande, der mit einer Revision der Reparationspolitik das erste Mal die Zurücknahme alliierter Positionen verband; Frankreich räumte Offenburg und Dortmund und stellte den Rückzug seiner Truppen aus dem Ruhrgebiet innerhalb eines Jahres in Aussicht.

Damit war der lange, finstere Nachkrieg, tatsächlich ein Nachhall der Weltkriegsjahre, zu seinem Ende gekommen. Die Katastrophenzeit reichte von 1914 bis 1923; Deutschland wie Europa als Ganzes, so schien es den Zeitgenossen, ließen jetzt die Zeit der Finsternis hinter sich zurück und steuerten auf eine lange Periode des Friedens und der wirtschaftlichen Erholung zu. Bernhard Harms, der große Kieler Wirtschaftswissenschaftler, beendete eine Vorlesung mit den Worten: «Können wir die Sterne nicht herunterholen, so wollen wir wenigstens nach ihnen greifen.»

METROPOLIS

MANUSKRIPT: THEA v. HARBOU ★ REGIE: FRITZ LANG

AN DER KAMERA: KARL FREUND / GÜNTHER RITTAU
BAUTEN: OTTO HUNTE ★ MUSIK: GOTTFRIED HUPPERTZ

IN DEN HAUPTROLLEN:

BRIGITTE HELM ★ GUSTAV FRÖHLICH

ALFRED ABEL · RUD. KLEIN-ROGGE · THEODOR LOOS · FRITZ RASP · HEINRICH GEORGE

X. Weimars Glanz und Ende (1924–1933)

Oberflächlich betrachtet waren die nun folgenden Jahre eine Zeit der innenpolitischen Windstille. Unter den bürgerlichen Reichskanzlern Wilhelm Marx und Hans Luther amtierten bürgerliche Kabinette, die zwar gelegentlich auseinanderbrachen, sich aber in kaum veränderter Zusammensetzung alsbald wieder zusammenfanden. Die Kontinuität der Politik verkörperte in erster Linie Reichsaußenminister Gustav Stresemann, der nicht nur für eine ebenso maßvolle wie in Grenzen erfolgreiche Außenpolitik stand, sondern auch als Vorsitzender der industriell-nationalliberalen Deutschen Volkspartei (DVP) die Einbindung wichtiger gemäßigt nationalistischer Kräfte in das Verfassungs- und Regierungssystem garantierte. Die SPD, erschöpft durch die undankbare Regierungsverantwortung in den anfänglichen Krisenjahren, regenerierte sich auf den Oppositionsbänken, wobei sie die von der Rechten befehdete Außenpolitik Stresemanns in aller Regel unterstützte, und blieb im übrigen durch ihre Dominanz in der machtbewußten und stabilen preußischen Staatsregierung unter Otto Braun an der Staatsmacht beteiligt. Das einzige Mal während seines Bestehens erlebte der Reichstag der Weimarer Republik von 1924 bis 1928 eine volle Legislaturperiode.

Stresemanns Außenpolitik lag ein geschlossener Plan zugrunde, der die Revision von Versailles und die Rückkehr zu einem Konzert der Mächte mit deutscher Vormachtstellung in Europa zum Ziel hatte. Das sollte heißen: Vermeidung von allzu engen Bindungen und Allianzen mit Ost wie mit West, um in der Balance zwischen Ost und West Bewegungsspielraum zu erhalten – Stresemann drückte es so aus: Es gelte «zu finassieren und den großen Entscheidungen auszuweichen». Die nächsten Jahre waren die Zeit der großen Erfolge in der Westpolitik. Nach dem Dawes-Plan 1924 die Verträge von Locarno 1925, ein deutsch-französisch-belgischer Sicherheitspakt mit Garantien für die gemeinsamen Grenzen, der von Großbritannien und Italien überwacht wurde. Der nächste Schritt, der Deutschland die volle außenpolitische Handlungsfreiheit zurückgeben sollte, war der Eintritt Deutschlands in den Völkerbund; dieses Ziel war am 9. September 1926 erreicht. Darauf der Young-Plan, eine abermalige Revision der deutschen Reparationsverpflichtungen, im Jahr 1930. Mit der Sowjetunion schloß Stresemann

Metropolis,
Film-Plakat, Werner Graul, 1926. Auf der Welle einer regelrechten «Kinoseuche» schwamm die expandierende deutsche Filmindustrie; Deutschland produzierte in den zwanziger Jahren mehr Filme als alle übrigen europäischen Länder zusammen. Neben viel Schund wurden auch einige überragende Kunstwerke produziert, wie Fritz Langs 1927 uraufgeführter utopischer Stummfilm «Metropolis», eine beispielhafte Auseinandersetzung mit der modernen Arbeitswelt, an den Kinokassen allerdings ein Mißerfolg.

Nettosozialprodukt pro Einwohner des Deutschen Reichs und der Bundesrepublik Deutschland in den jeweiligen Grenzen 1850–1975, in Preisen von 1913. Um den durchschnittlichen Verlauf des deutschen Wirtschaftswachstums zwischen 1850 und 1975 zu kennzeichnen, wurde in das Auf und Ab der Kurve eine lineare Trendkurve gelegt. Für 1914–1923 und 1939–1949 existiert kein brauchbares Datenmaterial. Das Wirtschaftswachstum ist zwischen 1850 und 1913 kontinuierlich; nach 1949 setzt ein relativ langanhaltendes hohes Wachstum ein. Für den Zeitraum 1924–1939 fällt dagegen auf den ersten Blick die Anomalie der Wachstumskurve auf. Der Absturz in der Weltwirtschaftskrise 1929–1932 ist offensichtlich, desgleichen, daß der langfristige Trend erst bei Ausbruch des Zweiten Weltkriegs wieder erreicht ist. Sichtbar wird auch, daß der Krise keine nennenswerte Wachstumsbewegung vorausgeht – die Kurve der «Goldenen Zwanziger» bleibt flach, und das Sozialprodukt pro Kopf erreicht das Niveau von 1913 erst wieder im Jahr 1928, um sogleich wieder zurückzufallen.

1926 den «Berliner Vertrag» ab, der die gegenseitige Neutralität sicherstellte und Moskau von dem Alpdruck erlöste, ein mit den Westmächten verbündetes Deutschland könne sein Territorium für einen anglo-französischen Aufmarsch gegen die Sowjetunion bereitstellen. Daneben bestand für den Fall eines polnischen Angriffs auf Ostpreußen oder die Ukraine ein geheimes Beistandsabkommen zwischen Reichswehr und Roter Armee, wobei nicht recht klar ist, wie weit die deutsche Reichsregierung davon unterrichtet worden war – insgesamt jedenfalls eine Situation nicht unähnlich dem Bismarckschen Spiel mit den fünf Kugeln. Seit der Russischen Revolution waren Ost und West in Europa weit auseinandergerückt, und Deutschland saß als Weltkind in der Mitte; das war Chance wie Verführung der deutschen Politik.

Ein Kunststück war dieser Balanceakt allemal, und manchem wurde unheimlich dabei. Da war der Oberbürgermeister von Köln, Konrad Adenauer; er war zwar Präsident des Preußischen Staatsrats, aber die Traditionen der klassischen preußischen Kontinentalpolitik zwischen St. Petersburg/Moskau und London/Paris waren ihm fremd. Er wies bereits früh darauf hin, daß der Frieden Europas auf die Dauer von dem Verhältnis zwischen Deutschland und Frankreich abhing. Das wußte auch Stresemann, aber der suchte die begrenzten Gemeinsamkeiten zwischen den beiden mit unterschiedlichen Interessen begabten Nationalstaaten herzustellen, während Adenauer ganz auf die französische Karte setzte und reale politische und wirtschaftliche Verflechtungen zwischen beiden Seiten des Rheins forderte, um die nationalen Interessen Deutschlands und Frankreichs unwiderruflich miteinander zu verklammern. Auch für Adenauers Pläne sollte die Zeit kommen, aber in den 20er Jahren stießen sie sich noch mit den Grundsätzen deutscher «Realpolitik» zwischen Osten und Westen, jenem «Unsteten und Schaukelnden», das der Kölner Oberbürgermeister an Stresemanns Politik bemängelte. Dabei stand Stresemann aber in ständiger Gegnerschaft zu den «nationalen» Kräften einschließlich denen seiner eigenen Partei, die bereits hinter begrenzten Zugeständnissen an Frankreich Landesverrat witterten; seinem französischen Partner Aristide Briand, mit dem gemeinsam Stresemann 1926 den Friedensnobelpreis erhielt, ging es daheim nicht besser. Vom ständigen Kampf, mehr gegen seine innen- als gegen seine außenpolitischen Gegner, zermürbt, starb Stresemann am 3. Oktober 1929 an einem Herzschlag, von ganz Europa betrauert.

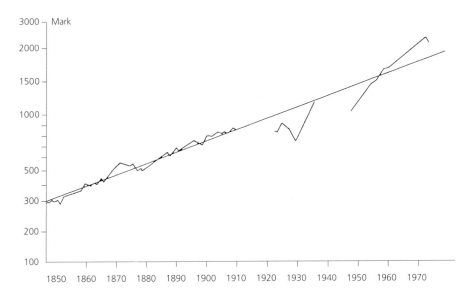

Stabilisierung, das hieß auch wirtschaftliche Erholung. Die Industrie hatte die Inflation recht gut überstanden, soweit sie die Chance der Geldentwertung für Investitionen genutzt hatte. Hinzu kam der Strom ausländischen Kapitals, der in der Folge des Dawes-Abkommens und der damit verbundenen ersten großen Wallstreet-Anleihe nach Deutschland floß. Damit kam ein finanzieller Kreislauf in Gang, der einige Jahre lang die transatlantische Wirtschaft in Schwung hielt: Deutschland konnte jetzt seine Reparationsschulden an die Ententestaaten zahlen. Diese zahlten daraufhin ihre Kriegsschulden an die USA zurück, und von dort floß das Geld in Form von Krediten wieder nach Deutschland. Dieses wunderbare System belebte die deutsche Wirtschaft ungewöhnlich schnell; zwischen 1924 und 1929 erweiterte sich das deutsche Produktionsvolumen um 50%, und auf vielen Gebieten gelang es, die einstige Vorrangstellung auf dem Weltmarkt zurückzugewinnen.

Aber der Aufschwung erreichte im wesentlichen nur die deutsche Exportindustrie; die Binnenmarktkonjunktur blieb bescheiden. Erst 1927 war das Bruttosozialprodukt von 1913 wieder erreicht, und kurz darauf fiel die Kurve schon wieder ab. Die Investitionsbereitschaft oder -fähigkeit der Unternehmer blieb weiter hinter den Investitionen vor 1913 zurück, und auch die Daten der deutschen Arbeitsproduktivität stagnierten und erreichten nicht einmal das Vorkriegsniveau – das war die Kehrseite der größten sozialpolitischen Errungenschaft der Weimarer Zeit, des 8-Stunden-Arbeitstags. Und wer sich an die Vorkriegszeit erinnerte, der stellte fest, daß die Arbeitslosenzahlen selbst 1927, im besten Jahr der Weimarer Konjunktur, weit höher lagen als in den schlechtesten Vorkriegsjahren. Die Wirtschaft war im Kern ungesund – das lag zu einem erheblichen Teil an der Konzentration der Wirtschaft, der Kartellisierung, die elastisches Marktverhalten der Unternehmer bestrafte, zum Teil auch daran, daß Subventionen und Kredite nicht in erster Linie in die zukunftsträchtigen Industriezweige flossen, sondern einseitig Landwirtschaft und Schwerindustrie zugute kamen, und nicht zuletzt an der überhöhten Lohnquote. Denn da die Produktionskosten wegen der ausländischen Konkurrenz nicht auf die Verbraucher abgewälzt werden konnten, belasteten sie die Investitionsbereitschaft der Unternehmen und damit die Beschäftigtenzahlen.

So waren es weder die politische Stabilität noch die wirtschaftliche Scheinblüte, die die Mittelperiode Weimars zu den «goldenen Zwanzigern» gemacht haben, sondern ein kultureller Aufschwung, der bis heute legendäre Züge trägt: eine Zeit ungeheurer seelischer Spannungen und künstlerischer Schöpferkraft, von Walter Gropius' Bauhaus bis zu Thomas Manns *Zauberberg*, von Paul Hindemiths *Cardillac* bis zu Werner Heisenbergs Unschärferelation, von Oswald Spenglers *Untergang des Abendlandes* bis zu George Grosz' *Das Gesicht der herrschenden Klasse*, von Erwin Schrödingers Wellenmechanik bis zu Joseph v. Sternbergs *Blauem Engel*, von Ernst Jüngers *Arbeiter* bis zu Erich Maria Remarques *Im Westen nichts Neues* – alles das und viel mehr purzelte innerhalb eines Jahrzehnts durcheinander, ein flimmerndes Kaleidoskop unerhörter Formen, Farben und Themen.

Dennoch, die «Kultur von Weimar» war auch ein Mythos, nach der Flucht und Ausbürgerung der vielen Intellektuellen, die den Zwanzigern Form und Farbe gegeben hatten, in den Prager und Pariser Cafés, den Flüchtlingskolonien in New York und Kalifornien geboren. Was aus dieser Perspektive als exotische Blume der Republik erschien, die 1933 von SA-Stiefeln zertrampelt wurde, hatte in Wirklichkeit schon viel länger geblüht. Die eigentlichen Wurzeln der Weimarer Kultur lagen in der Avantgarde des wilhelminischen Deutschland, in der gärenden bürgerlichen Unruhe um die Jahrhundertwende – eigentlich Neues haben die zwanziger Jahre nicht hervorgebracht. Neu war vor allem, daß der offizielle bürgerliche Akademismus das Feld geräumt und den früheren Außenseitern Platz gemacht hatte; das hat etwas mit dem Umkippen der bürgerlichen Gesellschaft als stilbildender «Klasse für sich» zu tun, mit dem Verlust des bürgerlichen Selbstgefühls in der Folge des verlorenen Kriegs und der wirtschaftlichen Katastrophe der Inflation. So war die neue Kunst auch keineswegs volkstümlich. Von den 34 deutschen Buchtiteln, die zwischen 1918 und 1933 über eine halbe millionmal verkauft wurden, sind nur drei in gewissem Sinne «Weimaranern» zuzurechnen: Erich Kästners *Emil und die Detektive*, Erich Maria Remarques *Im Westen nichts Neues* sowie Thomas Manns – allerdings schon 1901 erschienenes – Werk *Die Buddenbrooks*. Das Publikum las ganz andere Schriftsteller, Hermann Löns, Hans Carossa, Walter Flex, Hans Grimm oder Clara Viebig, und die trivialen Romane eines Karl May oder einer Hedwig Courths-Mahler erlebten ihre größten Publikumserfolge. Der künstlerische Aufschwung Weimar-Deutschlands war, wie alle anderen kulturgeschichtlichen Höhepunkte auch, ein reines Elitenphänomen. Alles spielte sich in einer schmalen Schicht von Literaten, Malern, Musikern, Denkern, Mäzenen, gehobenen Kulturkonsumenten und Kritikern ab, zwischen Bildungsbürgertum und Boheme.

Es war eine zutiefst bürgerliche, aber antibürgerlich affizierte Kultur, die ihre besondere Ausprägung durch den Weltkrieg erfahren hatte. Die «Linken» hatten gelernt, daß alles Töten, alles Militärische und jede Uniform böse und sinnlos, daß dagegen Sozialismus gut sei. Ein Mann wie Carl v. Ossietzky, Herausgeber der «Weltbühne», kämpfte für die Republik im Namen von Moral und Menschenrechten – allerdings nicht für die bestehende Republik von Weimar, die ihm wie so vielen anderen Intellektuellen der Epoche kompromißlerisch, unfertig, langweilig und bürgerlich erschien, sondern für eine erträumte sozialistisch-pazifistische Republik, für deren Herbeiführung er auch bereit war, zur Wahl des KPD-Führers Ernst Thälmann zum Reichspräsidenten aufzurufen.

Auf der anderen Seite des kulturellen Spektrums stand die «Rechte», für die ebenfalls das Kriegserlebnis prägend gewesen war, allerdings im umgekehrten Sinn. Nicht der Ort des Grauens und der Unmenschlichkeit wurde hier gedacht, sondern das Stahlgewitter, in dem der neue Mensch aus Blut und Eisen geschmiedet wurde. Auch die rechten Intellektuellen vom Schlage eines Ernst Jünger bekämpften die Republik, wo sie konnten, im Namen eines unklar bleibenden soldatisch-nationalen, oft auch sozialistischen Ideals – die Ungewißheit der Ziele führte dazu, daß viele von ihnen in das Fahrwasser Hitlers gerieten, der jedenfalls wußte, was unter national und was unter sozialistisch verstanden werden sollte; nur wenige, unter ihnen Ernst Jünger, blieben Einzelgänger.

Die extremen Linken und die extremen Rechten bildeten die große Mehrheit der Weimarer Kulturszene – programmatisch verfeindet, einander diametral entgegengesetzt und doch völlig einig, sobald es darum ging, das bestehende parlamentarisch-demokratische Staatswesen im Namen der verschiedensten politischen Ideale und Ideologien zu verhöhnen und zu diffamieren. Nur wenige Künstler waren bereit, sich vor die Republik zu stellen, wie Thomas Mann, der einstige Hasser der «bürgerlichen» Demokratie, der 1922 vor Studenten der Universität Berlin zur Unterstützung des demokratischen Gegenwartsstaats aufrief: ohne jeden Erfolg, ein Rufer in der Wüste.

Daß die Republik unter den Intellektuellen kaum auf Unterstützung rechnen konnte, zeigte sich auch auf anderen Gebieten. Die Presselandschaft verfügte zwar über herausragende liberale Blätter wie die «Vossische Zeitung», das «Berliner Tageblatt» oder die «Frankfurter Zeitung», die nicht nur in der politischen Berichterstattung und Kommentierung, sondern auch im oft von meisterhaften Publizisten geleiteten Feuilleton politisch wie journalistisch beispielhaft bis heute sind. Aber repräsentativ für die Massenpresse waren andere: Da war der nationalistische Scherl-Konzern, der später im Zeitungs- und Film-Imperium des deutschnationalen Pressezaren Alfred Hugenberg aufgehen sollte, da war vor allen Dingen die lokale Generalanzeiger-Presse, die täglich die Republik von einem nationalistisch-monarchistischen Standpunkt aus beleuchtete und angriff. Völkische Oberlehrer bildeten den Normalfall in Gymnasien, monarchistische Professoren in den Universitäten, antidemokratische Pastoren auf den Kirchenkanzeln. Reaktionäre Gelehrte, aber fortschrittliche Wissenschaft und Technik: Während die große Mehrzahl der Wissenschaftler sich in vergangene Zeiten zurücksehnte, gewann der Schnelldampfer «Bremen» des Norddeutschen Lloyd das «Blaue Band» für die schnellste Atlantik-Überquerung, raste Fritz v. Opels Raketenwagen über die Berliner «Avus», startete die Junkers G 38, das größte Landflugzeug, die Do X, das größte Flugboot der Welt, wurde in Berlin das erste Fernsehbild übertragen, eröffnete der Kölner Oberbürgermeister Konrad Adenauer mit der Köln-Bonner Schnellstraße die erste europäische Autobahn, raste der Kruckenbergsche Schienenzeppelin in weniger als zwei Stunden von Berlin nach Hamburg.

Aber nicht nur die Intellektuellen hatten ihre Schwierigkeiten mit dem Gegenwartsstaat. Selbst der Loyalität seiner eigenen Diener konnte das Weimarer Gemeinwesen nicht sicher sein. Für die Beamtenschaft in ihrer großen Mehrzahl waren Monarchismus und konservative Staatsauffassung selbstverständliche Standeskennzeichen. Allerdings gehörte auch zu ihrem Selbstverständnis, daß die formale Legalität der Machtausübung wichtiger war als das politische Herrschaftsprogramm. Da das Amt des Reichskanzlers vom letzten kaiserlichen Kanzler, dem Prinzen Max von Baden, dem revolutionären Sozialisten Friedrich Ebert übergeben worden war, war der Schein der Legalität und damit die Loyalität des Staatsapparats für die neuen Machthaber gewahrt. Daß die legale Reichsregierung während des Kapp-Putschs weiterbestand, hatte zur Folge, daß trotz der politischen Sympathien vieler Beamter für das Putschregime die Bürokratie gegen Kapp und für Ebert arbeitete. Aus genau demselben Grund sollte später die Verwaltung sich einem Reichskanzler Hitler zur Verfügung stellen. Im übrigen hatte sich die Beamtenschaft parteipolitisch neutral zu verhalten, was aber nicht hieß, daß sie unpolitisch war. Sie tendierte insgesamt, wenn auch nicht erklärtermaßen, zu einem autoritär-etatistischen Staatsbild; die Regierung Brüning sollte diesem Ideal recht nahe kommen. Und weshalb sollte es anders sein? Niemand konnte von der Bürokratie erwarten, daß sie sich politisch völlig anders verhielt als die Bevölkerungsmehrheit, die sich zunehmend von der Republik abwandte. Überdies verzichtete die Verfassung darauf, feste Normen zu setzen, an die sich die Staatsdienerschaft zu halten hatte. Die Beamtenschaft hat nicht die Fundamente der deutschen Staatsordnung untergraben – zu untergraben war da ohnehin wenig. Aber es hat sich auch kaum ein Finger gerührt, sie zu stützen und zu retten.

Und was die Armee, die kleine 100000-Mann-Reichswehr anging, so hielt sie unter dem Chef der Heeresleitung, General Hans v. Seeckt, hochmütigen Abstand zu den demokratischen Institutionen wie zu den Parteien, betrieb ihre eigene geheime Rüstungspolitik hinter dem Rücken der zivilen politischen Instanzen und suchte sich aus der Tages-

Illustrierte Reichsbanner-Zeitung

mit offiziellen Nachrichten des Bundesvorstandes

Magdeburg
den 7. März 1925

Preis 20 Pf.

2. Jahrgang
Nr. 10

Reichspräsident Ebert †

Ein großer, selten edler Mensch, ein überragender Kopf aller Deutschen, der glühendste Patriot, der beste Freund des deutschen Volkes ist dahingegangen. Ein Mann, dessen rastloses unermüdliches Leben und Arbeiten allein dem Volke gewidmet war. Ein Mann, der bis zum letzten Atemzuge für sein Volk mit aller Kraft und Sorge, mit all seiner Klugheit, Güte und Hingabe gewirkt hat. Erschüttert steht das deutsche Volk an der Bahre dieses großen, einzigartigen Menschen. / Der Leidensweg der deutschen Republik ist unerbittlich schwer; nichts wird ihm geschenkt, nichts wird ihm erleichtert. Seit den Tagen des Zusammenbruchs im November 1918, seit der Ermordung Walter Rathenaus am 26. Juni 1922 hat es keinen schwereren Tag gegeben. Mit Fritz Ebert ist der größte deutsche Republikaner dahingegangen. Ein Republikaner aus Liebe zu seinem Volke, aus Liebe zur Menschheit. / In allen Ländern wird dieses große Unglück verstanden werden. Unser Schmerz wird von Millionen geteilt. / Bis zum letzten Atemzuge erfüllte Fritz Ebert die Sorge um sein Volk und sein Geschick. / Wir, das Reichsbanner, sind bei aller erschütternden Trauer glücklich darüber, daß wir dem Reichspräsidenten Ebert die Gewißheit und die Zuversicht haben geben können, daß sein Werk, sein Arbeiten und Wirken durch uns gesichert ist. Wir werden ihm nie vergessen, daß er in den schicksalsschwersten Zeiten das deutsche Volk und die deutsche Republik gerettet hat. An seinem Grabe schwören wir, daß wir nicht zugeben werden, daß sein Werk vernichtet wird. / Unser Dank ist Kampf um die Erhaltung der freien deutschen Republik, für das Wohl des Volkes, der Menschheit und der Kultur. / Unser Schwur ist Treue, Treue bis zum letzten Hauch, so wie er uns, dem deutschen Volk, der deutschen Republik bis zum letzten Hauch die Treue bewahrt hat. / Sein Testament: „Behütet und erhaltet die deutsche Republik" nehmen wir aus seinen Händen und geloben es: wir werden es vollstrecken.

Reichspräsident Ebert †,
Illustrierte Reichsbanner-Zeitung,
7. 3. 1925.

WÄHLT
HINDENBURG
ICH REICHE JEDEM DEUTSCHEN
DIE HAND, DER NATIONAL DENKT
UND DEN KONFESSIONELLEN U.
SOZIALEN FRIEDEN WILL'
(AUS HINDENBURGS OSTERBOTSCHAFT·)

politik herauszuhalten, gemäß der Maxime Seeckts: «Das Heer dient dem
Staat, nur dem Staat; denn es ist der Staat.» Erst nach dem Sturz Seeckts
im Jahre 1927, mit dem Aufstieg des neuen starken Manns der Armee, des
Generals Kurt v. Schleicher, änderte sich das. Von jetzt an war die Reichswehrführung lebhaft an innenpolitischen Geschehnissen interessiert,
suchte Regierungsbildungen zu beeinflussen und Regierungsentschei-
dungen im Eigeninteresse des Militärs und der hinter dem Offizierskorps stehenden gesellschaftlichen Schichten aus Adel und konservativer
Großbourgeoisie herbeizuführen: letzten Endes mit katastrophalen politischen Folgen, wie das Scheitern des Generals v. Schleicher als Reichskanzler im Januar 1933 zeigen sollte.

Distanz zur neuen Staatsform und ihren Institutionen übten auch die
gesellschaftlichen Gruppen. Die Arbeiterschaft, soweit sie sozialdemokratisch oder katholisch orientiert war, war durchaus für die Republik mo-
bilisierbar, wie sich nach dem Rathenau-Mord und zuvor schon bei der
Abwehr des Kapp-Putschs gezeigt hatte. In der Krise der Republik in den
dreißiger Jahren sollte allerdings deutlich werden, daß die Einsatzbereit-
schaft für den demokratischen Staat direkt mit den sozialen Wohltaten
verbunden war, die der Staat zu verteilen hatte. In Zeiten der sinkenden
Reallöhne und der hohen Arbeitslosigkeit war es vorbei mit der demo-

kratischen Loyalität, ablesbar an den steigenden Prozentsätzen kommunistischer Wähler wie nationalsozialistischer Parteimitglieder, die dem Proletariat entstammten.

Das Bürgertum, der Mittelstand, lebte in einem permanenten Krisenbewußtsein. Man fühlte sich durch die rapide Veränderung der sozialen und wirtschaftlichen Umwelt bedroht, der Einkommenszuwachs dieser Schicht blieb hinter dem fast aller übrigen Schichten zurück, und durch die Inflation waren die Vermögenswerte, soweit sie nicht in Haus- oder Grundbesitz angelegt gewesen waren, wie Schnee in der Sonne fortgeschmolzen – für diese wirtschaftliche Katastrophe, die eine ganze soziale Schicht getroffen hatte, wurden in aller Regel Demokratie und Republik verantwortlich gemacht, und politischen Erfolg mußte hier haben, wer sozialen und politischen Protest mit der Verheißung einer Gemeinschaft ohne innere Spannungen, die gleichwohl ihre hergebrachten Rangunterschiede beibehielt, verband. Für die Besitzenden, Unternehmer wie Grundbesitzer, war der Weimarer Staat suspekt, weil er mit seiner Sozial- und Finanzpolitik eine entschiedene Umverteilungspolitik zugunsten der sozial Schwächeren betrieb, und trotz massiver staatlicher Subventionen zugunsten von Schwerindustrie und Agrarwirtschaft blieb man in diesen Kreisen der Republik gegenüber feindlich eingestellt.

In Zeiten relativer wirtschaftlicher Verteilungsspielräume ließen sich diese tiefen gesellschaftlichen und politischen Brüche ausgleichen, ja, es konnte eine Zeitlang sogar scheinen, als habe sich selbst der monarchische Konservativismus mit der neuen Realität abgefunden. Ironischerweise zeigte sich das nach dem Tod des ersten Reichspräsidenten Friedrich Ebert, den nationalistisch vernagelte Richter des Landesverrats für schuldig befunden hatten, weil er 1918 in die Leitung des Berliner Munitionsarbeiterstreiks eingetreten war, und der aus Kummer über dieses entehrende Unrechtsurteil die Behandlung einer Blinddarmentzündung verschleppt hatte. Mit knapper Mehrheit wurde der Chef der Dritten Obersten Heeresleitung in der Zeit des Weltkriegs, der königlich-preußische Generalfeldmarschall Paul v. Hindenburg, zum Reichspräsidenten gewählt. Zur großen Überraschung seiner Umgebung dachte aber Hindenburg nicht daran, die monarchistische Wende zu vollziehen, die seine Hintermänner erhofften. Statt dessen war er entschlossen, dieser Republik ein guter Präsident ohne Wenn und Aber zu sein. Was in der Öffentlichkeit falsch beurteilt wurde, das war Hindenburgs Einstellung zum Eid. Da war er ganz altpreußisch, und da er nun einmal auf die Verfassung der Republik geschworen hatte, hielt er sie hoch wie die preußische Felddienstordnung. Daß Hindenburg sich mit der neuen Ordnung abgefunden hatte, erleichterte es vielen gemäßigten Konservativen, sich mit der Demokratie zu arrangieren.

Ein Einwand gegen den neuen Reichspräsidenten allerdings blieb: Er war bei allem guten Willen politisch ohne Kenntnisse, er brauchte Berater. Hinzu kam sein hohes Alter und der damit verbundene geistige Verfall, der ihn zusätzlich von Helfern abhängig machte. Und seine

**Bis in die dritte Generation
müßt ihr fronen!**
Agitationsplakat für das Volks-
begehren gegen den
Young-Plan, 1929.
Die Weimarer Verfassung sah in
Art. 73 den direkten Einfluß der
Bevölkerung auf die Politik durch
Volksentscheide vor. Auf Reichs-
ebene gab es drei Versuche,
Volksentscheide durchzuführen,
die allesamt an zu geringer Beteiligung scheiterten. In einem
dieser Fälle ging es um den
Young-Plan, mit dem die
deutschen Reparationslasten
geregelt und zeitlich begrenzt
werden sollten. NSDAP, DNVP
und der der DNVP nahestehende
Wehrverband «Stahlhelm»
kurbelten daraufhin ein Volks-
begehren gegen den Young-Plan
an; Gegenstand der Abstimmung
war der Entwurf eines «Freiheits-
gesetzes», das einfach alle Verpflichtungen aus dem Versailler
Vertrag abschaffte und Regie-
rungsmitglieder für den Fall, daß
sie den Young-Plan unterschrie-
ben, mit Zuchthausstrafen
bedrohte. Wie stets im Fall von
Plebisziten war das die Stunde
der Demagogen, und trotzdem
stimmten am 22. Dezember 1929
nur knapp 14% der Wahlberech-
tigten dafür; 50% wären notwendig gewesen. Das erste Mal
hatten sich Konservative politisch
mit den Nationalsozialisten
verbündet, eine «nationale Ein-
heitsfront» der rechten Republik-
gegner zeichnete sich ab.

Umgebung war nicht die, die einem Präsidenten der Republik angestanden hätte: alte Kameraden aus der preußischen Armee, die Crème des grund-besitzenden ostelbischen Adels, fast durchweg Personen, deren ohnehin geringe politische Einsicht noch durch ihren Haß auf die Republik zusätzlich verdunkelt war.

Die Ära der Bürgerblockkabinette ging mit den Reichstagswahlen vom 20. Mai 1928 zu Ende. Die SPD, die einen beträchtlichen Stimmengewinn verbuchen konnte, stellte in der Person ihres Parteivorsitzenden Hermann Müller den neuen Reichskanzler und besetzte eine Anzahl weiterer wichtiger Ministerien. Das Spektrum der Regierungsparteien umfaßte jetzt die gesamte Breite der Großen Koalition bis hinüber zu Stresemanns Deutscher Volkspartei. Aber was auf den ersten Blick nach innenpolitischer Stärke aussah, war in Wirklichkeit labil und brüchig; «ein Kabinett mit eingebauter Dauerkrise», wie das «Berliner Tageblatt» am Tag der Kabinettsbildung befand. Tatsächlich hatten sich die Gemeinsamkeiten der demokratischen Parteien verbraucht. Bereits über den Plan des Neubaus eines Panzerkreuzers als Ersatz für ein veraltetes Kriegsschiff wäre die Koalition fast auseinandergebrochen, und als die sozialdemokratischen Minister des Koalitionsfriedens wegen schließlich dem Wunsch ihrer bürgerlichen Kollegen zustimmten, ersparte ihnen ihre eigene Reichstagsfraktion nicht die Demütigung, bei der entscheidenden parlamentarischen Abstimmung gegen die eigenen Genossen in den Ministerämtern zu votieren. Die dramatisch zunehmende Arbeitslosigkeit, das Anwachsen von Streikbewegungen und Straßenkrawallen: Das alles zermürbte das Kabinett und verstärkte den Druck der Parteien auf ihre Minister, die immer unbequemer werdende Verantwortlichkeit abzuschütteln. Schließlich war die Durchsetzungskraft Hermann Müllers verbraucht. Wegen eines unscheinbar wirkenden Koalitionskonflikts – es ging um die Erhöhung der Beiträge zur Arbeitslosenversicherung – demissionierte der Reichskanzler am 27. März 1930 und mit ihm die letzte parlamentarische Regierung der Republik. Der SPD-Abgeordnete Julius Leber notierte: «Ohne sich allzu tiefen Gedanken hinzugeben, segelte die sozialdemokratische Parteileitung zurück in die bequemen Wasser alter lieber Oppositionsherrlichkeit. Daß die sogenannte Präsidialregierung ganz offenbar die letzte Form einer verfassungsmäßigen

Bis in die dritte Generation

müßt ihr fronen!

Regierung war, das kam nur wenigen in den Sinn. Zwar redete man viel und oft von der bedrohten Demokratie, von der faschistischen Gefahr, aber das war doch nur Wind für Agitation und Propaganda. Man stand in Opposition, das genügte...»

Das Scheitern der republikanischen Parteien war symptomatisch für den politischen Kollaps der Republik, ihr Auseinanderfallen in Bürgerkriegsparteien. Am 1. Mai 1929 war in den Straßen Berlins das erste Mal seit 1920 wieder geschossen worden, es war zu blutigen Zusammenstößen zwischen der sozialdemokratisch geführten Polizei und kommunistischen Demonstranten gekommen. Mit zunehmender Arbeitslosigkeit nahm auch die Anhängerschaft der KPD zu, die sich allerdings selbst isolierte, da sie sich auf Anweisung Moskaus gegen die «sozialfaschistische» Sozialdemokratie abgrenzte. Auf der anderen Seite des politischen Spektrums hatten sich die völkisch radikalisierte Deutschnationale Volkspartei unter dem Vorsitz des Pressezars Alfred Hugenberg und die konservative Frontkämpfer-Organisation «Stahlhelm» mit den radikal nationalistischen Kräften verbündet, namentlich mit Adolf Hitlers Nationalsozialistischer Deutscher Arbeiterpartei.

Die NSDAP, entstanden in den Nachwehen der Münchener Räterepublik und in der Bürgerkriegsstimmung der Jahre danach, war ganz und gar Schöpfung ihres «Führers» Adolf Hitler, abhängig von dessen demagogischen und charismatischen Talenten. Hitler war eigentlich ein Sektengründer. Er setzte auf den Glauben seiner Anhänger, er allein war Künder der Wahrheit. Dabei war das, was er zu sagen hatte, eine krude Mischung aus allen massenwirksamen Ideen und Ideologien, die im geistigen Klima der Nachkriegszeit vagabundierten. Das Schlagwort vom «nationalen Sozialismus», bereits in der Vorkriegszeit als Bindemittel völkischer Organisationen im Kampf gegen den «internationalen» Sozialismus entstanden, war auf die Arbeiterschaft gezielt und daneben ein Lockmittel für die in der Jugend von Mittelstand und Oberschicht verbreiteten sozialromantischen Strömungen. Das Leitbild der «Volksgemeinschaft», ursprünglich ein Erzeugnis der katholisch-romantischen Ständestaatslehre, schien die Lösung der sozialen Schwierigkeiten der modernen Industriegesellschaften zu verheißen. Die antisemitische Rassendoktrin diente als Vehikel eines aggressiven weltpolitischen Sendungsbewußtseins, eine Übersteigerung des deutschen Nationaltraums vom großdeutschen Reich im Herzen Europas. Beides, Nation und Rasse, baute aufeinander auf – zunächst galt es die Befreiung der Nation aus den Fesseln von Versailles, eine in allen sozialen und politischen Lagern populäre Forderung, die dann zur Ausdehnung nach Osten führen sollte, zur Eroberung von «Lebensraum» für die vorgeblich besonders wertvolle germanische Rasse auf Kosten «minderwertiger» Rassen.

Aber auf Aussagen und Programme kam es bei Hitlers öffentlichen Auftritten allenfalls in zweiter Linie an. Vor allem war es seine Wirkung als Redner, dem es gelang, wie ein Brennspiegel die Sehnsüchte und Hoffnungen seiner Zuhörer einzufangen, sie in faszinierender und suggestiver Weise zu benennen und auf die Bevölkerung zurückzuprojizieren. Das machte den Erfolg des Nationalsozialismus aus: Er hob die Ängste und Vorurteile der Menschen aus einer vorbewußten, irrationalen Tiefe des kollektiven Bewußtseins ans Licht und formulierte sie im Sinne seiner Weltanschauung. Darin zeigte sich diese Partei moderner als alle Konkurrenten im Parteienspektrum, die glaubten, die Menschen ausschließlich mit vernünftig formulierten Programmen bekanntmachen zu müssen, um sie zu überzeugen. Hitler dagegen rechnete mit den Gefühlsdefiziten der Massen, die die etablierten Parteien unberücksichtigt ließen.

So kam es, daß die NSDAP sehr viel mehr als jede andere Partei der Weimarer Zeit eine Volkspartei war. Sie war nicht, wie die anderen

Parteien, abhängig von einer festen, sozial, wirtschaftlich oder konfessionell definierten Klientel, sondern sie besaß ihre Anhänger in allen Schichten und Berufen, wenn auch mit unterschiedlichen Schwergewichten. Arbeiter und Bauern waren unterrepräsentiert, wenn auch der Arbeiteranteil ständig zunahm; die Mitglieder mittelständischer Berufe dagegen waren überrepräsentiert. Erkennbar war auch, wo die Partei geringen Erfolg hatte: überall dort, wo sich ältere sinnstiftende Institutionen und Ideen gehalten hatten. Als weitgehend immun erwiesen sich der Kern der sozialdemokratischen Arbeiterbewegung (während die Fluktuationen zwischen NSDAP und KPD rege waren), weiterhin das protestantische Groß- und Besitzbürgertum und vor allem das traditionelle katholische Milieu in West- und Süddeutschland sowie in Schlesien. Aber auch hier gelang es der Hitler-Partei, Einbrüche zu erzielen: Während die traditionellen Parteien jener Gruppierungen kaum jugendlichen Anhang besaßen, strömten die Söhne und Töchter in Scharen zur NSDAP: Die Partei Hitlers war nicht nur ein Glaubensphänomen und eine Volkspartei, sondern auch eine Jugendbewegung.

Hitler spricht!
Pressephoto, Heinrich Hoffmann, 1923.
Soldaten, Arbeiter und Bürger, gesehen wie durch Hitlers Augen auf einer Großkundgebung der NSDAP im Zirkus Krone in München 1923. Dem heutigen Leser der Reden Hitlers fällt es schwer, deren Wirkung auf das Publikum zu verstehen. Die Zuhörer waren verzweifelte, gehetzte, von Dämonen verfolgte, nach Wundern und Erregung hungernde Menschen, denen rationale Programme und logische Argumente gleichgültig waren. Der «Führer» forderte von ihnen Glauben und Hingabe und bot dafür Gewißheit und Geborgenheit in einer neuen, schützenden, scheinbar sinnerfüllten Gemeinschaft: Das war es, was die Menschen bei Hitler suchten und fanden.
(Folgende Doppelseite)

Die Chance dieser Partei kam mit der großen Wirtschaftskrise, die im Gefolge des «Schwarzen Freitags» an der New Yorker Börse vom 25. Oktober 1929 die gesamte Weltwirtschaft erfaßte, in Deutschland aber wegen der hier längst bestehenden schlechten wirtschaftlichen Gesamtlage besonders drastische Folgen zeigte. Was zunächst nur wie ein vorübergehender Konjunktureinbruch ausgesehen hatte, wuchs sich zur nie dagewesenen Katastrophe aus, in der das wirtschaftliche Desaster und die politische Radikalisierung sich gegenseitig hochschaukelten. Das erwies sich spätestens mit den Reichstagswahlen vom 14. September 1930, bei denen die Nationalsozialisten mit 130 Mandaten einen sensationellen Erfolg verbuchten, was wiederum das Vertrauen ausländischer Geldanleger in die Stabilität der deutschen Verhältnisse so erschütterte, daß der ohnehin schon andauernde Abfluß des Kapitals aus Deutschland fluchtartige Formen annahm. Und da zudem, wie stets in Wirtschaftskrisen, in aller Welt die Zollbarrieren wuchsen, fehlten der deutschen Wirtschaft nicht nur die Kredite, auf die sie mangels Eigenkapitals angewiesen war, sondern auch die Gewinne aus der Ausfuhr, und bei der hohen Exportabhängigkeit der deutschen Wirtschaft hatte das katastrophale Folgen für Produktion wie für Beschäftigung.

Innerhalb eines Jahres schnellte die Arbeitslosenzahl von 9 auf 16% empor. Das war aber nur die erste Stufe der großen Depression; Mitte 1931 kam es mangels Liquidität zu den ersten Bankenzusammenbrüchen, und

mit ihnen wurden ganze Großunternehmen in den Strudel gezogen. Aus der Wirtschafts- wurde eine Finanz- und Kreditkrise. 1932 war die industrielle Produktion Deutschlands auf die Hälfte des Stands von 1928 zurückgegangen. Der Index der Aktienkurse sank im gleichen Zeitraum sogar auf ein Drittel, während sich die Zahl der Arbeitslosen mehr als vervierfacht hatte, von 7% 1928 auf 30,8% 1932.

Die Wirtschaftskrise erfaßte alle europäischen Staaten, aber in Deutschland wirkte sie besonders verheerend. Das lag unter anderem daran, daß der demokratische Staat der Weimarer Republik von seiner Geburt an ein schwacher Staat war, der den Bürgerkrieg zu vermeiden und deshalb die Zuneigung des Wählervolks zu erkaufen gesucht hatte, indem er zum Subventions- und Umverteilungsstaat geworden war. In einem Ausmaß, das weit über das der Vorkriegszeit hinausging, wurden nach allen Seiten hin Wünsche befriedigt, die von den organisierten Interessen an den Staat herangetragen wurden. Sichtbar wurde das am sprunghaften Anstieg der öffentlichen Ausgaben, vor allem im Sozialbereich. Während 1929 die Steuerlastquote das *Doppelte* des Prozentsatzes von 1913 betrug, nämlich 18% anstatt 9% am Vorabend des Ersten Weltkriegs, stiegen die Sozialausgaben von Reich, Ländern und Gemeinden im selben Zeitraum von 337 Millionen Mark im Jahr auf 4 Milliarden 751 Millionen Mark an: Das war nicht weniger als das *Dreizehnfache*. So verschaffte sich der ungeliebte Staat der Weimarer Republik die Loyalität der gesellschaftlichen Interessengruppen durch Stützungs- und Hilfszusagen, die im Krisenfall allesamt eingelöst werden mußten.

Und als die Krise kam, als die Volkswirtschaften der Industriestaaten nach dem «Schwarzen Freitag» in die schwerste Bewährungsprobe der neueren Wirtschaftsgeschichte stürzten, als die Banken zusammenbrachen, die industrielle Produktion Europas innerhalb von drei Jahren um die Hälfte zurückging und ein Drittel der erwerbstätigen Bevölkerung in Deutschland arbeitslos war, als sämtliche sozialen Ausfallbürgschaften, die der Staat übernommen hatte, gleichzeitig eingelöst werden mußten, da war der deutsche Staat dem Problemlösungsdruck nicht mehr gewachsen. In England, wo die wirtschaftliche Talfahrt kaum weniger dramatisch war als in Deutschland, verteilte sich die Zuständigkeit für die Lösung der gesellschaftlichen Probleme auf viele verschiedene administrative und gesellschaftliche Schultern; hier überlebte die Staatsverfassung unversehrt. In Deutschland dagegen ging der Weimarer Staat unter dem gebündelten Erwartungsdruck der gesellschaftlichen Gruppen in die Knie. Und da die Loyalität der deutschen Bevölkerung gegenüber ihrer Staatsverfassung

davon abhing, daß diese Verfassung und ihre Institutionen die sozialen Verteilungskonflikte lösen konnten, standen beim Scheitern des Sozialstaats auch dessen Verfassungsgrundlagen zur Disposition. So hat sich die parlamentarische Demokratie in Deutschland in ihrem Bestreben, starker Staat zu sein, selbst den Boden unter den Füßen fortgezogen.

Die parlamentarischen Kräfte erwiesen sich in dieser Lage als hilflos. Als die Reichstagsmehrheit im Juli 1930 unpopuläre Maßnahmen zur Haushaltssanierung ablehnte, griff der neue Reichskanzler, der Zentrumsparlamentarier Heinrich Brüning (1885–1970), zu dem Notmittel, das die Reichsverfassung in Artikel 48 bereithielt, und erließ die notwendigen Gesetze als Notverordnungen, die vom Reichspräsidenten ohne Beteiligung des Parlaments verkündet werden konnten. Damit war ein neues Blatt der Verfassungsgeschichte aufgeschlagen, oder vielmehr ein altes.

Denn mit der Selbstausschaltung des Parlaments und mit einer Regierung, die allein das Vertrauen des Staatsoberhauptes besaß, war man eigentlich wieder beim monarchischen Konstitutionalismus des 19. Jahrhunderts angelangt, mit dem Reichspräsidenten v. Hindenburg als «Ersatzkaiser». Und in der Tat funktionierte der Artikel 48, die Weimarer «Ersatzverfassung», eine Zeitlang recht gut, wenn es darum ging, schnelle Maßnahmen zur Haushalts- und Finanzpolitik und zur Durchsetzung der Staatsautorität gegen die zunehmende politische Gewaltkriminalität auf den Straßen von rechts wie links zu ergreifen.

Eine durchgreifende Politik in Zeiten der Krise kann nie populär sein. Die Politik Brünings war es um so weniger, als seine «Deflationspolitik», die radikale Einschränkung der Staatsausgaben, die Arbeitslosigkeit noch zusätzlich hochtrieb. Die enormen sozialen Kosten nahm der Kanzler in Kauf, weil sie ein unwiderlegliches Argument bei seinem Bemühen darstellten, die Reparationen endgültig zu beseitigen, indem so die Diskrepanz zwischen dem deutschen Erfüllungswillen und der deutschen Leistungsfähigkeit offenbar wurde. Insofern war Brünings Wirtschaftspolitik lediglich eine Funktion seiner Außenpolitik, und damit hatte er Erfolg. Ende 1931 stellte ein alliierter Ausschuß die Zahlungsunfähigkeit des Reichs fest und signalisierte damit das Ende der Reparationen, das formell von der Lausanner Konferenz im Juli 1932 beschlossen wurde.

Der Sinn des Hitler-Grußes, Titelblatt der AIZ, John Heartfield, 16. Oktober 1932. Eine antimarxistische, aber «revolutionäre» Massenbewegung war in Marx' und Lenins Drehbuch der Weltgeschichte nicht vorgesehen. Für die orthodoxe Linke blieb deshalb das Phänomen des Nationalsozialismus unerklärlich. Tatsächlich war die hier behauptete Verschwörung von «Monopolkapital» und Hitler eine Chimäre. Hitlers Kapital steckte nicht in den Börsen von Industriemagnaten, sondern in den Köpfen der Menschen.

Eine internationale Abrüstungskonferenz, die seit Februar 1932 in Genf tagte, erkannte zudem grundsätzlich die deutsche Rüstungsgleichberechtigung an. So mußte Brüning den Eindruck haben, sich «hundert Meter vor dem Ziel» zu befinden, wie er sagte, als er am 30. Mai 1932 vom Reichspräsidenten entlassen wurde.

Die Gründe für Brünings Sturz waren zahlreich. Da war die Unzufriedenheit agrarischer Kreise, die sich in der tiefen Verschuldungskrise des ostelbischen Grundbesitzes nicht ausreichend unterstützt glaubten; da war die Reichswehr, die meinte, die Unterstützung des «vorzüglichen Menschenmaterials» der NSDAP für ihre Aufrüstungs- und Milizpläne zu benötigen, und die ihre Interessen durch ein SA-Verbot gestört sah. Hinzu kam die zutreffende Vermutung Hindenburgs, daß der Kanzler unpopulär sei. Der Nachfolger, der in der Öffentlichkeit weithin unbekannte konservative Zentrums-Hinterbänkler Franz v. Papen (1879–1969), dessen adlig-agrarisches «Kabinett der Barone» am 1. Juni 1932 präsentiert wurde, besaß öffentliche Unterstützung allerdings in noch weit geringerem Maße. Um sich parlamentarische Rückendeckung durch die NSDAP zu verschaffen, erfüllte er Hitlers Forderungen nach Aufhebung des SA-Verbots und Reichstagsauflösung. Da die schwarz-rot-goldene preußische Staatsregierung, trotz schwerer Wahlverluste nach wie vor geschäftsführend im Amt, ebenso scharf gegen nationalsozialistische wie gegen kommunistische Straßenkrawalle vorging, ließ sich Papen am 20. Juli 1932 durch Notverordnung des Reichspräsidenten zum Reichskommissar für Preußen ernennen und jagte Ministerpräsident Otto Braun und die übrigen preußischen Minister aus ihren Ämtern. Die für die innenpolitischen Machtverhältnisse wichtige preußische Verwaltung und Polizei unterstanden jetzt der Reichsexekutive.

Die Ergebnisse der Reichstagswahl vom 31. Juli 1932 entsprachen der aufgeputschten Zeitstimmung. Die NSDAP hatte ihren ohnehin hohen Stimmenanteil nahezu verdoppelt, der bürgerliche Block war dramatisch zusammengeschmolzen. Die absolute Parlamentsmehrheit befand sich nunmehr bei KPD und NSDAP, die diese Lage gerne nutzten, um Arm in Arm staatliche Maßnahmen zu sabotieren, ohne aber naturgemäß regierungsfähig zu sein. Um der Gefahr zu entgehen, daß der neue Reichstag Papen per Mißtrauensvotum stürzte, wurde das Parlament am Tag seines ersten Zusammentritts erneut aufgelöst. Eine beispiellose Welle politischer Gewalttaten überrollte das Land, und da erneute Reichstagswahlen am 6. November 1932 keine erheblichen Veränderungen erbracht hatten – allerdings waren die NS-Stimmen zurückgegangen, was zu Hoffnung Anlaß gab –, ernannte Hindenburg schließlich den Inhaber der eigentlichen Macht im Staat, den Reichswehrminister Kurt v. Schleicher (1882–1934), zum Reichskanzler.

Schleicher verfolgte den verzweifelten Plan einer «Querfront» aus den Gewerkschaftsflügeln aller Parteien zur Unterstützung seiner Politik und einer Spaltung der NSDAP, indem er den stärksten innerparteilichen Konkurrenten Hitlers, den NSDAP-Organisationsleiter Gregor Strasser,

WIR WÄHLEN HINDENBURG!

Albert Grzesinski,
der Polizeipräsident von Berlin

Dr. Bernhard Weiss,
sein Vizepräsident

Georg Bernhard,
Demokrat, einer M.d.R. und Chefredakteur der "Vossischen Zeitung", ihrem Sprecher des Widerrufs-Ultimatums

Dr. h. c. Hirtsiefer,
Preußischer Minister für das Wohlfahrt der Volker

Dr. Magnus Hirschfeld,
bekannter Gerichtssachverständiger in Sexualfällen und Vorkämpfer gegen die Paragraphen 175 und 218

Otto Hörsing,
einst Kommandierender General der Reichswehren

Dr. Bell,
Unterstützer der Sowjet-Verträge

Dr. Rudolf Hilferding,
einst Wiener Arzt, Führer der SPD, Reichsfinanzminister während der Inflation

Minister Stegerwald,
Reichsarbeitsminister, Mitglied des Zentrums

Crispien,
Sozialdemokrat, der beim Vaterland keine, bei Deutschland half

Wir wählen Hitler!

Hermann Göring,
Hauptmann und Flieger im Weltkrieg

Alfred Rosenberg,
bekannter Außenpolitiker der N.S.D.A.P., Chefredakteur des "Völkischen Beobachter"

General v. Epp,
der Befreier Münchens

Hauptmann Röhm,
Frontsoldat, im Weltkrieg verschollen, heute Führer der gesamten SA

General Litzmann,
der Löwe von Brzeziny

Gregor Strasser,
der Organisator der N.S.D.A.P.

Hans Schemm,
Führer der nationalsozialistischen Lehrer

Graf Helldorff,
Führer der Berliner SA

Dr. Goebbels,
Führer der Berliner Nationalsozialisten und Reichspropagandaleiter der N.S.D.A.P.

Dr. Frick,
erster Minister der N.S.D.A.P.

Schau Dir diese Köpfe an, und Du weißt, wohin Du gehörst!

194

umwarb. Schleichers Plan scheiterte jedoch. Der Parteivorstand der SPD untersagte es den Führern der Freien Gewerkschaften, sich mit Schleicher einzulassen, und Strassers Revolte fand ein schnelles Ende. Schleicher versuchte jetzt, Hindenburg zur erneuten Reichstagsauflösung zu bewegen, aber Hindenburg war des Regierens mit dem Artikel 48 müde. Er beauftragte Papen erneut, eine mit parlamentarischer Rückendeckung arbeitende Regierung zu bilden. Papen verhandelte zunächst mit Hugenberg, dem Vorsitzenden der DNVP, und anschließend mit Hitler, der eine Regierungsbeteiligung unter der Voraussetzung zusagte, daß er selbst das Reichskanzleramt erhielte; mit konservativen Freunden Hindenburgs und Papens als Kabinettsmitgliedern war er jetzt einverstanden. Nachdem Hitler bisher alles oder nichts gefordert hatte, schien er jetzt bescheiden und gemäßigt; Papen und Hugenberg stimmten zu.

Der Reichspräsident hatte sich bis zuletzt gegen Hitlers Ernennung zum Reichskanzler gesträubt, doch auf die Dauer war er nicht in der Lage, seinen Beratern zu widerstehen, die ausnahmslos eine Regierung der «nationalen Konzentration» unter der Führung Hitlers befürworteten. Hitler forderte auch nicht, wie die Kanzlerkandidaten vor ihm, das Regieren mit Notverordnungen, sondern er kündigte Neuwahlen zum Reichstag an, die letzten, wie er mit verborgenem Doppelsinn mitteilen ließ. Danach werde eine breite parlamentarische Mehrheit aus NSDAP und DNVP ein Kabinett Hitler-Hugenberg stützen. Auf Hindenburg wirkte das beruhigend: Hitler würde mit konservativen Vertrauensmännern des Reichspräsidenten umgeben sein, und die Last der Verantwortung für das Notverordnungsregime, das dauernde Balancieren am Rand des Verfassungsbruchs, schien von Hindenburgs Schultern genommen. Dennoch, er zögerte. Aber gezielt fabrizierte und unzutreffende Gerüchte, nach denen Schleicher beabsichtigte, gegen den Reichspräsidenten zu putschen, gaben Hindenburg den letzten Anstoß. Zu Hitler, glaubte er jetzt, gebe es keine Alternative mehr. Am 30. Januar 1933 ernannte Hindenburg Hitler zum Reichskanzler, schlug die Todesstunde der Republik von Weimar.

Wir wählen Hindenburg! – Wir wählen Hitler!
Wahlplakat der NSDAP zur Reichspräsidentenwahl 1932. Im Frühjahr 1932 war Hindenburgs Amtszeit als Reichspräsident abgelaufen. Bei den Kandidaturen für die neue Amtsperiode ergaben sich kuriose Bündnisse: Während der «Stahlhelm», dessen Ehrenvorsitzender Hindenburg war, seinen eigenen Vorsitzenden Duesterberg nominierte, die NSDAP Hitler und die KPD Thälmann aufstellten, war Hindenburg gezwungen, sich auf die Parteien der Weimarer Koalition zu stützen, von denen er sich seit 1930 hatte absetzen wollen. Erst der zweite Wahlgang am 10. April 1932, in dem nur noch Hitler und Thälmann gegen ihn antraten, brachte mit 53% der Stimmen den Sieg für Hindenburg. Hitler erhielt immerhin 37% der Stimmen; die antisemitische Giftbrühe, mit der seine Propaganda die Politiker der Republik übergoß, hatte ihre Wirkung getan.

XI. Großdeutscher Wahn (1933–1942)

Niemand zweifelte am Abend des 30. Januar 1933 daran, daß die Republik von Weimar tot war, aber von der Zukunft herrschten unterschiedliche Vorstellungen. Leidenschaftliche Erregung fand sich nur bei den Anhängern der nationalsozialistischen Partei, die diesen Tag feierten wie das Erscheinen des Messias. Die Öffentlichkeit dagegen verhielt sich weniger bewegt, als das die schnell anlaufende Propagandamaschinerie der neuen Regierung wahrhaben wollte. Der britische Botschafter meldete aus Berlin, die Presse habe «die Ernennung des Herrn Hitler zum Reichskanzler mit beinahe philosophischer Ruhe hingenommen», und fügte hinzu, daß «die Bevölkerung gleichmütig darauf reagierte». Die einstigen parlamentarischen Kräfte dachten gar nicht daran, sich zur Abwehr der Gefahr zusammenzuschließen. In den Führungszirkeln der Sozialdemokratie verglich man die Gegenwart mit dem Sozialistengesetz Bismarcks; schlimmer, meinte man, könne es kaum kommen. Den konservativen Helfern Hitlers schien die Zukunft erfreulich. Man glaubte Hitler von konservativen Ministern «eingerahmt». Papen versicherte einem Bekannten: «Was wollen Sie denn; ich habe das Vertrauen Hindenburgs. In zwei Monaten haben wir Hitler in die Ecke gedrückt, daß er quietscht.»

Man muß bedenken, um solche Töne zu verstehen, daß es keine Erfahrung gab, auf die die Zeitgenossen im Jahr 1933 bei der Beurteilung des nationalsozialistischen Regimes zurückgreifen konnten. Der Zweite Weltkrieg und Auschwitz lagen noch im Dunkel der Zukunft, und die wenigen Menschen, die Hitlers Programmschrift *Mein Kampf* gelesen hatten, neigten dazu, das Gelesene nicht ernst zu nehmen – war es doch allgemeine Erfahrung, daß ideologische Grundsatzerklärungen eines, praktisches politisches Handeln aber etwas ganz anderes war. Im übrigen war die Wendung zum autoritären Regime nichts Unerhörtes. Seit 1930 hatte man sich daran gewöhnt, daß es eine parlamentarische Kontrolle der Politik kaum gab, und sah man sich in Europa um, dann erblickte man in den meisten Fällen Ähnliches. In den meisten europäischen Staaten regierten Diktatoren, und wo das nicht der Fall war,

SA-Aufmarsch auf dem Nürnberger Reichsparteitag 1933, Gouache, Ernst Vollbehr, 1933. Auf den Reichsparteitagen, die jährlich Anfang September in Nürnberg stattfanden, wurde die vom Nationalsozialismus erstrebte Volksgemeinschaft zum sinnlichen Erlebnis. Die Tagungen und Treffen waren dabei eher nebensächlich; im Vordergrund standen die sorgfältig choreographierten Massenaufmärsche, Paraden, Appelle, Totengedenken und Waffenvorführungen. Dem Maler Vollbehr ist es gelungen, das Wesentliche dieser Rituale einzufangen: Der Einzelne wird unsichtbar, Punkt in einer gewaltigen geometrischen Staffage aus präzise ausgerichteten Uniformen. Über diesem gleichsam maschinellen Muster aus Menschen steht hervorgehoben als einzige erkennbare Person der «Führer», über sich wie ein Ausrufezeichen die blutrote Hakenkreuzfahne.

Unbeugsamer Glaube, Gedenkpostkarte, 1933. Hitlers Erfolg bestand unter anderem darin, daß er mit dem Gefühlsdefizit rechnete, das andere Parteien unberücksichtigt ließen: «Die Triebkraft zu den gewaltigsten Umwälzungen auf dieser Erde lag zu allen Zeiten weniger in einer die Masse beherrschenden wissenschaftlichen Erkenntnis als in einem sie beseelenden Fanatismus und manchmal in einer sie vorwärtsjagenden Hysterie. Wer die breite Masse gewinnen will, muß den Schlüssel kennen, der das Tor zu ihren Herzen öffnet. Er heißt nicht Objektivität, also Schwäche, sondern Wille und Kraft.» (Hitler, Mein Kampf)

Unbeugsamer Glaube u. fanatischer Siegeswille führten zum 30. Januar 1933.

wie in Frankreich, da herrschte innenpolitische Unsicherheit, die nicht gerade für die Demokratie warb. Der Eindruck war verbreitet, daß in der großen Wirtschaftskrise die Demokratien abgewirtschaftet hatten, daß jetzt eine Zeit der starken Männer gekommen sei – Italiens Mussolini stand dabei vor jedermanns Augen, ein Diktator, der selbst von Liberalen wie Theodor Wolff, Chefredakteur des «Berliner Tageblatts», und von Sozialisten wie Kurt Hiller offen bewundert wurde. Worin Hitler in der Öffentlichkeit völlig falsch eingeschätzt wurde, das war, daß er eben kein Politiker, sondern Ideologe und Revolutionär war, daß die herkömmlichen Kategorien der europäischen Politik ihm fremd und gleichgültig waren und daß er letzten Endes nur ein Ziel besaß: die Errichtung der Weltherrschaft einer überlegenen Rasse auf den Knochen der Unterlegenen – und daß er dieses Ziel stets und fanatisch, wenn auch oft hinter einem Schleier taktischer Manöver, im Auge behielt.

Um dieses Ziel zu erreichen, mußte zunächst die Herrschaft des Nationalsozialismus unumkehrbar, mußte Deutschland von der Partei Hitlers vollkommen durchdrungen sein. Was gemeinhin als «Machtergreifung» bezeichnet wird, war in Wirklichkeit ein anderthalb Jahre währender Prozeß. Der erste Schritt bestand in der Beseitigung der partikularen Elemente in der deutschen Politik, also der Parteien und der Länder. Wahrscheinlich war der Reichstagsbrand vom 27. Februar 1933 keine geplante nationalsozialistische Provokation, sondern das Werk eines einzelnen Anarchisten, aber für die Folgen spielte das keine Rolle: Die daraufhin erlassene «Verordnung zum Schutz von Volk und Staat» setzte die Grundrechte der – formal weiterexistierenden – Weimarer Verfassung außer Kraft und begründete einen permanenten Ausnahmezustand, der es dem Regime ermöglichte, die Jagd auf seine Gegner mit dem Schein des Rechts zu umgeben. Die SA, die bereits seit Ende Januar auf mehr oder weniger eigene Faust alle Andersdenkenden terrorisierte und in «wilde» Konzentrationslager verschleppte, folterte und mordete, wurde zur Hilfspolizei erklärt. In diesem Klima der Einschüchterung fanden die letzten Mehrparteienwahlen am 5. März 1933 statt, doch selbst unter diesen Umständen gewann die NSDAP nur 43,9% der Wählerstimmen. Sie ist also niemals von der Mehrheit des deutschen Volkes gewählt worden, denn die späteren Plebiszite mit ihren Ergebnissen von mehr als 90% fanden bereits unter den besonderen Bedingungen einer totalitären Diktatur statt, unter denen solche Wahlresultate üblich sind.

Dem neuen Reichstag, dem bereits keine kommunistischen Abgeordneten mehr angehörten – die KPD war aufgrund der Reichstagsbrandverordnung verboten –, legte Hitler am 23. März 1933 ein «Ermächtigungsgesetz» vor, mit dessen Hilfe das Parlament und die verfassungsmäßigen Kontrollorgane endgültig ausgeschaltet werden sollten, indem die Regierung das Recht erhielt, Gesetze ohne die Mitwirkung des Reichstags und des Reichsrats zu erlassen. Die Parteien standen vor der Frage, ob sie sich selbst entmachten sollten. Mit einer Ausnahme stimmten sie aber schließlich, durch eine Mischung von Zwang und Lockung bewogen, dem Gesetz zu. Die eine rühmliche Ausnahme stellte die SPD-Fraktion dar, die trotz schärfsten Terrors gegen das «Ermächtigungsgesetz» stimmte und deren Vorsitzender Otto Wels vor einer Kulisse grölender SA-Leute es sich nicht nehmen ließ, einen tapferen Abgesang auf die tote Demokratie zu halten.

Nachdem die sozialdemokratischen Freien Gewerkschaften trotz ihrer Versuche, sich mit dem neuen Regime zu arrangieren, am 2. Mai 1933 verboten worden waren, wurde einen Monat später auch die SPD aufgelöst, viele ihrer Funktionäre wurden in Konzentrationslager verschleppt, manche ermordet; die bürgerlichen Parteien zogen es vor, sich freiwillig, wie es im Jargon der Zeit hieß, «gleichzuschalten». Mitte 1933 gab es in Deutschland nur noch eine Partei, die Partei Adolf Hitlers. Und auch die Selbständigkeit der Länder, ältestes Erbe der deutschen Geschichte, wurde in wenigen Monaten brutal und staatsstreichartig beseitigt. An die Stelle der Ministerpräsidenten traten Reichsstatthalter, der revolutionäre Einheitsstaat war Wirklichkeit geworden.

Machtergreifung hieß aber nicht nur, hinderliche Konkurrenz auszuschalten, sondern sich auch der staatlichen Machtinstrumente zu bemächtigen. Die zwei Säulen staatlicher Macht waren Bürokratie und Militär. Mit dem «Gesetz zur Wiederherstellung des Berufsbeamtentums» vom 7. 4. 1933 wurden mißliebige, namentlich demokratische, liberale und vor

Durch Licht zur Nacht, Titelblatt der AIZ, John Heartfield, Prag, 10. Mai 1933. Die «Arbeiter-Illustrierte-Zeitung», eine der KPD nahestehende Zeitschrift mit intellektuellem Anstrich, erschien am 10. Mai 1933 bereits in Prag. Im Hintergrund der Photomontage brennt der Reichstag, im Vordergrund steht der nationalsozialistische Reichsminister für «Volksaufklärung und Propaganda» Joseph Goebbels (1897–1945) in charakteristischer Rednerpose, daneben ein Scheiterhaufen brennender Bücher. Am selben Tag war, organisiert von der Deutschen Studentenschaft, auf dem Berliner Opernplatz und in anderen Universitätsstädten «undeutsches Schrifttum» verbrannt worden, hauptsächlich Bücher, die den Ruhm der Weimarer Kultur ausgemacht hatten und die jetzt als «zersetzende Schriften nicht tragbarer Autoren» der «Säuberung» anheimfielen und den Flammen übergeben wurden.

allem jüdische Beamte willkürlich entlassen und durch nationalsozialistische Parteigänger ersetzt. Mit der Reichswehr hatte es das Regime schwerer; sie war gegen Hitler und seine Partei, abgesehen von einigen jungen Offizieren, skeptisch bis feindselig eingestellt, denn das proletenhafte und prahlerische Gehabe der Nationalsozialisten mißfiel vielen konservativen Offizieren. Das galt vor allem für die Parteiarmee, die SA, die immer lauter eine zweite Revolution forderte, eine «Nacht der langen Messer» gegen die Bastionen des Bürgertums und des konservativen Staatsapparates, und die den Anspruch erhob, die eigentliche Armee des nationalsozialistischen Staats zu sein. Für die Reichswehr, die in sich den einzigen Garanten des Staats sah, war das eine freche Anmaßung.

In diesem Punkt trafen sich allerdings die Interessen der Reichswehrführung mit denen Hitlers, der nicht nur Realist genug war, um zu sehen, daß das Machtinstrument Reichswehr nützlicher als das der SA war, sondern der auch den Ehrgeiz und die revolutionäre Unruhe des Stabschefs der SA, Ernst Röhm, zu fürchten begann. So kam es, daß die Reichswehr sich an der Beseitigung und Ausschaltung der SA im Rahmen des sogenannten Röhm-Putschs am 30. Juni 1934 beteiligte und damit auch an den Morden mitschuldig wurde, denen anschließend eine große Zahl weiterer Hitler-Gegner zum Opfer fielen. Daß die Reichswehr sogar stillhielt, obwohl ihre Generäle Schleicher und Bredow umgebracht wurden, machte ihre Führung zu Komplizen des Unrechtsstaats, dessen Prinzip im Anschluß an die Mordwelle der Staatsrechtler Carl Schmitt formulierte: «Der Führer schützt das Recht.» Die Willkür des Diktators war damit zum obersten Gesetz erhoben.

Aber es ging nicht nur darum, die Instrumente des Staats zu beherrschen. Eine totalitäre Diktatur ist erst dann gefestigt, wenn sie die Köpfe der Menschen beherrscht. Liberale, demokratische, sozialistische Geister wurden verfolgt und zur Auswanderung gezwungen, soweit sie nicht in Konzentrationslagern verschwanden, ihre Bücher wurden öffentlich verbrannt, ihre Bilder, ihre Musik als «undeutsch» und «entartet» diffamiert. Von September 1933 an wurde das kulturelle Leben in Deutschland weitgehend vom Propagandaminister Joseph Goebbels über die neugeschaffene «Reichskulturkammer» im Dienst des nationalsozialistischen Staates gesteuert, wenn auch bis Kriegsausbruch Reservate für unangepaßte Schriftsteller und Künstler bestehen blieben.

Der Griff nach dem Geist ging weiter. An den Universitäten wurden mißliebige Professoren und Dozenten entlassen, oft genug zur Emi-

AM 10. MAI WERDEN IN DEUTSCHLAND ALLE MISSLIEBIGEN BÜCHER VERBRANNT

DURCH LICHT ZUR NACHT

Also sprach Dr. Goebbels: Lasst uns aufs neue Brände entfachen, auf dass die Verblendeten nicht erwachen!

Bilder deutscher Rassen 1

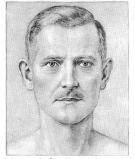

Formen: Großwüchsig, schlank; langköpfig, schmalgesichtig; Nase schmal; Haar wellig.

Nordische Rasse

Farben: Sehr hell, Haar goldblond, Augen blau bis grau, Haut rosig-weiß.

Formen: Sehr großwüchsig, wuchtig; langköpfig, breitgesichtig; Nase ziemlich schmal; Haar wellig oder lockig.

Fälische Rasse

Farben: Hell, Haar blond, Augen blau bis grau, Haut rosig-weiß.

Formen: Kleinwüchsig, schlank; langköpfig, mittelbreitgesichtig; Nase ziemlich schmal; Haar wellig oder lockig.

Westische Rasse

Farben: Sehr dunkel, Haar schwarz, Augen schwarz, Haut hellbraun.

202

gration gezwungen, während nicht wenige ihrer Kollegen sich beeilten, die einst staatsfernen Bildungsstätten den braunen Machthabern zu Füßen zu legen. Ähnliches spielte sich in den Kirchen ab. In der evangelischen Kirche breitete sich die Bewegung der «Deutschen Christen» aus, die an Volkstumsideologie und Führerprinzip orientiert war. Gegen sie formierte sich mit der Barmer Bekenntnissynode vom Mai 1934 die «Bekennende Kirche», die trotz staatlicher Drangsalierungen und Verhaftung ihrer Mitglieder nicht müde wurde, sich scharf mit dem Nationalsozialismus auseinanderzusetzen. Im Klerus der katholischen Kirche fehlte es nicht an Sympathien für das neue Regime, vor allem seit dem Abschluß des Reichskonkordats vom 20. Juli 1933; doch gab es auch hier, vor allem seit dem Bekanntwerden der nationalsozialistischen Euthanasiepläne, einen zunehmenden Widerstand, der bereits mit der päpstlichen Enzyklika «Mit brennender Sorge» von 1937 einen Höhepunkt fand.

Und wo der Griff nach dem Geist nicht genügte, da setzte der staatliche Terror ein, verbunden mit den Namen Heinrich Himmler und Reinhard Heydrich und mit dem Signum SS, der kleinen nationalsozialistischen Eliteeinheit, die sich zur Polizeimacht des Dritten Reichs und damit zu einem allmächtigen Terror-, Säuberungs- und Erziehungsinstrument wandelte. Von der Zentrale in der Berliner Prinz-Albrecht-Straße mit ihren Verwaltungsräumen und Folterkellern, dem Gestapohauptquartier und dem Reichssicherheitshauptamt reichte das Netz des SS-Staats ebenso in die Polizeibehörden wie in die finstere Welt der Konzentrationslager, in die SS-Verfügungstruppe als Kern der späteren Waffen-SS wie in das Rasse- und Siedlungshauptamt, das der Umsetzung der Hitlerschen Rassedoktrin verpflichtet war. Von hier aus wurde der Kampf gegen die Gegner des Regimes geführt, gegen die politischen und ideologischen ebenso wie gegen die rassischen, und das hieß in erster Linie: gegen die Juden.

Die verquaste, manichäische Rassendoktrin des Nationalsozialismus benötigte als Gegenbild des heils- und lichtbringenden Ariertums eine Gruppe, die lediglich kraft objektiver Zugehörigkeit zu einer bestimmten Rasse alles Böse, Schlechte und Abartige verkörperte, und diese satanische Außenseiterposition zu besetzen, fiel angesichts einschlägiger tausendjähriger Traditionen Europas nicht schwer: Es waren die Juden. Eine konsequente, von langer Hand vorbereitete Planung der Judenverfolgung hat es allerdings nicht gegeben; sie hing von außen- und innenpolitischen Gegebenheiten ab, gehörte aber stets zu den letzten, den ideologischen

Bilder deutscher Rassen, Schautafel, 1935. Der Nationalsozialismus ging von der «werthaften» Ungleichheit der «Rassen», also von Menschengruppen gleicher Körpertypen, aus. In der rassischen Rangordnung standen die «Arier» auf dem höchsten, die Juden auf dem niedrigsten Rang. Was «Arier» genau sein sollten, war nicht völlig klar, doch galt als feststehend, daß neben Skandinaviern und Engländern nur die Deutschen über die notwendige «Rassereinheit» verfügten, um ein Recht auf Weltherrschaft zu behaupten. Als Sachwalter «deutscher Rassereinheit» verstand sich der ehemalige Geflügelzüchter und Reichsführer SS, Heinrich Himmler, der seine schwarzuniformierte Truppe zum «Orden germanischer Sippen» erklärte, deren Eheschließungen nach streng rassischen Ausle- semerkmalen stattfanden.

Reichsautobahnen in Deutschland, Plakat, um 1936. Schon in den letzten Jahren der Weimarer Republik wurde nach amerikanischen Vorbildern der Bau von Autobahnen geplant; der Bau der Strecke Hamburg – Frankfurt – Basel blieb aber in der Weltwirtschaftskrise stecken. Der Nationalsozialismus, der die Pläne wieder aufnahm und vorantrieb, machte daraus ein spektakuläres Neubau- und Arbeitsbeschaffungsprogramm – 1936 waren etwa 120 000 Arbeiter beim Trassenbau beschäftigt, wobei an maschinellen Hilfsmitteln bewußt gespart wurde, um mehr Arbeitskräfte einsetzen zu können. Der militärisch-strategische Wert der Autobahnen war gering, und seit 1936 gingen die Arbeiten erheblich zurück, weil die Rüstungsindustrie Arbeitskräfte und Rohstoffe beanspruchte.

Zwecken des Regimes. Terror- und Propagandaakte der Partei «von unten», von dem von Goebbels inszenierten Judenboykott vom 1. April 1933 bis zur «Reichskristallnacht» vom 9. November 1938, wechselten ab mit staatlich-gesetzlichen Maßnahmen «von oben». Da war bereits das «Gesetz zur Wiederherstellung des Berufsbeamtentums», mit dessen Hilfe jüdische Beamte entlassen werden konnten, gefolgt vom «Wehrgesetz» vom 21. Mai 1935, das Juden vom «Ehrendienst am deutschen Volke» ausschloß. Endgültig zu Bürgern minderen Rechts wurden die deutschen Juden durch die «Nürnberger Gesetze» vom 15. September 1935, mit denen die Verleihung politischer Rechte und Ämter von «Ariernachweisen» abhängig gemacht, den Juden das Reichsbürgerrecht vorenthalten und die Eheschließung zwischen Juden und Nichtjuden verboten wurde. Mit diesen Gesetzen, durch die der Rechtsstaat pervertiert und verbogen wurde, hatte die Verfolgung und ständige Diskriminierung der deutschen Juden ihre juristische Grundlage erhalten.

Verfolgung und Gewalt waren die eine Seite des Regimes, Verführung und Faszination die andere. Das begann bereits damit, daß es kaum eine gesellschaftliche Gruppe, kaum ein politisches Interesse, kaum eine kollektive Hoffnung gab, die nicht in irgendeiner Weise vom Nationalsozialismus gestützt und genährt wurde. Die Arbeiterschaft wurde durch spektakuläre Arbeitsbeschaffungsmaßnahmen wie dem Bau der Autobahnen, durch sinkende Arbeitslosenzahlen, durch verbesserte soziale Leistungen in den Betrieben und durch Massenaktivitäten im Zeichen von «Kraft durch Freude» beeindruckt. Handwerk und Kleinhandel profitierten von der Mehrbesteuerung der verhaßten Warenhäuser und von einer verschärften Zulassungspraxis bei der Gründung von Meisterbetrieben, die Bauern von landwirtschaftlichen Schutzzöllen und der Erhöhung der inländischen Agrarpreise, die Industriellen vom Ende der betrieblichen Mitbestimmung, dem Fortfall von Tarifkonflikten und von den zunehmenden Staatsaufträgen, vor allem im Rüstungsbereich. Und so ging es sämtlichen Berufen, Ständen und Organisationen: In irgendeiner Hinsicht profitierte fast jeder Volksgenosse, und zwar nicht nur materiell, sondern, fast noch wichtiger, ideell.

Denn das war der eigentliche Kern des nationalsozialistischen Erfolgs im Innern: Anders als die nüchterne, rationalistische Demokratie befriedigte die Diktatur die Gefühle, die Emotionen. Der Appell an Traditionen spielte eine große Rolle, ob nun beim «Tag von Potsdam» am 21. April 1933, an dem das Regierungsbündnis von revolutionären Nationalsozialisten mit preußisch-konservativen Deutsch-Nationalen unter manipula-

REICHSAUTOBAHNEN IN DEUTSCHLAND

tiver, aber wirkungsstarker Berufung auf den Geist Friedrichs des Großen
zelebriert wurde, oder beim jährlich stattfindenden Erntedankfest auf
dem Bückeberg bei Hameln, wo glanzvolle Huldigungen an bäuerliches
Brauchtum dazu dienten, den agrarischen Mittelstand an den neuen
Staat zu binden. Die Inszenierung von Politik, die Übersetzung von
Schlagworten in prunkvolle Theatralik, die Durchmischung des Alltags
mit sinnstiftenden Symbolen: Kein Regime war jemals so perfekt in
diesen Techniken wie das nationalsozialistische. Von den Olympischen
Spielen in Berlin 1936 bis zu den jährlichen Reichsparteitagen in Nürnberg wurde mit präzis und überwältigend choreographierten Massenauf-

märschen, gottesdienstähnlichen Kulthandlungen, magischen Erlösungsritualen das Erlebnis der überwältigenden Größe der Nation und der unverbrüchlichen Volksgemeinschaft gefeiert und tief in die Empfindungen der Teilnehmer eingesenkt. Selbst der britische Botschafter Henderson schwärmte in seinen Berichten aus Nürnberg von der «Schönheit der Darbietung» und von den Domen aus Licht: «Als ob man sich in einer Kathedrale aus Eis befände.»

Der Lichtdom aus Dutzenden von Flakscheinwerfern verdeutlichte mehr als jedes andere Symbol den Doppelcharakter des nationalsozialistischen Gefühlsappells: äußerste Modernität, gepaart mit tiefstem Archaismus. Dieser Kontrast war typisch für die Selbstdarstellung des Dritten Reichs – auf der einen Seite Autobahnen, Mercedes-Silberpfeile, Volksempfänger, Volkswagen, das erste Düsenflugzeug der Welt, auf der anderen Seite Germanenmythen, Ordensburgen und Sonnwendfeiern. Modernste Technik und Totenbeschwörung flossen in eins.

Zur unleugbaren Zustimmung der Bevölkerungsmehrheit zum Hitler-Regime trug auch bei, daß das Regime, in scharfem Kontrast zu seinen unglücklichen demokratischen Vorgängern, von einem außenpolitischen Erfolg zum anderen schritt. Dabei wurde in der Öffentlichkeit nicht sichtbar, was tatsächlich hinter den außenpolitischen Aktivitäten des

Jugend dient dem Führer, Plakat um 1939. Mit der Hitler-Jugend, seit 1936 durch Gesetz «Staatsjugend», bediente sich der NS-Staat geschickt der jugendlichen Sehnsüchte nach Gemeinschaft und Lagerfeuerromantik. Seit 1940 war die Mitgliedschaft in HJ oder «Bund deutscher Mädel» für alle Jugendlichen Pflicht. Welche Aufgabe die HJ besaß, erklärte Hitler auf dem Reichsparteitag von 1935: «Der Knabe, er wird eintreten in das Jungvolk, und der Pimpf, er wird kommen zur Hitlerjugend, er wird dann einrücken zur SA, in die SS und in die anderen Verbände, und die SA-Männer und die SS-Männer werden eines Tages einrücken zum Arbeitsdienst, und in den Organisationen wird er zum Soldaten des Volkes reifen...»

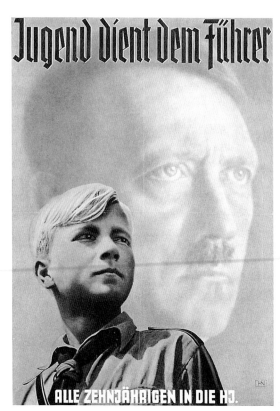

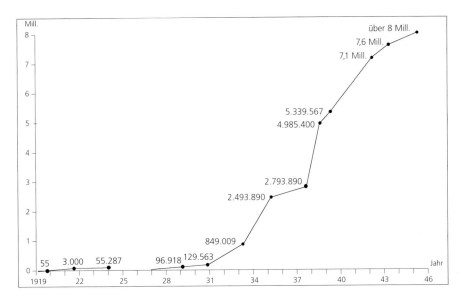

Mitgliederzahlen der NSDAP 1919–1945.
Nicht nur in ihrer sozialen Zusammensetzung wurde die NSDAP zunehmend zu einer Volkspartei, sondern auch, was ihre Mitgliedszahlen anging. Die Kurve spiegelt historische Wendepunkte: Niedergang der Partei nach dem Hitler-Putsch 1923, allmählicher Anstieg in den Krisenjahren seit 1928, Beitrittsschübe nach der «Machtergreifung», der Annexion Österreichs 1938 und in der Zeit der Siege bis 1942, aber in geringerem Maße auch danach. 1945 war jeder fünfte erwachsene Deutsche Parteimitglied.

Dritten Reichs stand: Daß nämlich Hitler vom ersten Tag seiner Reichskanzlerschaft an den großen Krieg wollte, und mit ihm nicht nur die Revision von Versailles, sondern völkischen Lebensraum und rassische Weltherrschaft. Bereits vier Tage nach seiner Ernennung zum Reichskanzler hatte er sich vor den Befehlshabern der Reichswehr völlig unverblümt zur «Eroberung neuen Lebensraums im Osten und dessen rücksichtslose[r] Germanisierung» bekannt – leider wissen wir nichts über die Reaktion der Generäle. Taktisch geschickt signalisierte Hitler die deutsche Bereitschaft zu außenpolitischer Verständigung, was die kritischen und feindseligen Reaktionen bei den westlichen Demokratien auf die «Machtergreifung» dämpfte, während er zugleich die Kriegsvorbereitungen vorantrieb.

Die Abstimmung im Saargebiet vom 13. Januar 1935, das damit wieder in das Reich eingegliedert wurde, mehr noch das deutsch-britische Flottenabkommen vom 18. Juni 1935 führten Hitler als erfolgreichen Politiker, die Westmächte dagegen als rückzugsbereit vor. Dieser Eindruck vollendete sich, als Hitler am 16. März 1935 unter Bruch des Versailler Vertrages die deutsche Aufrüstung im Verein mit der Wiedereinführung der allgemeinen Wehrpflicht proklamierte. Ein Jahr später besetzte die Wehrmacht das entmilitarisierte Rheinland, ohne daß England und Frankreich mehr hören ließen als formale Proteste. Im selben Jahr wurden die «Achse Berlin–Rom» und der Antikomintern-Pakt mit Japan abgeschlossen, beides Bündnisse mit ausdrücklich antisowjetischer Ausrichtung.

Antisemitisches Kinderbuch, Elvira Bauer, Nürnberg (Stürmer-Verlag) 1936. Der nationalsozialistische Rassenantisemitismus unterschied sich durch seine Totalität von früheren Formen der Judenfeindschaft; der religiöse Antisemitismus ließ immerhin den Ausweg der Konversion zu, der kulturelle den der Assimilation. Der Antisemitismus Hitlers dagegen stigmatisierte eine Menschengruppe aufgrund unveränderbarer Merkmale: Wer jüdische Vorfahren hatte, blieb unentrinnbar Jude und damit Gegenstand der paranoiden Wahnideen des Nationalsozialismus. Hitler witterte allenthalben jüdische Zersetzungsarbeit und hielt alle Vorgänge der modernen Welt, die ihn ängstigten, für jüdisch verursacht. Juden mußten deshalb, so Hitler, «aus der menschlichen Gemeinschaft ausgesondert» werden. Als besonders primitives und brutales Mittel antisemitischer Massenbeeinflussung diente die in Nürnberg erscheinende Zeitschrift «Der Stürmer», in deren Verlag das Kinderbuch «Trau keinem Fuchs auf grüner Heid und keinem Jud bei seinem Eid!» erschien.

Die Annäherung Deutschlands an England, die Hitler wünschte, gelang allerdings nicht, zum einen, weil der deutsche Botschafter in London und spätere Reichsaußenminister Joachim v. Ribbentrop eine unverhohlen antienglische Politik betrieb, zum anderen, weil durch das deutschjapanische Bündnis britische Fernostinteressen bedroht waren. Auch das deutsche Eingreifen in den spanischen Bürgerkrieg, wobei namentlich die Luftwaffe auf ihre Kriegstauglichkeit getestet wurde, trug zur Kühle in den deutsch-britischen Beziehungen bei. Auf der anderen Seite wurde im Auswärtigen Amt mit Interesse registriert, wie geradezu ängstlich bemüht die britische Politik war, nicht in europäische Konflikte hineingezogen zu werden, so daß Hitler Anlaß zur Annahme besaß, bei seinen geplanten Schritten zur Ausweitung der deutschen Grenzen weitgehend freie Hand zu haben.

Seit 1936 waren die Vorbereitungen für den bevorstehenden Krieg endgültig angelaufen. Der Vierjahresplan wurde in einer Denkschrift Hitlers damit begründet, die deutsche Wirtschaft müsse in vier Jahren kriegsfähig sein. Von jetzt an war die wirtschaftliche Planung und Produktion auf die Kriegsvorbereitung hin konzentriert. Bei seiner Ansprache vor dem Reichsaußenminister und den Befehlshabern der Waffengattungen am 5. November 1937, niedergelegt im «Hoßbach-Protokoll», traf Hitler allerdings mit seinen osteuropäischen Expansionsplänen auf Widerspruch. Reichsaußenminister Konstantin Freiherr v. Neurath verwies auf die außenpolitischen Risiken, der Heeres-Oberbefehlshaber Werner Freiherr v. Fritsch bezweifelte die wirtschaftliche und militärische Leistungsfähigkeit Deutschlands zu ausgreifenden militärischen Unternehmungen. Ein Jahr später waren beide Kritiker durch willfährige Nachfolger ersetzt.

Am 12. März 1938 marschierte die Deutsche Wehrmacht in Österreich ein, nachdem sichergestellt war, daß England und Italien nicht intervenieren würden. Der Anschluß Österreichs an Deutschland erzeugte begeisterten Jubel in der deutschen und dem größten Teil der österreichischen Bevölkerung: Die Trennung von 1866 war aufgehoben, das Großdeutschland, dem die Liberalen der Paulskirche 1848 ebenso wie die Sozialdemokraten der Weimarer Nationalversammlung von 1919 angehangen hatten, war Wirklichkeit geworden – alptraumhafte Wirklichkeit, was vorerst allerdings nur eine Minderheit von österreichischen Juden, Liberalen, Katholiken und Sozialisten zu spüren bekam, die bei Nacht

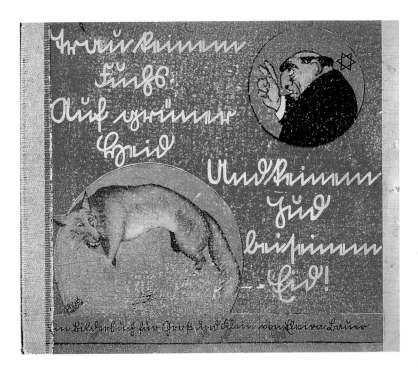

und Nebel verhaftet wurden, soweit sie nicht rechtzeitig emigriert waren.

Der Erfolg zeigte Hitler, daß er von den Westmächten wenig zu fürchten hatte; so faßte er bereits am 28. März 1938 den Entschluß, auch die Tschechoslowakei zu annektieren. Zwei Tage darauf erging an die Wehrmacht der Befehl, die Zerschlagung der Tschechoslowakei vorzubereiten, der Einmarsch wurde öffentlich auf den 1. Oktober 1938 festgelegt. Der Widerstand der Westmächte war wieder schwach und auf diplomatische Aktionen beschränkt. Auf der Münchener Konferenz vom 29. September 1938 erhielt Deutschland von England, Frankreich und Italien das Sudetengebiet zugesprochen, um den Krieg zu vermeiden, und ein zwischen dem britischen Premierminister Chamberlain und Hitler am Tag darauf unterzeichneter deutsch-britischer Nichtangriffspakt bestärkte die westliche Öffentlichkeit in dem Glauben, Hitler werde sich mit einem Kompromiß zufriedengeben und sich durch das Angebot eines «Colonial Appeasement» befriedigen lassen.

Hitler dachte gar nicht daran. Der «Z-Plan» zum Aufbau einer gegen England gerichteten Flotte wurde zur selben Zeit entwickelt, in der Hitler mit Chamberlain über Frieden sprach. Am 15. März 1939 besetzte die Wehrmacht die «Rest-Tschechei» und demonstrierte damit die Wertlosigkeit diplomatischer Abkommen zwischen den westlichen Demokratien und der Hitler-Diktatur. Jetzt erst raffte sich die britische Regierung zu Gegenmaßnahmen auf, indem sie die polnische Unabhängigkeit garantierte und darüber hinaus die alte Vorkriegsallianz mit Rußland zu beleben suchte. Darin allerdings kam Hitler ihr zuvor. Am 23. August 1939 schloß Außenminister Ribbentrop mit Stalin ein Abkommen, das einen deutsch-sowjetischen Nichtangriffspakt zum Gegenstand hatte. In einem geheimen Zusatzabkommen teilten die beiden Diktatoren Ostmitteleuropa in Einflußsphären auf; die Trennungslinie verlief mitten durch das polnische Staatsgebiet. Hitler glaubte sich fast am Ziel. Er konnte sich nicht vorstellen, daß die Westmächte ihn daran hindern würden, alsbald eine neue polnische Teilung zu vollziehen. Was Hitler damit beabsichtigte, das hatte er dem Völkerbundkommissar in Danzig, Carl Jacob Burckhardt, nach dessen Bericht ganz ungeniert am 11. August 1939 gesagt: Alles, was er wolle, sei, Rußland zu unterwerfen. Sei der Westen aber zu blind, um ihn darin zu unterstützen, werde er sich mit Rußland verständigen, den Westen schlagen und sich anschließend gegen die Sowjetunion wenden.

Am 1. September 1939 marschierten deutsche Truppen in Polen ein, siebzehn Tage später überschritt die Rote Armee die polnische Ostgrenze. Anders als 1914 war die Stimmung der Menschen auf den Straßen, selbst die der braununiformierten Abgeordneten im Reichstag gedrückt; nur wenige mochten glauben, daß dieses militärische Abenteuer gutgehen werde. Entgegen Hitlers Erwartungen wichen die Westmächte nicht zurück, sondern erklärten Deutschland den Krieg. Damit war der Zweite Weltkrieg ausgebrochen, durch Hitlers Kriegswillen bewußt ausgelöst,

Kleiner Führer durch Paris, Paris 1940. Am 22. Juni 1940 hatte ein deutsch-französischer Waffenstillstand, unterzeichnet wie ein anderer Waffenstillstand 22 Jahre zuvor im Wald von Compiègne, den Blitzkrieg beendet. Nordfrankreich und die Beneluxstaaten standen seitdem unter deutscher Militärverwaltung, im unbesetzten Teil Frankreichs herrschte eine deutschfreundliche Verwaltung unter Marschall Pétain. Die einem deutschen Standortkommandanten unterstellte Metropole Paris zog deutsche Soldaten in solchen Mengen an, daß bald der Besuch der Stadt durch Wehrmachtsangehörige streng reglementiert werden mußte.

durch Stalins Komplizenschaft unmittelbar ermöglicht, durch den zu späten Widerstand der Westmächte gegen die deutsche Kriegspolitik nicht mehr verhindert. Bei allen Greueln und Kriegsverbrechen, die in der Folgezeit von sämtlichen Beteiligten begangen werden sollten, muß man aber stets im Auge behalten, daß die entscheidende Schuld am Kriegsausbruch bei der deutschen, in sehr viel geringerem Umfang bei der sowjetischen Führung lag, während die Westmächte einen gerechten Verteidigungskampf führten.

Der deutsche Sieg über Polen, erleichtert durch den sowjetischen Einmarsch, war nach fünf Wochen errungen. Deutschland und die Sowjetunion teilten sich das eroberte Gebiet entlang des Bug, und während im westlichen Teil Polens die Herrschaft der SS und der Gestapo, im östlichen die des NKWD begann, wandte sich die militärische Macht des Reichs nach Westeuropa. Um entsprechenden Absichten Englands und Frankreichs zuvorzukommen, die Nordflanke strategisch zu sichern und Zugang zum Atlantik zu gewinnen, besetzten deutsche Truppen vom 9. April 1940 an Dänemark und Norwegen; am 10. Mai begann der Angriff auf die Niederlande, Belgien und Frankreich. Entgegen den Erwartungen militärischer Experten einschließlich der deutschen Wehrmachtführung wurde der Westfeldzug ein Triumph der Kriegsführung Hitlers. Jetzt stand er nicht nur auf dem Gipfel seiner Popularität in Deutschland, sondern er hatte oppositionelle Strömungen im Offizierskorps mundtot gemacht und war auch militärisch zur unumschränkten Autorität geworden. Was an Widerstand gegen das Regime in Deutschland noch existierte, war entmutigt.

Das nächste Kriegsziel hieß Großbritannien. Hitler hoffte nach wie vor auf ein Nachgeben Englands, und nur widerstrebend gab er im August 1940 den Befehl zur Eröffnung der Luftschlacht um England, die sehr viel weniger erfolgreich für die deutsche Luftwaffe verlaufen sollte, als ihr Oberbefehlshaber Hermann Göring es seinem Führer versprochen hatte. Hauptziel Hitlers war es aber, den Krieg gegen Rußland zu führen, wie er den militärischen Spitzen der Wehrmacht bereits am 31. Juli 1940 erklärte. Da England weiterhin unbesiegt war und nicht an Kapitulation dachte, änderte Hitler seine strategischen Pläne. Hatte er eigentlich erst England friedensbereit machen wollen, um dann erst die Sowjetunion zu bekriegen, erklärte er nun, man müsse erst die Sowjetunion besiegen, um England den «Festlandsdegen» aus der Hand zu schlagen und es zum Frieden zu zwingen: derselbe tödliche Fehler, den 1812 Napoleon begangen hatte, als er England in Moskau zu schlagen hoffte. Kompliziert wurde die strategische Situation zudem durch den eigenmächtigen Feldzug Mussolinis gegen Griechenland, der sich in kurzer Zeit festlief, so daß zur Unterstützung Italiens beträchtliche Teile der Wehrmacht im Mittelmeerraum engagiert werden mußten.

Am 12. November 1940 erschien der sowjetische Außenminister Molotow in Berlin, um weitere sowjetische Territorialforderungen von Finnland bis zur Türkei zu erheben. Dadurch sah Hitler die Notwendigkeit seines lange gehegten Plans eines Angriffs auf die Sowjetunion nochmals bestätigt; er fühlte sich jetzt unter Zeitdruck. Am 18. Dezember 1940 erging seine «Weisung Nr. 21» für den «Fall Barbarossa», in der der Angriff auf die Sowjetunion befohlen wurde. Hitler rechnete für 1942 mit dem Kriegseintritt der USA und wollte bis dahin sämtliche militärischen Operationen abgeschlossen haben. Nach den Feldzügen in Polen und Frankreich glaubte er, auch Rußland in wenigen Wochen niederwerfen zu können. Als Herr über ein Kolonialimperium, das bis zum «Ostwall» der Linie Archangelsk – Kaspisches Meer reichen sollte, gedachte er, durch Bastionen im Nahen und Mittleren Osten sowie in Nordwestafrika sein kontinentales Großreich gegen die Angelsachsen abzuschirmen. Nach der Sicherung eines autarken und blockadesicheren Kontinentaleuropas unter deutscher Herrschaft sollte der «Weltblitzkrieg» (Andreas Hillgruber) gegen die USA folgen. Dem japanischen Bündnispartner kam in diesem Plan eine besondere Rolle zu, wobei rassische Vorbehalte einstweilen den strategischen Erfordernissen untergeordnet wurden.

Am 22. Juni 1941 begann Operation «Barbarossa», der Krieg gegen die Sowjetunion. Die Rote Armee, obgleich ihrerseits in Angriffsstaffelung aufmarschiert, wurde überrumpelt, ganze Armeekorps ergaben sich. Die anfänglichen enormen Erfolge bestärkten die Wehrmachtführung wie auch Hitler in dem Glauben, den Feldzug in kurzer Zeit siegreich beenden zu können; schon wurde damit begonnen, die Rüstungsschwergewichte vom Heer auf die Marine zu verlagern, um den kommenden Kampf gegen die Angloamerikaner vorzubereiten. Doch im Herbst 1941

Wenn Du dieses Zeichen siehst..., Flugschrift, 1941.
«In der Rue Royale begegnete ich zum ersten Mal in meinem Leben dem gelben Stern, getragen von drei jungen Mädchen, die Arm in Arm an mir vorbeikamen. Diese Abzeichen wurden gestern ausgegeben; übrigens mußten die Empfänger einen Punkt von ihrer Kleiderkarte dafür abliefern... Ich halte derartiges, auch innerhalb der persönlichen Geschichte, für ein Datum, das einschneidet. Auch bleibt ein solcher Anblick nicht ohne Rückwirkung – so genierte es mich sogleich, daß ich mich in Uniform befand.» (Ernst Jünger, Strahlungen, 7.6.1942)

verlangsamte sich der deutsche Angriff im Osten, um im beginnenden Winter allenthalben steckenzubleiben. Erneut war das strategische Konzept Hitlers durchkreuzt.

Daß der «Führer» am 11. Dezember 1941, wenige Tage nach dem japanischen Überfall auf Pearl Harbor, den USA den Krieg erklärte, obwohl seine Panzerspitzen soeben vor Moskau liegengeblieben waren, hatte vor allem den Grund, Japan im Krieg zu halten und einen japanisch-amerikanischen Ausgleich zu verhindern. Zunächst wirkte sich der amerikanische Kriegseintritt auch kaum aus; in der ersten Hälfte des Jahres 1942 keimte im Führerhauptquartier noch einmal Siegeshoffnung auf. In Südrußland, in Afrika stürmten deutsche Armeen scheinbar unaufhaltsam voran, während die Japaner Singapur einnahmen. Um die Mitte des Jahres 1942 standen deutsche Truppen auf den Höhen des Kaukasus und wenige Kilometer vor Alexandria; die alliierten Transportverluste durch deutsche U-Boote erreichten ihren Höhepunkt. Die deutsche Macht hatte ihre größte Ausdehnung erreicht.

Die Vernichtung der Juden Europas; in Prozent der jüdischen Bevölkerung von 1939 (in Klammern die Zahl der Ermordeten).

Für das besetzte Europa hieß das: Herrschaft von Wehrmacht und SS. Während in Westeuropa

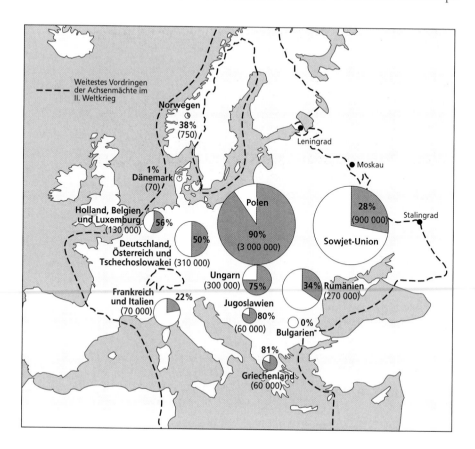

Weitestes Vordringen der Achsenmächte im II. Weltkrieg

Norwegen
38%
(750)

Leningrad

Moskau

1%
Dänemark
(70)

Polen

28%
(900 000)

Stalingrad

Holland, Belgien, und Luxemburg (130 000) 56%

Sowjet-Union

Deutschland, Österreich und Tschechoslowakei (310 000) 50%

90%
(3 000 000)

Ungarn
(300 000) 75%

34% Rumänien
(270 000)

Frankreich und Italien (70 000) 22%

Jugoslawien
80%
(60 000)

0%
Bulgarien

81%

Griechenland
(60 000)

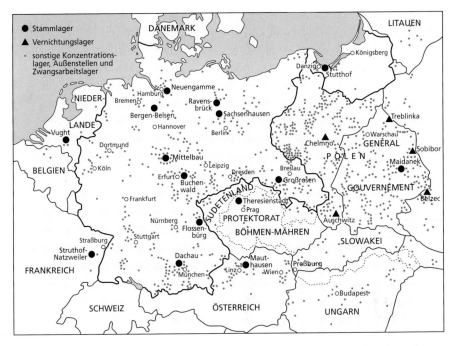

Die Konzentrationslager im Dritten Reich.

die Militärokkupation gewissermaßen klassischen Zuschnitts herrschte, wobei allerdings Gestapo und Sicherheitsdienst (SD) es an völkerrechtswidrigen und brutalen Übergriffen gegen die Zivilbevölkerung im Zuge der Partisanenbekämpfung, aber auch an Aktionen gegen Juden und Zigeuner nicht fehlen ließen, erlaubte die SS-Herrschaft im Osten keinen Zweifel daran, wessen sich die Bevölkerung im Fall eines deutschen Siegs zu versehen hatte. In Polen bot sich die Gelegenheit, Rassenideologie in die Tat umzusetzen. Die polnischen Oberschichten wurden systematisch umgebracht, Millionen von Juden wurden von ihren Besitztümern verjagt, um Volksdeutschen aus Osteuropa Platz zu machen. Eine ungeheure Völkerwanderung wurde so eingeleitet, die der von 1945 vorausging. Ähnliches spielte sich in den eroberten Teilen der Sowjetunion ab. Hinter den Linien der Wehrmacht, die hier noch weitaus häufiger als zuvor im Westen zu völkerrechtswidrigen Kampfmaßnahmen griff, standen die Einsatzgruppen des SD, die nicht nur sowjetische Amtsträger («Kommissare») ohne Federlesens umbrachten, sondern von Anfang an systematische Jagd auf Juden machten. Die Gefangenen der Roten Armee wurden in Lager gepfercht, deren Lebensbedingungen bewußt so gestaltet waren, daß die meisten keine Überlebenschancen besaßen.

Für die deutsche Bevölkerung hieß Kriegsalltag zunächst keineswegs, wie im Ersten Weltkrieg, Hunger. Bis 1944 gab es keine ernsthaften Ernährungsprobleme, denn zur Versorgung der deutschen Bevölkerung   215 wurden die besetzten Feindstaaten rücksichtslos ausgepreßt. Die Tendenzen des totalitären Staates wurden durch den Krieg aber verstärkt: Militarisierung des öffentlichen Lebens, Durchorganisation, soziale Einebnung waren die Folge. Bei der Rationierung verstand es das Regime, Neid und Klassengegensätze für sich zu nutzen. Der Appell an volksgemeinschaftliche Solidarität, die Erfassung jedes «Volksgenossen» in irgendwelchen Partei- und Staatsorganisationen, der zunehmende Überwachungsdruck durch Blockwarte und mißgünstige Nachbarn, seit der Zunahme der Bombenangriffe die Gemeinsamkeit im Luftschutzkeller, das alles formte eine nivellierte, immer einheitlicher werdende Bevölkerung, die millionenfach den Parolen aus dem Volksempfänger lauschte, millionenfach nach rationierten Lebensmitteln anstand, millionenfach der seichten Ablenkungskultur in Radio und Kino ausgesetzt war, zwischen «Lili Marleen», Marika Rökk und Otto Gebühr. Was dem Einzelnen noch blieb, war der Rückzug ins Private, Abkapselung nach außen und Beschränkung auf das Nächstliegende, die Sicherung des Überlebens.

Währenddessen plante das Regime für die Zukunft. Mitten im Krieg wurde damit begonnen, die Reichshauptstadt vollkommen umzubauen. Anstelle des alten Berlin sollte sich nach dem Endsieg eine gigantomane Welthauptstadt Germania erheben, durch Europa bis zum Ural begann man ein Netz von Breitspureisenbahnen zu bauen, neben denen die bisherigen Eisenbahnen wie Kinderspielzeug aussahen, und SS-Architekten legten Pläne für gewaltige Totenburgen in Afrika und am Dnjepr vor.

Vor allem aber plante man, den eigentlichen Feind systematisch auszurotten – die europäischen Juden, wie Hitler bereits am 30. Januar 1939 vor dem Reichstag angekündigt hatte: Das Ergebnis eines Weltkriegs werde «die Vernichtung der jüdischen Rasse in Europa» sein. Hitlers Krieg war kein Hegemonialkrieg, wie ihn Europa seit eh und je kannte. Hitlers Krieg war ein Rassenkrieg. Nur rassisch hochwertige und homogene Völker waren nach Hitlers Meinung imstande, dauerhaft zu herrschen; verhindert werde dies durch den weltgeschichtlichen Gegner der arischen Rasse, durch das Judentum, und durch dessen «zersetzende» Natur. Die Weimarer Republik wie die westlichen Demokratien, meinte Hitler, seien dieser «Zersetzung» bereits weitgehend zum Opfer gefallen, die Sowjetunion gar sei das erste ganz und gar jüdisch durchsetzte Staatswesen, ein Ansteckungsherd für die übrige Welt. In der kranken Logik Hitlers ergab sich daraus mit zwingender Konsequenz die Notwendigkeit, den deutschen Volkskörper vom Judentum zu befreien und den ihm zustehenden Lebensraum in den Weiten Osteuropas zu suchen, wobei den Deutschen die Rolle der Herren, den angeblich rassisch minderwertigen Slawen die der kolonialen Sklavenvölker zufallen sollte. Der Weltkrieg mußte also nach dieser Irrsinnslogik geführt werden, um das Judentum auszurotten.

Der deutschen Führung ging es daher im Zweiten Weltkrieg nicht in erster Linie um die Revision der Ergebnisse des Ersten Weltkriegs, wie viele der konservativen Helfer Hitlers geglaubt haben und wie manch

Dreiergruppe,
Felix Nussbaum, 1944.
Der Maler Felix Nussbaum
(1904–1944) lebte, von Freunden
versteckt, während der deutschen Okkupation in Belgien.
Er steht als orthodoxer Jude,
unrasiert, mit Gebetsmantel und
der Kippah auf dem Kopf, wie
abwehrend vor der Karte, die
den Frontverlauf in Rußland
zeigt. Der Junge im Vordergrund
grübelt über den Symbolen der
Verfolgung, der Besatzerzeitung
und dem Judenstern; die Frau
zwischen beiden verkörpert
stummes Leiden. – Das Versteck
der Nussbaums wurde verraten.
Mit dem letzten Transport wurden sie am 31. Juli 1944 nach
Auschwitz gebracht; sie wurden
getötet, kurz bevor die Lager-
verwaltung im Oktober 1944
die Vergasungen einstellte.

einer noch heute glaubt; es ging nicht um Vorherrschaft im klassischen Sinne europäischer Außenpolitik, nicht um die Eroberung von Wirtschaftsräumen, nicht um die Entladung innerer Spannungen in kriegerische Aktivitäten. Keiner der bisher in der Geschichte Europas bekannten Kriegsgründe trifft auf das deutsche Handeln im Zweiten Weltkrieg zu; es ging vielmehr, mit Hitlers Worten, um die «Einleitung des Endkampfes gegen den jüdisch-bolschewistischen Todfeind» in einem nationalsozialistisch beherrschten euroasiatischen Großraum.

Alles, was bis zum Krieg gegen die Sowjetunion geschehen war, hatte sich daher nur im taktischen Vorfeld abgespielt. Der Angriff auf Polen sollte den Raum für den Aufmarsch der Wehrmacht gen Osten freimachen. Der Kampf gegen Frankreich sollte ebenso die Rückenfreiheit herstellen wie das Bemühen, mit Großbritannien auf der Grundlage einer Teilung der Welt den Ausgleich zu finden. Aber schon seit dem Sieg in Polen waren Millionen von Juden ausgesondert und in den Ghettos polnischer Großstädte zusammengepfercht worden, ebenso wie die Aussonderung und Markierung der deutschen Juden lediglich die Vorbereitung auf das war, was dann im direkten Zusammenhang mit der Operation «Barbarossa», dem Krieg gegen die Sowjetunion, geschah: die gezielte und gnadenlose Vernichtung des Judentums als Voraussetzung für die Errichtung einer germanischen Weltherrschaft.

Erfahrungen in Massentötungen besaß man bereits; seit Oktober 1939 war das Euthanasieprogramm angelaufen, in dessen Verlauf ungefähr 80000 geistig Behinderte erschossen, mit Gas oder Injektionen umgebracht worden waren. Das Verfahren sollte nun auch auf die Juden ausgedehnt werden. Vermutlich im Sommer 1941 gab Hitler den Befehl zur «Endlösung» der Judenfrage. Wann das genau geschah, ist umstritten, denn Hitler neigte dazu, kriminelle Entscheidungen mündlich zu treffen und ihren Niederschlag in Akten, die ihn später verraten konnten, zu vermeiden.

Nach etwa halbjähriger technischer und administrativer Vorbereitung trafen sich die Leiter der beteiligten Behörden am 20. Januar 1942 in einer Villa am Berliner Wannsee, um die letzten organisatorischen Absprachen zu treffen. Der organisierte Massenmord war allerdings längst im Gange. SD-Einsatzgruppen hatten in Rußland bereits seit Kriegsbeginn mit Massenerschießungen begonnen, und seit Herbst 1941 trafen die ersten Euthanasie-Experten im Lager Chelmno ein, um dort 100000 nicht arbeitsfähige Juden «sonderzubehandeln». Seit Oktober 1941 wurde in Belzec gemordet, und in Auschwitz begannen die Vergasungen im Januar 1942.

Die gesamte Organisation des industriellen Massenmords war auf Tarnung und Täuschung angelegt; seit den Protesten der katholischen Kirche gegen das Euthanasieprogramm wurden die krassesten Verbrechen des Regimes heimlich begangen. Doch wäre der Völkermord an den europäischen Juden nicht ohne direkte oder indirekte Mitwirkung einer Vielzahl von Behörden, Organisationen und Dienststellen, mithin einer großen Zahl von Menschen, möglich gewesen. Wenn auch Ausmaß und Einzelheiten der Judenvernichtung während des Krieges unbekannt blieben, gab es in der deutschen Bevölkerung genügend Hinweise und Informationen, die die Tatsache des Judenmordes publik machten. Die Deportationen spielten sich in aller Öffentlichkeit ab, der Abtransport der Juden nach Osten war bekannt, Hunderttausende von Fronturlaubern aus Rußland berichteten von Massenerschießungen. Das Geschehen wurde von der Bevölkerung zumindest dunkel vermutet, doch eingeübte Verdrängungsmechanismen und Scheinrechtfertigungen waren stärker als Schuldbewußtsein und Entsetzen.

XII. Finis Germaniae und neuer Anfang (1942–1949)

Den meisten Deutschen wie auch vielen ausländischen Beobachtern war die Epoche von 1933 bis 1942 als ein einziger, geradliniger Aufstieg des Deutschen Reichs unter Hitlers Führung vorgekommen. Wie ein Stern hatte sich Deutschland in einer gewalttätigen Explosion zur Supernova ausgedehnt; jedoch war seine Energie verbraucht, er mußte zu einem kalten, geschrumpften, schwarzen Gestirn zusammenstürzen. Seit der Jahreswende 1942/43 war die Kriegsführung des Deutschen Reichs auf die Defensive beschränkt. Tatsächlich war die Wende im Krieg bereits im Dezember 1941 eingetreten, als sich die deutschen Armeen vor Moskau festgerannt hatten, doch war das den Miterlebenden nicht so deutlich gewesen. Seit der Kapitulation der deutschen 6. Armee in Stalingrad am 2. Februar 1943 wurde es aber auch der Bevölkerung in Deutschland allmählich klar, daß der Sieg immer ferner rückte, und von jetzt an häufte sich Niederlage auf Niederlage. Das Konzept einer «Festung Europa», das die deutsche Führung nun kreierte, kam viel zu spät, wenn es denn jemals Aussicht auf Erfolg gehabt hätte. Die nationalsozialistische Europa-Propaganda suchte jetzt Freiwilligenverbände aus allen Teilen des Kontinents für den Kampf gegen die Sowjetunion zu gewinnen, aber ohne großen Erfolg. Den Völkern Europas, auch und gerade den nichtrussischen Völkern der Sowjetunion, die anfangs auf ihre Befreiung durch die deutschen Truppen gehofft hatten, war längst klar geworden, daß die neuen Herren nicht weniger grausam herrschten als Stalins Schergen. Auch im Koalitionskrieg scheiterte das deutsche Heer. Die Verbündeten des Dritten Reichs fielen nach und nach von der Vormacht ab, traten aus dem von Hitler geführten Krieg aus oder gingen zum Gegner über, was Hitler zwang, seine Herrschaft auf noch weitere Territorien auszudehnen, so im September 1943 auf Italien oder im März 1944 auf Ungarn.

Und die «Festung Europa» besaß kein Dach.

Seit 1942 hatten die Briten mit der Flächenbombardierung von Städten und Industrieanlagen begonnen. Ein Jahr später besaßen die Angloamerikaner die Lufthoheit über Deutschland. Seit der Zerstörung von Rostock im April 1942 sprach die deutsche Propaganda von «Terror-

Die Mörder sind unter uns, Filmplakat, 1946.
Dieser erste deutsche Nachkriegsfilm unter der Regie von Wolfgang Staudte, hergestellt von der sowjetisch lizensierten DEFA, fragte nach dem moralischen und praktischen Umgang mit Kriegsverbrechern. Tatsächlich wurden in den drei Westzonen – einschließlich der Urteile des Internationalen Militärgerichtshofs in Nürnberg – 5025 Personen wegen Kriegsverbrechen und Verbrechen gegen die Menschlichkeit verurteilt. 486 Todesurteile wurden vollstreckt. Für die sowjetische Besatzungszone wird die Zahl der Verfahren, die allerdings oft außerhalb eines rechtsstaatlichen Rahmens durchgeführt wurden, auf 45000 geschätzt. Die Gesamtzahl der im Ausland wegen NS-Verbrechen Verurteilten liegt bei etwa 60000.

angriffen», was die Absicht der angloamerikanischen Luftkriegsstrategen treffend wiedergab, denn mit diesen Angriffen sollte nicht in erster Linie das deutsche Militärpotential zerstört, sondern die Moral der deutschen Bevölkerung untergraben werden. Das gelang allenfalls begrenzt, doch die materielle Wirkung des Bombenkriegs war verheerend. Mehr als eine halbe Million Zivilisten kamen bei den Angriffen ums Leben, rund vier Millionen Wohnungen wurden zerstört, die Bevölkerung der großen Städte wurde evakuiert, Dome, Schlösser, alte Stadtkerne und damit beträchtliche Teile des deutschen Kulturerbes gingen in Flammen auf. Das Gesicht des deutschen Alltags änderte sich drastisch.

Was wollten die Alliierten? Während die Bomberflotten die deutschen Städte in Schutt und Asche legten und damit, wenn auch über alle Proportionen hinaus, zurückzahlten, was die deutschen Bomber während des Westfeldzugs und der «Luftschlacht um England» an Zerstörungen begangen hatten, schälte sich in einer Folge alliierter Konferenzen das Konzept für die Nachkriegsordnung Europas heraus. In erster Linie kam es den Alliierten, mit den Worten des britischen Premierministers Winston Churchill, darauf an, «Deutschland und vor allem Preußen daran zu hindern, ein drittes Mal über uns herzufallen». Im Januar 1943 einigte sich der amerikanische Präsident Franklin D. Roosevelt mit Churchill in Casablanca auf die Formel der bedingungslosen Kapitulation Deutschlands. Die Teheraner Konferenz der «Großen Drei», neben Roosevelt und Churchill auch Stalin, beschloß im November 1943 zugunsten der Sowjetunion die Westverschiebung Polens bis an die Oder und schlug das nördliche Ostpreußen der Sowjetunion zu, und wenige Wochen darauf wurden die Demarkationslinien zwischen den künftigen Besatzungsgebieten in Deutschland festgelegt. Im Februar 1945 schließlich einigten sich die Hauptmächte der Anti-Hitler-Koalition in Jalta auch öffentlich auf die Zerstückelung des Reichs und Österreichs in Besatzungszonen, die Aufteilung des Sonderterritoriums Groß-Berlin und die Zulassung Frankreichs als vierte Besatzungsmacht. Wie Deutschland in Besatzungszonen, so wurde ganz Ost- und Mitteleuropa in Interessensphären aufgeteilt, ein Wort, das man allerdings vermied. Das Ende des Weltkriegs sollte auch das Ende des alten Europa sein, das fortan hauptsächlich die Rolle einer Pufferzone zwischen globalen Mächten zu spielen hatte.

Der Weg bis Jalta war wiederholt von tiefgreifenden Zerwürfnissen zwischen den Westmächten und der Sowjetunion begleitet gewesen, aber die deutsche Gefahr veranlaßte die Westalliierten immer wieder, um des gemeinsamen Sieges willen dem sowjetischen Diktator Zugeständnisse zu machen. In den Köpfen der westlichen Politiker spukte immer noch die alte, historisch begründete Gefahr einer Übereinkunft zwischen Rußland und Deutschland, die ja am Vorabend des Kriegs durch das Hitler-Stalin-Abkommen einiges an Evidenz gewonnen hatte. Mit Hitlers Wünschen hatten solche Befürchtungen allerdings wenig zu tun – der Diktator hoffte zwar auf den Zerfall der gegnerischen Koalition, doch bis in die letzten Tage vor seinem Selbstmord im Berliner Führerbunker

klammerte er sich an die Wahnidee, gemeinsam mit Großbritannien die Sowjetunion niederwerfen zu können.

Das zerstörte Dresden, Aufnahme von 1946.

Im Reich nahm der Druck des Regimes in dem gleichen Maße zu, in dem sich die militärischen Niederlagen häuften. Um der Niedergeschlagenheit entgegenzuwirken, die sich in der deutschen Bevölkerung nach der Niederlage von Stalingrad ausbreitete, suchte Goebbels mit seiner Sportpalast-Rede vom 18. Februar 1943 den Fanatismus und Durchhaltewillen der Bevölkerung mit einer Rede anzuheizen, die in den Worten gipfelte: «Wollt ihr den totalen Krieg?», was die handverlesene Versamm-

223

**Cette fois jusqu'à Berlin –
Diesmal bis Berlin**,
US-Poster, Frankreich,
Sommer 1944.
Für die Kriegsalliierten knüpfte
der Zweite Weltkrieg direkt an
den Ersten Weltkrieg und an die
voraufgegangenen Kriege mit
Deutschland oder Preußen an;
der Nationalsozialismus wurde als
eine konsequente Steigerung des
«preußischen Geistes» und der
«deutschen Seele» betrachtet.
Deshalb war es notwendig,
«diesmal bis Berlin» zu marschie-
ren und dort zu bleiben.Deutsch-
land sollte nicht befreit, sondern
als Feindstaat dauerhaft besetzt
werden. Die Direktive JCS 1067
des US-Generalstabs an die amerikanischen Besatzungstruppen,
die bis 1947 Geltung hatte,
bezeichnete es als Hauptziel der
Alliierten, «Deutschland daran
zu hindern, je wieder eine
Bedrohung des Weltfriedens
zu werden».

lung mit frenetischem Jubel quittierte. Nicht nur die Propaganda, auch der Terror wurde verschärft; die «Aktion Gewitter» vom 22. August 1944 beispielsweise richtete sich gegen rund 5000 ehemalige Politiker und politische Beamte der Weimarer Republik, unter ihnen auch Konrad Adenauer und Kurt Schumacher, die verhaftet und in Konzentrationslager eingeliefert wurden. Mit der Einführung von «NS-Führungsoffizieren», einer Kopie der Politkommissare der Roten Armee, wurden die letzten innenpolitischen Reservate in der Wehrmacht beseitigt. Indem die Gauleiter zu Reichsverteidigungskommissaren ernannt wurden, kam der Vorrang der Partei vor der Wehrmacht auch nach außen hin zur Geltung. Im Oktober 1944 kulminierte die Entwicklung zum «totalen Krieg» in der Bildung des «Deutschen Volkssturms», zu dem alle waffenfähigen Männer zwischen 16 und 60 Jahren aufgerufen wurden.

Nicht nur von außen, auch von innen fühlte sich das Regime bedroht. Gewiß hat es nie einen einheitlichen, geschlossenen Widerstand gegen die Herrschaft des Nationalsozialismus in Deutschland gegeben; nicht zuletzt deshalb bleibt es schwierig, in der Rückschau zu bestimmen, was

Widerstand damals war, wo er begann und in welchen Formen er sich vollzog. Die Übergänge zwischen privatem Nonkonformismus, oppositioneller Gesinnung, aktivem Widerstand und direkter Verschwörung zum Sturz Hitlers waren gleitend. Nicht jedermann, der die Mitgliedschaft in einer Parteigliederung ablehnte, zählte zum Widerstand, während manche Parteimitglieder zur Opposition fanden, wenn sie nicht sogar aus diesem Grund der Partei beigetreten waren. Mit einfachen Schwarzweiß - Maßstäben kann das Verhalten der Menschen unter den Bedingungen der Diktatur selten gemessen werden.

Von vornherein im aktiven Kampf gegen das Regime standen die Kommunisten, die ihre Tätigkeit allerdings vorübergehend in der Zeit des Hitler-Stalin-Pakts eingestellt hatten; zu ihren namhaften Parteigängern gehörte die «Rote Kapelle» um den Oberregierungsrat Arvid Harnack und den Oberleutnant Harro Schulze-Boysen, die nach ihrer Enttarnung im August 1942 hingerichtet wurden. Der sozialdemokratische Widerstand war, wie die SPD-Organisation in den Jahren des Exils allgemein, zersplittert und daher insgesamt weniger effektiv; Namen wie Julius Leber und Adolf Reichwein stehen für viele andere, die im Kampf gegen die Diktatur ihr Leben wagten und verloren.

Es liegt jedoch in der Natur totalitärer Regime, daß sie nicht aus der Bevölkerung, sondern stets nur aus dem Machtapparat selbst heraus zu erschüttern sind. Führende Beamte und Militärs, meist auf der Grundlage konservativer Staatsethik und christlicher Moral, fanden sich um den ehemaligen Leipziger Oberbürgermeister Carl Goerdeler, den Botschafter Ulrich v. Hassell und den ehemaligen Stabschef des Heeres Ludwig Beck zusammen. Zu dieser Gruppe stießen Vertreter des christlich-sozialistischen Kreisauer Kreises um Helmuth James Graf v. Moltke und Peter Graf Yorck v. Wartenburg. Die Pläne dieser Gruppen für die Zukunft Deutschlands erscheinen manchem nachträglichen Betrachter im Licht der Grundwerte des Bonner Grundgesetzes als restaurativ, wenn nicht reaktionär. Sie standen eher in den Traditionen des Bismarckstaates als der Weimarer Demokratie, und da dies auch für ihre außenpolitischen Ziele galt, erschienen sie den Alliierten kaum weniger gefährlich als das derzeitige Regime in Deutschland – gewiß ein problematisches Mißverständnis, das dazu führte, daß die einzige handlungsfähige deutsche Opposition nicht auf alliierte Unterstützung rechnen konnte. Entscheidend für die Beurteilung ist jedoch nicht ihr politisches Programm, sondern die Bereitschaft, für das Eintreten gegen Hitler und dessen Regime jedes Opfer zu bringen, und dies nicht in erster Linie aus Zweckmäßigkeitsüberlegungen, sondern aus ethischen Motiven, wie einer der führenden Mitglieder des militärischen Widerstands, Hans-Henning v. Tresckow, es formuliert hat: »Das Attentat muß erfolgen, *coûte que coûte* (koste es, was es wolle) . . . Denn es kommt nicht mehr auf den praktischen Zweck an, sondern darauf, daß die deutsche Widerstandsbewegung vor der Welt und vor der Geschichte den entscheidenden Wurf gewagt hat. Alles andere ist daneben gleichgültig.«

Das Attentat vom 20. Juli 1944 scheiterte; Hitler wurde von der Bombe, die der Oberst Claus v. Stauffenberg in der ostpreußischen «Wolfsschanze» gelegt hatte, nur leicht verletzt, und den Widerständlern in Berlin gelang es nicht, die entscheidenden Schlüsselpositionen im Machtapparat zu erobern, bevor die Nachricht vom Überleben des Diktators eintraf. Der Gegenschlag des Regimes war furchtbar; nicht nur die Verschwörer, auch ihre unbeteiligten Angehörigen zahlten einen hohen Blutzoll. Es waren preußische Konservative gewesen, die einst Hitler zur Macht verholfen hatten. Jetzt waren es wieder preußische Konservative, die den verhängnisvollen Fehler ihrer Standesgenossen vom Januar 1933 gutzumachen suchten. Sie wurden mit untermenschlich bösartiger Wut ausgerottet, in ausgeklügelt viehischer Manier ums Leben gebracht, und nur das baldige Kriegsende verhinderte, daß nicht nur 158 unmittelbar Beteiligte, sondern auch ihre Familien ermordet wurden. Daß preußische Aristokraten sich mit Vertretern des zuvor von ihnen bekämpften Stands, mit Arbeitern, Sozialisten und Gewerkschaftlern, nicht weniger als mit Bürgerlichen zusammenfanden, um den Nationalsozialismus bis zur letzten Konsequenz zu bekämpfen, bot in der Zeit nach 1945 allen politischen und gesellschaftlichen Gruppen Deutschlands einen gemeinsamen Maßstab, den der Bewahrung der Menschenwürde als oberste Maxime jedes Gemeinwesens. In dieser letzten Gemeinsamkeit, die die politischen Ziele aller Schichten und Klassen der Bundesrepublik Deutschland umfaßt, liegt das Vermächtnis der Männer des 20. Juli 1944.

Mittlerweile hatten die Westalliierten mit ihrer Landung in der Normandie am 6. Juni 1944 die dritte Front – nach ihrer Invasion in Sizilien und Italien – eröffnet. Der Mehrfrontenkrieg, der die Ressourcen des Reichs in jedem Fall überforderte, war damit endgültige Wirklichkeit, die deutsche Kriegsniederlage besiegelt. Aber anders als Ludendorff, der Ende Oktober 1918 die Erkenntnis der Niederlage akzeptiert und so die staatliche und territoriale Substanz des Reichs bewahrt hatte, war Hitler entschlossen, auch um den Preis der völligen Vernichtung Deutschlands weiterzukämpfen – nach seiner Irrsinnslogik hatte sich das deutsche Volk im Fall der Niederlage als das Schwächere erwiesen und deshalb seinen Untergang verdient. Während im Westen die «Wunderwaffen» V 1 und V 2 nochmals nebelhafte Siegesillusionen hervorriefen, während im Osten die russische Kriegsmaschinerie das ausgeblutete deutsche Ostheer zwischen Memel und Karpaten überrollte und, eine gewaltig anschwellende Flüchtlingslawine vor sich herschiebend, die deutschen Ostgrenzen erreichte, führten Hitler und seine Trabanten mit Standgerichten, Aushalte- und Vernichtungsbefehlen den Krieg auch gegen das eigene Volk: «Wir überlassen den Amerikanern, Engländern und Russen nur eine Wüste.» Es gab glücklicherweise genügend Bürgermeister und Wehrmachtskommandeure, die ihr Leben einsetzten und oft auch verloren, um den Vollzug der «Nero-Befehle» zu verhindern. So war die Besetzung Deutschlands durch alliierte Truppen nicht nur für die Insassen der Konzentrationslager, sondern für das deutsche Volk insgesamt ein Akt der

Befreiung – wenn auch nicht jedermann bei Kriegsende imstande war, dies im Licht seines persönlichen Schicksals zu akzeptieren.

Denn die deutsche Kriegsniederlage, die am 7. Mai 1945 in Reims mit der bedingungslosen Kapitulation der deutschen Wehrmacht besiegelt wurde und am 8. Mai in Kraft trat, war auch zugleich der Untergang des deutschen Nationalstaats. Das war die «tiefe Paradoxie», von der der emigrierte Historiker Hans Rothfels sprach: «Es waren deutsche Patrioten, die den Tag der Kapitulation herbeiflehen mußten, so wenig sie sich über das dann Kommende Illusionen machen mochten.»

Das Kommende: Das war vor allem das Leben mit den Folgen des beendeten Kriegs. Die Verluste an Menschen betrugen etwa das Dreifache des Ersten Weltkriegs, ungefähr fünfeinhalb Millionen Tote – eine erschreckende Zahl und doch geringer als die der Kriegsopfer auf der Seite der Gegner Deutschlands – allein in Polen kamen sechs Millionen Menschen ums Leben, in der Sowjetunion gar zwanzig Millionen; von den 5,7 Millionen russischen Kriegsgefangenen überlebten in deutschen Lagern weniger als zwei Millionen. Die Wohnstätten des deutschen Volks waren weitgehend zerstört, am stärksten in den Großstädten Westdeutschlands und in Berlin. Die Menschen richteten sich in Ruinen und Kellern ein. Die Masse der Bevölkerung hungerte. Es fehlte an den notwendigsten Verbrauchsgütern und Kleidung, vor allem aber an Nahrung – mit zeitlichen und regionalen Schwankungen betrug die durchschnittliche Ernährung pro Kopf ein Drittel bis zwei Drittel derjenigen Nahrungsmenge, bei der der ständige Hunger aufhört. Die Folge waren einerseits grassierende Epidemien, andererseits eine wuchernde Kriminalität, denn die Grenzen zwischen Erlaubtem und Unerlaubtem waren im Alltag oft kaum noch erkennbar, wenn es ums nackte Überleben ging.

Und da war zudem die völlige Umwälzung der Lebensumstände durch Flucht und Vertreibung, zuerst durch den Vormarsch der Sowjetarmee, dann durch die gewaltsame Aussiedlung der Deutschen aus den polnisch verwalteten Ostgebieten ebenso wie aus den meisten Gebieten Ostmitteleuropas, schließlich auch noch durch die Folgen der deutschen Spaltung: Mehr als zwölf Millionen Menschen sind bei Kriegsende und in den ersten Nachkriegsjahren geflüchtet oder vertrieben worden, nicht gerechnet die zwei Millionen Toten, die Opfer dieser in der europäischen Geschichte nie dagewesenen Völkerwanderung wurden. Der deutsche Siedlungsraum war auf seine Grenzen im späten Mittelalter zurückgeworfen, die halbtausendjährige Kultur des deutschen Ostens war ausgelöscht, das Sozialgefüge in den verbleibenden Gebieten durcheinandergewürfelt, atomisiert, die herkömmlichen gesellschaftlichen Milieus zerstört. Und nicht geringer war die moralische Zerstörung, welche die Gewaltherrschaft, der Krieg und die erst jetzt ungefiltert zur Kenntnis genommenen Greuel der Massenmorde in den Vernichtungslagern im kollektiven Bewußtsein der Deutschen hinterlassen hatten.

Ob Deutschland als Staat überhaupt noch existierte, war offen, was den meisten Deutschen allerdings ziemlich gleichgültig war – Überleben war

Das größere Opfer, Adolf Reich, 1943. Eine Winterszene vor dem Siegestor an der Münchener Ludwigstaße. Links sammeln zwei «Pimpfe» der Hitlerjugend für das Winterhilfswerk. Zwei Frauen schauen sich nach dem beinamputierten Soldaten um; im Hintergrund schiebt eine Kriegerwitwe den Kinderwagen. Die Aussage des Bilds ist widersprüchlich; einerseits illustriert es ein Hitler-Zitat: «Wenn wer im Zweifel ist, ob er noch einmal geben soll, möge er sich umschauen. Er wird jemanden sehen, der ein viel größeres Opfer gebracht hat.» Andererseits ist da aber die fast subversive Darstellung von Kriegsopfern, und tatsächlich wurde dem Gemälde «Defätismus» vorgeworfen.

jetzt alles. Das politische und rechtliche Vakuum wurde durch die öffentliche Bekanntmachung der vier Siegermächte vom 5. Juni 1945 beendet: Die oberste Regierungsgewalt in Deutschland sei von Vertretern der vier Mächte übernommen und werde von ihnen gemeinsam ausgeübt. Diese «Berliner Deklaration», die in den drei Sprachen der Besatzungsmächte und, damit die Bevölkerung verstand, was gemeint war, zum Schluß auch auf deutsch abgefaßt war, bestätigte, was die Alliierten bereits auf ihren Kriegskonferenzen beschlossen hatten. An die Stelle der deutschen Reichsregierung trat der Alliierte Kontrollrat, bestehend aus den Oberkommandierenden der vier Besatzungsmächte, mit Sitz in der Reichshauptstadt Berlin. Er war zuständig für die Belange Deutschlands als Ganzem, während die vier Mächte in ihren eigenen Besatzungszonen nach eigenem Gutdünken regierten und verwalteten. Die besondere Stellung Berlins wurde dadurch unterstrichen, daß die Stadt zum Sondergebiet erklärt wurde, in vier Besatzungssektoren geteilt und von den Befehlshabern der alliierten Truppen in Berlin gemeinsam verwaltet.

Achtung! Schlesier!

Ich suche meine Angehörigen:
Herrn *Theodor Kameko* (Vater)
Frau *Jda Kameko* (Mutter)
Fräulein *Olga Kameko* (Schwester)
zuletzt wohnhaft in Zobten, Bez. Breslau, Strehlenerstr. 29
sowie Fräulein *Elfriede Hoffmann* und Mutter
aus Frankenthal bei Neumarkt.

Wer weiß etwas?
Nachrichten erbittet:

Walter Kameko
LEIPZIG W 31
Jahnstr. 45 I. r. bei Hille.

Achtung! Schlesier!
Suchplakat, handgeschrieben, um 1945.
Im Sommer 1945 waren so viele Menschen in Deutschland unterwegs wie nie zuvor: Die ausgebombten Menschen strömten aus den Städten auf das Land, um Unterkunft und Nahrung zu finden. Den großen Flüchtlingstrecks, die vor der Roten Armee geflohen waren, folgten die Vertriebenen aus Polen und der Tschechoslowakei. Hunderttausende von Soldaten suchten nach Hause zu gelangen und den Internierungslagern zu entgehen. Dazwischen die Befreiten des Terrorregimes – die rund 700 000 Überlebenden aus den Konzentrations- und Vernichtungslagern, dazu die etwa 4,2 Millionen Zwangsarbeiter aus ganz Europa. Transportmittel waren kaum vorhanden – 90% des Eisenbahnnetzes war bei Kriegsende nicht mehr befahrbar. Die durch Krieg, Gefangenschaft, Flucht und Verschleppung auseinandergerissenen Familien blickten in eine ungewisse Zukunft.

Genaueres wurde anläßlich der Potsdamer Konferenz beschlossen, zu der am 17. Juli 1945 die «Großen Drei» der Anti-Hitler-Koalition zusammentrafen. In Schloß Cecilienhof legten der amerikanische Präsident Truman, der britische Premier Churchill und der sowjetische Diktator Stalin die Oder-Neiße-Linie als vorläufige Grenze zwischen den polnisch verwalteten deutschen Ostgebieten und der sowjetischen Besatzungszone fest und legalisierten die längst in vollem Gang befindliche Vertreibung der Deutschen aus den Gebieten östlich dieser Linie sowie der Tschechoslowakei und Ungarn. Was die Behandlung Deutschlands anging, so einigte man sich darauf, daß «der deutsche Militarismus und Nazismus ausgerottet» werden solle, «damit Deutschland niemals mehr seine Nachbarn oder die Erhaltung des Friedens in der ganzen Welt bedrohen kann». Zu diesem Zweck sollte Deutschland völlig abgerüstet und entmilitarisiert werden, die gesamte für Kriegsproduktion geeignete Industrie war zu beseitigen, Nationalsozialisten sollten aus allen Ämtern entfernt werden, das politische Leben sollte auf demokratischer Grundlage durchgreifend erneuert werden. Die wirtschaftliche Einheit Deutschland, das wurde ausdrücklich festgelegt, sei zu wahren. Da jedoch jede Besatzungsmacht ihre Reparationsansprüche aus ihrer jeweiligen Zone befriedigen sollte, war dieser Grundsatz bereits von Anfang an durchlöchert, wie auch die Verwendung von Begriffen wie «politisches Leben auf demokratischer Grundlage», die in Ost und West völlig verschiedene Bedeutung besaßen, in der Folgezeit ganz unterschiedliche Auslegungen des Potsdamer Abkommens nach den Interessen der jeweiligen Siegermacht ermöglichte.

Am 20. November 1945 begann in Nürnberg, dem Ort der nationalsozialistischen Reichsparteitage, vor einem alliierten Militärtribunal das Verfahren gegen die deutschen Hauptkriegsverbrecher und Verbrecher gegen die Menschlichkeit. Wenn auch die juristischen Grundlagen des Gerichtsverfahrens umstritten waren und es noch heute sind, darf nicht

Vereinigungsparteitag von SPD und KPD, Photomontage-Plakat, 21./22.4.1946.

Die Berliner SPD-Führung unter dem Vorsitz von Otto Grotewohl glaubte nach Kriegsende, die enge Zusammenarbeit mit der KPD zur Herbeiführung der «Einheit der Arbeiterklasse» sei eine Konsequenz, die sich aus der Geschichte ergebe. Die Führer der KPD, Wilhelm Pieck und Walter Ulbricht, zögerten jedoch; sie glaubten, die Mehrheit der Bevölkerung ohnehin hinter sich zu haben. Die für die Kommunisten katastrophalen Wahlergebnisse in Ungarn und Österreich im November 1945 veranlaßten aber die sowjetische Besatzungsmacht, die beiden Parteien zum Zusammenschluß zu drängen. Auf dem Vereinigungsparteitag vom 21./22. April 1946 wurde daraufhin die Sozialistische Einheitspartei Deutschlands (SED) gegründet, während Tausende Sozialdemokraten, die das Bündnis ablehnten, in die von der Besatzungsmacht weiterbetriebenen ehemaligen KZs eingeliefert wurden und dort großenteils umkamen.

außer acht gelassen werden, daß zur Verurteilung der Mehrzahl der Männer auf der Anklagebank die herkömmlichen deutschen Strafgesetze völlig ausgereicht hätten und daß auf diese Weise die Verbrechen, die Deutsche im Krieg und in den Vernichtungslagern begangen hatten, ungeschminkt breiteste Publizität erhielten. Diesmal, das war auf die Dauer die heilsamste Folge der Nürnberger Prozesse, war den Deutschen die Flucht in Dolchstoß- und Verratslegenden, anders als nach dem Ersten Weltkrieg, verlegt.

Die Konfrontation mit der eigenen Verantwortung reichte bis in jedermanns eigene Sphäre. Die «Entnazifizierung» gemäß den Potsdamer Beschlüssen erfaßte jeden erwachsenen Deutschen, in den verschiedenen Besatzungszonen freilich in unterschiedlicher Form. Am rigorosesten fand sie in der amerikanischen Zone statt, denn die Amerikaner verfügten über das stärkste demokratische Sendungsbewußtsein. Aber die gewaltige Gesinnungsprüfung anhand eines 131 Fragen umfassenden Fragebogens mußte zu zahllosen Fehlurteilen führen. Die oft willkürlich erscheinende Praxis der Spruchkammern rief auch bei erprobten Antifaschisten Unmut hervor, und die große Zahl der Verfahren führte dazu, zunächst die leichteren Fälle zu behandeln. Als im Verlauf des sich verschärfenden Kalten Kriegs das Interesse an der Weiterführung der Entnazifizierung erlahmte, waren es oft gerade die schwerer Belasteten, die ungeschoren davonkamen. Daß auf diese Weise der Demokratisierung der deutschen Bevölkerung ein Bärendienst geleistet wurde, liegt auf der Hand, ebenso wie im Fall der oft rigoros durchgeführten Reparations- und Demontagepolitik, die von der erbitterten Bevölkerung als Vernichtung von Arbeitsplätzen in schwerer wirtschaftlicher Not verstanden wurde.

Auf der anderen Seite aber regte sich wieder politisches Leben, wenn auch zunächst nur auf unterster, lokaler Ebene. Die deutschen Politiker, die zunächst auf Befehl der Besatzungsmächte, seit 1946/47 nach und nach auch legitimiert durch Wahlen in die Bürgermeister- oder Landratsämter einrückten, rekrutierten sich zum größten Teil aus Politikern der Weimarer Republik, die sich jetzt meistens in ihren alten, nunmehr auf zonaler Grundlage neugegründeten Parteien zusammenfanden. Da war die Sozialdemokratische Partei Deutschlands (SPD), die sich in Hannover unter der Führung Kurt Schumachers (1895–1952) neu konstituierte, und die Freie Demokratische Partei (FDP), die auf das Reservoir der

ehemaligen liberalen Parteien DDP und DVP aus der Weimarer Zeit
zurückgriff und sich zunächst hauptsächlich in Südwestdeutschland
unter Theodor Heuss (1884–1963) und Reinhold Maier (1881–1971)
zusammenfand. Eine völlige Neugründung dagegen stellte die Christlich-Demokratische Union (CDU) dar, eine christlich-bürgerliche
Sammlungsbewegung, die aus der Erfahrung des Widerstands gegen den
Nationalsozialismus die Konfessionalisierung des alten Parteiensystems zu
überwinden strebte und das gesamte Spektrum von christlichen Gewerk-
schaftern über Liberale bis zu gemäßigten Konservativen umfaßte; sie war
schon frühzeitig von einer rheinisch-westfälischen Gruppierung unter
dem Kölner Oberbürgermeister Konrad Adenauer (1876–1967) dominiert. Dieser Führungsanspruch wurde allerdings von der Berliner CDU
unter Jakob Kaiser bestritten, und ähnlich stand es mit den meisten anderen Parteien – die SPD-Zentrale in Hannover stand in einem starken
Spannungsverhältnis zur Berliner SPD-Führung unter Otto Grotewohl,
und zur Vorreiterrolle der Liberalen fühlte sich auch die in Berlin domi-
zilierende Liberal-Demokratische Partei Deutschlands (LDPD) unter
dem ehemaligen Weimarer Reichsinnenminister Wilhelm Külz berufen.
Das hing zum einen mit der nach wie vor ungebrochenen Symbolkraft
Berlins als Reichshauptstadt zusammen, zum anderen mit der raschen und
zielbewußten Politik der Sowjets, die die Bildung von Parteiorganisatio-
nen in ihrer Zone besonders frühzeitig gefördert hatten, in erster Linie
natürlich die der Kommunistischen Partei Deutschlands (KPD), deren
Führer Walter Ulbricht (1893–1973) bereits einige Tage vor Kriegsende 231

aus Moskau in Deutschland eingetroffen war, um eine zivile politische Führung mit gesamtdeutschem Anspruch und zunächst ohne einseitige sozialistische oder kommunistische Forderungen zu begründen.

Dieses Volksfrontkonzept scheiterte jedoch. Die sowjetische Besatzungsmacht mußte erleben, daß die KPD einen sehr viel geringeren Zulauf als die SPD oder die bürgerlichen Parteien besaß, und änderte deshalb ihre Parteienpolitik. Seit Oktober 1945 forderte die KPD ihre Vereinigung mit der SPD; der Berliner SPD-Zentralausschuß unter Otto Grotewohl geriet unter schweren sowjetischen Druck, widerstrebende sozialdemokratische Funktionäre verschwanden bei Nacht und Nebel auf Nimmerwiedersehen, andere kamen erst viel später aus sibirischen Lagern oder aus dem den neuen Umständen angepaßten Konzentrationslager Buchenwald zurück. Obwohl die einzige Urabstimmung über die Vereinigung beider Parteien, die in den Berliner West-Sektoren stattfand, 82% der abgegebenen Stimmen von SPD-Mitgliedern gegen die sowjetische Forderung ergab, wurde die Verschmelzung von KPD und SPD in der sowjetischen Zone unter dem Druck der Besatzungsmacht auf einem Vereinigungsparteitag am 22. April 1946 vollzogen. Die solchermaßen ins Leben gerufene Sozialistische Einheitspartei Deutschlands (SED) wandelte sich schnell in eine der Sowjetunion untergeordnete Kaderpartei leninistischen Typs.

Die Spaltung zwischen den drei Westzonen und der sowjetischen Besatzungszone zeichnete sich auf weiteren Ebenen ab. Teil der Konfrontation war auch die gegenseitige Schuldzuweisung für die Teilung Deutschlands – ein sinnloser Disput, denn die Auseinanderentwicklung der drei westlichen und der sowjetischen Besatzungszone war unausweichliche Folge des zunehmenden weltpolitischen Gegensatzes zwischen der Sowjetunion und den Westmächten, der allerdings in Wirklichkeit bereits 1917 begonnen hatte und lediglich eine Zeitlang durch den Kampf gegen den gemeinsamen Feind Hitler-Deutschland überdeckt gewesen war. Hinzu kam die Politik der Sowjetunion in Osteuropa, die ihre beherrschende militärische Position nutzte, um ihr geostrategisches Vorfeld zu arrondieren, sich mit einem Gürtel von Satellitenstaaten zu umgeben, und keine Begrenzung ihrer Expansionsgelüste zu erkennen gab. Im Iran, in der Türkei und in Griechenland kam es zum direkten Konflikt zwischen sowjetischen und angloamerikanischen Interessen und damit zu einer weltweiten Konfrontation zwischen Sowjetblock und Westmächten.

Nirgendwo wirkte sich der Kalte Krieg so unmittelbar aus wie im besetzten Deutschland. Als die USA im Juli 1946 im Alliierten Kontrollrat unter Bezug auf das Potsdamer Abkommen die wirtschaftliche Vereinigung der vier Besatzungszonen zur Verbesserung der Bevölkerungsversorgung forderten, lehnte die Sowjetunion ab und bezeichnete den westlichen Vorstoß als gezielte Maßnahme des amerikanischen Wirtschaftsimperialismus. Umgekehrt wurde die sowjetische Deutschlandpolitik in Washington als Versuch verstanden, ganz Deutschland der

Europe – all our colours to the mast,
Plakat, Rotterdam, um 1950.
Im Winter 1946/47 war die wirtschaftliche Situation Europas desolat, während zugleich die kommunistische Gleichschaltung in Osteuropa voranschritt, Kommunisten an der französischen Regierung beteiligt waren, die italienischen Kommunisten kurz vor der Machtübernahme standen und der Bürgerkrieg in Griechenland erneut aufflammte. Unerwartet für Stalin beschloß in dieser Situation die US-Regierung einen Kurswechsel ihrer Europa-Politik. Im Rahmen der neuen *containment policy* (Eindämmungspolitik) verkündete US-Außenminister George Marshall am 5. Juni 1947 den nach ihm benannten wirtschaftlichen Wiederaufbauplan für die europäischen Länder, in den das besiegte Deutschland einbezogen werden sollte – tatsächlich war das der Kern des Plans. Unter sowjetischem Druck lehnten die osteuropäischen Staaten ihre Beteiligung am Marshall-Plan ab. Das Plakat wirbt für das Europäische Wiederaufbau-Programm des Marshall-Plans (ERP), für das 12,5 Milliarden Dollar aufgebracht wurden.

sowjetischen Einflußsphäre einzuverleiben. So entschied sich die amerikanische Führung dazu, den Einigungsprozeß in den Westzonen auch auf die Gefahr einer Spaltung Gesamtdeutschlands voranzutreiben. Die Wende der amerikanischen – und auch britischen – Deutschlandpolitik fand ihren Ausdruck in der Stuttgarter Rede des amerikanischen Außenministers James F. Byrnes vom 6. September 1946, in der er bei den Deutschen um die baldige Errichtung eines nicht kommunistischen, demokratischen deutschen Staates warb. Am 1. Januar 1947 wurden die amerikanische und die britische Zone zum Vereinigten Wirtschaftsgebiet der «Bizone» zusammengeschlossen. Die französische Zone trat erst am 8. April 1949 hinzu, so daß die «Trizone» entstand, der wirtschaftspolitische Vorläufer der Bundesrepublik Deutschland. Um die drohende Spaltung aufzuhalten, lud die bayerische Landesregierung alle deutschen Länderregierungschefs zum 6. Juni 1947 nach München zu einer gesamtdeutschen Ministerpräsidentenkonferenz ein – sie scheiterte bereits vor Beginn an Streitigkeiten über die Tagesordnung.

Aber das waren Probleme einiger weniger Politiker. Den einfachen Deutschen auf der Straße, «Otto Normalverbraucher», bewegten ganz andere Sorgen. Die wirtschaftliche Not, die Sorge um das tägliche Essen standen im Vordergrund. Da das Warenangebot äußerst gering war, während infolge der Kriegswirtschaft große Geldmengen umliefen, bildete sich ein üppig blühender Schwarzmarkt, an dem sich der Großteil der Bevölkerung beteiligte, um zu überleben. Gegen viel Geld oder im Tauschhandel war hier nahezu alles zu bekommen. Eine große Rolle spielte dabei die Zigarettenwährung; wer «Ami-Zigaretten» besaß, konnte Brot und Butter in unbegrenzten Mengen erstehen. Wer alles das nicht hatte, war auf Hamsterfahrten auf das Land, die Unterstützung durch wohlhabendere Freunde oder auf die Hilfe amerikanischer Wohlfahrtsverbände angewiesen, deren «Care»-Pakete seit 1946 ins Land strömten und Hunderttausende vor dem Verhungern retteten.

Die amerikanische Regierung sah die wirtschaftliche Not, wie sie in mehr oder weniger krasser Form in ganz Europa herrschte, mit einiger Besorgnis. Im *State Department* fürchtete man, der Kommunismus werde auf diese Weise begünstigt. So bot der neue US-Außenminister George C. Marshall am 5. Juni 1947 allen europäischen Nationen ein Hilfsprogramm aus Krediten, Lebensmittel- und Rohstofflieferungen an, das von der Sowjetunion für die Länder ihres Machtbereichs sogleich scharf zurückgewiesen wurde, für den wirtschaftlichen Wiederaufbau Westeuropas einschließlich der deutschen Westzonen dagegen äußerst hilfreich war. Für die Einbeziehung der deutschen Westzonen in den Marshallplan bedurfte es allerdings einer grundlegenden Veränderung der Währungsverhältnisse, um das Verhältnis von Warenangebot und Geldmenge zu normalisieren. Am 20./21. Juni 1948 wurde in den Westzonen eine Währungsreform durchgeführt; zugleich verkündete Ludwig Erhard (1891–1977), der Wirtschaftsdirektor der Bizone, eigenmächtig die weitgehende Aufhebung der Bewirtschaftung und Preisbindungen. Über Nacht war der Schwarzmarkt verschwunden, und während sich in den Geschäften die Regale mit den bis dahin zurückgehaltenen Waren füllten, zog die Verwaltung der Sowjetzone mit einer eigenen Währungsreform nach, die auf ganz Berlin ausgedehnt werden sollte. Die Westmächte dagegen führten die DM-Währung in ihren Berlin-Sektoren ein, was die Sowjets am 24. Juni 1948 mit einer totalen Blockade Berlins beantworteten.

«Die Preisgabe Berlins würde den Verlust Westeuropas bedeuten», diese Erkenntnis des britischen Außenministers Ernest Bevin bestimmte die westliche Berlin-Politik, und zur Überraschung Moskaus antworteten die Westmächte mit der größten Luftbrücke, die die Welt bisher gesehen hatte. In einer einzigartigen organisatorischen und menschlichen Anstrengung wurden während der elfmonatigen Blockade bei fast 200 000 Flügen ungefähr anderthalb Millionen Tonnen Lebensmittel, Kohle und Baumaterialien eingeflogen; alle zwei bis drei Minuten landete eine Maschine auf einem der drei West-Berliner Flughäfen. Währenddessen vollendete sich die Spaltung der Stadt. Der frei gewählte Berliner Magistrat wurde im Herbst 1948 durch einen kommunistischen Putsch aus seinem Sitz im Berliner Rathaus vertrieben und fand ein neues Domizil im West-Berliner Rathaus Schöneberg. Während unter der Führung Ernst

Reuters (SPD) die West-Berliner Stadtregierung dem Druck der sowjetischen Blockade erfolgreich Widerstand entgegensetzte, installierte die sowjetische Besatzungsmacht in Ost-Berlin einen eigenen Magistrat unter der Führung Friedrich Eberts (SED), des Sohns des einstigen Reichspräsidenten. Damit war die politische Spaltung der deutschen Hauptstadt vollzogen.

Die menschliche und politische Dramatik der Berliner Ereignisse ließ die Öffentlichkeit weitgehend übersehen, daß auch die Spaltung Deutschlands auf ihren vorläufigen Endpunkt zusteuerte. Am 1. Juli 1948 hatten die Militärgouverneure der drei westlichen Besatzungsmächte den westdeutschen Ministerpräsidenten die «Frankfurter Dokumente» übergeben, in denen die Einberufung einer Verfassunggebenden Nationalversammlung gefordert und ein Besatzungsstatut angekündigt wurde, das die Beziehungen zwischen den Westalliierten und einer künftigen deutschen Regierung regeln sollte. Wie so oft in der deutschen Geschichte waren es auch jetzt wieder die deutschen Länder, die das gemeinsame Staatswesen begründeten. Die Ministerpräsidenten wehrten sich dagegen, einen endgültigen westdeutschen Staat aus der Taufe zu heben; er sollte nicht mehr sein als ein Provisorium im Vorgriff auf einen künftigen gesamtdeutschen Staat, das deshalb auch keine Verfassung, sondern lediglich ein Grundgesetz haben sollte. Auf dieser Grundlage erarbeiteten die Delegierten der westdeutschen Ministerpräsidenten im bayerischen Schloß Herrenchiemsee einen Verfassungsentwurf, den sie einem aus Vertretern der Länderparlamente zusammengesetzten Parlamentarischen Rat vorlegten. Dieser trat am 1. September 1948 unter den gläsernen Augen zweier ausgestopfter Giraffen in einem zoologischen Museum in Bonn zusammen, um dann weiterhin in der in der Nähe gelegenen Pädagogischen Akademie zu tagen und unter der Präsidentschaft des CDU-Vorsitzenden Konrad Adenauer das Bonner Grundgesetz zu beraten, das mit Genehmigung der drei westalliierten Militärgouverneure am 23. Mai 1949 verkündet wurde.

Daß mit der Gründung der Bundesrepublik Deutschland der Weg zur langdauernden Zweiteilung Deutschlands fast beendet war, war nur wenigen Zeitgenossen in diesen Tagen bewußt; Adenauer hatte in der letzten Abstimmung im Parlamentarischen Rat am 8. Mai 1949 das Verfahren noch mit der Bemerkung beschleunigt, «daß wir hier nicht über die Zehn Gebote beschließen müßten, sondern über ein Gesetz, das nur für eine Übergangzeit gelten sollte», und als treuhänderisches Provisorium auf dem Weg zurück zum deutschen Nationalstaat verstand sich fortan die Bundesrepublik Deutschland. Nicht anders war es mit dem Verfassungsentwurf bestellt, den ein von der SED dominierter «Deutscher Volksrat» bereits am 22. Oktober 1948 in Ost-Berlin formell gebilligt hatte – diese Verfassung sollte sogar für ganz Deutschland gelten. Auch der Deutschen Demokratischen Republik, die am 7. Oktober 1949 auf der Grundlage dieser Verfassung ins Leben trat, galt vorerst der deutsche Nationalstaat als fortdauerndes Nahziel.

TOUROPA
Fernexpress

*D*ER
ELEGANTE
FERIENZUG
MIT LIEGEBETT
FÜR JEDEN
GAST

Prospekte in Ihrem Reisebüro

XIII. Geteilte Nation (1949–1990)

Zwei deutsche Staaten in den Wartesälen der Weltpolitik: Damit hatte sich die «deutsche Frage» in einem entscheidenden Punkt grundlegend geändert. Anstelle des einen Deutschland der europäischen Mitte gab es seit 1949 zwei Deutschlands, beide an die gefährdeten Ränder globaler Machtsysteme gerückt und deshalb von den jeweiligen Hegemoniemächten, den USA und der Sowjetunion, favorisiert. Was in augenfälliger Manier für die beiden Staaten in Deutschland galt, traf im Zeichen des Kalten Kriegs für alle Staaten Europas mehr oder weniger zu. Das europäische Konzert war verstummt. Der Druck der jeweiligen Gegenseite auf das eigene Lager ließ den Hang zur nationalstaatlichen Exklusivität schwinden, und es kam hinzu, daß nach der Explosion der Atombombe über Hiroshima am 6. August 1945 und der ersten sowjetischen Atombombe im August 1949 staatliche Souveränität neu definiert wurde – Handlungsfreiheit im Ernstfall schienen hinfort nur noch die Nuklearmächte zu besitzen, während die Souveränität der Staaten Europas allenfalls von der jeweiligen Vormacht abgeleitet war, welche ihren Nuklearschirm über ihrer Interessensphäre aufspannte und die inneren politischen, ideologischen und wirtschaftlichen Verhältnisse diktierte, die unter diesem Schirm herrschen sollten. Der traditionelle Selbstbestimmungsanspruch der Nationalstaaten wurde von der bipolaren Politik überlagert, die militärisch, ideologisch und ökonomisch dominierte. Stalin hat das schon im Frühjahr 1945 im Gespräch mit jugoslawischen Kommunisten klargestellt: «Dieser Krieg ist nicht wie in der Vergangenheit; wer immer ein Gebiet besitzt, erlegt ihm auch sein eigenes gesellschaftliches System auf. Jeder führt sein eigenes System ein, soweit seine Armee vordringen kann. Es kann gar nicht anders sein.»

So war die Spaltung Europas Voraussetzung für den aus dem Zweiten Weltkrieg geborenen Weltfrieden. Nur bei gegenseitiger Anerkennung der bestehenden Grenzen und Machtsphären konnte die labile Balance der Supermächte andauern. Das doppelte Deutschland war eine tragende Säule, Berlin ein Schlußstein der weltweiten Sicherheitsarchitektur, deren Zusammenbruch den Dritten Weltkrieg ausgelöst hätte. Deshalb war Deutschland auf sonderbare Weise sowohl geteilt als auch eins: Es war in zwei Staaten zerrissen, die einander entgegengesetzten Blöcken

Touropa Ferienexpress, Plakat, 1954.
Seit Mitte der fünfziger Jahre folgte auf die «Freßwelle» und die Einrichtungswelle die Reisewelle. Die Deutschen drängten aus ihrem grauen, zerstörten Land in südliche Sonnenländer. Organisiert von großen Reiseunternehmen, rollten sie zu Hunderttausenden an die Strände Mallorcas oder zum «Teutonengrill» von Rimini und stellten alles in den Schatten, wovon die «Kraft durch Freude»-Bewegung nur geträumt hatte.

angehörten. Andererseits aber legten die vier Hauptsiegermächte des Weltkriegs größten Wert auf ihre souveräne Zuständigkeit für Deutschland als Ganzes, weshalb sogar die sowjetischen Besatzungstruppen, sehr zum Mißvergnügen der DDR-Regierung, bis in die achtziger Jahre die Bezeichnung «Gruppe der sowjetischen Streitkräfte in Deutschland» beibehielten. In allen Fragen der Deutschlandpolitik wie in denen der Truppenstationierung auf deutschem Boden hatten deshalb die großen Kriegsalliierten das letzte Wort, mußte die Souveränität beider deutscher Staaten eingeschränkt bleiben. Je mehr sich die Dinge ändern, um so mehr bleiben sie sich gleich: Im Spannungsfeld der großen Mächte bildete Deutschland das Feld des militärischen Aufmarschs, der militärischen Entscheidungen im Kriegsfall, aber auch das strategische Vorfeld, in dem der diplomatische Ausgleich der Interessen stattfand, um den Krieg zu vermeiden. Das war Deutschlands alte Rolle in der europäischen Mitte seit dem Ende des Dreißigjährigen Kriegs, in neuer Variante.

Am 21. September 1949 beorderten die drei Hohen Kommissare der westlichen Besatzungsmächte den Bundeskanzler der Bundesrepublik Deutschland zu sich, um dem Regierungschef der neuen Republik feierlich das Besatzungsstatut zu überreichen – darin waren die souveränen Rechte der Besatzungsmächte festgehalten, die die Gültigkeit des Bonner Grundgesetzes überlagerten. Um die Verhältnisse ganz deutlich zu machen, wollten sich die drei Vertreter der Alliierten während der Zeremonie auf einem roten Teppich aufstellen, während die deutsche Delegation ihren Platz neben dem Teppich zugewiesen erhielt. Konrad Adenauer war wenige Tage zuvor von dem neugewählten ersten deutschen Bundestag mit knappster denkbarer Mehrheit zum Bundeskanzler gewählt worden. Sein Kabinett umfaßte Politiker der Christlich-Demokratischen Union, der Freien Demokratischen Partei sowie der Deutschen Partei, einer bäuerlich-konservativen Partei aus dem Hannoverschen, die später in der CDU aufgehen sollte, während sich die Sozialdemokratische Partei unter der Führung von Kurt Schumacher vorerst auf die Oppositionsbänke verwiesen sah. Der solchermaßen demokratisch legitimierte neue Bundeskanzler dachte nicht daran, sich von den Hohen Kommissaren von oben herab behandeln zu lassen, und trat ganz selbstverständlich ebenfalls auf den Teppich, der ihm nicht zugedacht war. Adenauers Schritt wurde mit süßsauren Mienen zur Kenntnis genommen; der deutsche Bundeskanzler hatte klargemacht, daß er seinen Handlungsspielraum zu nutzen gedachte.

In außenpolitischer Hinsicht allerdings, das wußte Adenauer, war dieser Spielraum eng begrenzt. Wie er bereits in seiner ersten Regierungserklärung vom 20. September 1949 betonte, ging es ihm in erster Linie darum, die machtlose, nach außen von den Siegermächten vertretene Bundesrepublik Deutschland möglichst schnell in die «westeuropäische Welt» zu integrieren und Souveränität, militärische Sicherheit und Handlungsfähigkeit zu erlangen. Auch in kultureller und geistiger Hinsicht sollte der Teilstaat Bundesrepublik ein und für allemal mit dem Westen verbunden werden, um jede Möglichkeit auszuschließen, daß Deutschland irgendwann einmal wieder wie früher eine Schaukelpolitik zwischen Ost und West betreiben oder sich in den Schatten der Sowjetunion begeben konnte. Die feste Westbindung, die Adenauer anstrebte, sollte auch den deutsch-französischen Gegensatz auflösen und Deutschland zu einem stetigen, berechenbaren politischen Partner machen. Nur von einer dermaßen sicheren Position aus, davon war der erste Bundeskanzler der Bundesrepublik überzeugt, wäre dann auch eine Lösung der deutschen Frage durch Wiedervereinigung denkbar.

Der Gang der Weltpolitik kam Adenauers Zielen entgegen. Der Kalte Krieg gipfelte in einem heißen Krieg. Am 25. Juni 1950 griff das kommunistische Nordkorea den Süden des Landes an, und den Staatsmännern der westlichen Welt schien es, als habe der Kreml eine globale Offensive begonnen, die in einen dritten Weltkrieg münden könne. Die dauerhafte Entmilitarisierung Deutschlands war eines der wichtigsten alliierten Kriegsziele gewesen. Jetzt erschien sie obsolet, zumal in Ostdeutschland längst eine Armee unter der Tarnbezeichnung «Kasernierte Volkspolizei» bestand. Wer konnte sagen, ob sie nicht Angriffspläne nach nordkoreanischem Vorbild hegte? Eine «Europäische Verteidigungsgemeinschaft» (EVG), eine supranationale westeuropäische Militärorganisation mit integrierten Truppenkontingenten Frankreichs, Italiens, der Beneluxstaaten und auch der Bundesrepublik schien die Antwort zu sein. Bereits im Mai 1950 begannen in Bonn verdeckte Planungen für den Aufbau einer westdeutschen Armee. Die Verhandlungen waren lang und zäh, stießen in allen beteiligten Ländern auf Widerstände. Hinzu kam, daß Adenauer auf einem «Deutschlandvertrag» beharrte, der die deutsche Gleichberechtigung im Rahmen des Bündnisses zum Ziel hatte.

Nicht jedermann mochte auf dem Weg der bedingungslosen Westintegration folgen. In allen großen Parteien, von der regierenden CDU bis zur oppositionellen SPD, gab es Politiker, die aus der Blockbindung ausbrechen und um den Preis verminderter Souveränität ein vereinigtes, blockfreies, neutrales Deutschland zwischen den Gegnern des Kalten Kriegs anstrebten. Im Frühjahr 1952 schien die Chance greifbar nah: In mehreren Noten an die Westmächte und an die Bundesregierung schlug Stalin die Vereinigung der beiden deutschen Teilstaaten zu einem neutralen Gesamtdeutschland vor, unter gesamtalliierter Kontrolle, mit schwachen eigenen Streitkräften und einer Demokratie, die ausschließlich auf «demokratischen und friedliebenden Parteien» – was immer das aus der sowjetischen Perspektive heißen mochte – beruhen sollte. Die Westmächte lehnten Stalins Vorschlag ab, und die deutsche Bundesregierung schloß sich dieser Ablehnung ohne Wenn und Aber an – sie tat es, weil sie davon überzeugt war, daß die Westintegration Westdeutschlands wichtiger war als die Bildung eines schwachen, zwischen Ost und West schwankenden Gesamtdeutschland. Aber auch eine andere Auffassung der Bundesregierung hätte an der ausschlaggebenden Entscheidung in Washington, London und Paris nichts geändert.

3 geteilt? niemals!
Emaille auf Eisenblech, Kuratorium Unteilbares Deutschland, um 1960.
Während DDR und Sowjetunion seit 1952 die beiden deutschen Staaten als gleichberechtigt und die Oder-Neiße-Grenze als endgültig betrachteten, ging die westdeutsche Sichtweise von der Weiterexistenz Deutschlands «in den Grenzen vom 31. 12. 1937» aus, also innerhalb jenes Gebiets, das nach dem Versailler Vertrag und den Volksabstimmungen in Schleswig, Oberschlesien und dem Saargebiet zu Deutschland gehörte. Diese Definition war am 14. November 1944 von den Alliierten in London festgelegt worden, spiegelte sich im Potsdamer Abkommen und fand sich in Art. 116 des Bonner Grundgesetzes; jedoch galt dies «vorbehaltlich einer friedensvertraglichen Regelung». Allerdings vermied es die Bundesregierung seit dem Inkrafttreten der Ostverträge 1972, die «Grenze von 1937» zu erwähnen, und auch das Wiedervereinigungsgebot, niedergelegt in der Präambel des Grundgesetzes, wurde seit Inkrafttreten des innerdeutschen Grundlagenvertrags im gleichen Jahr überwiegend als historisch überholtes Relikt betrachtet.

Von den Sowjetmenschen lernen heißt siegen lernen

Für den Frieden

Marshallplan
Nordatlantikpakt
Westblock

ПРОЧЬ С ДОРОГИ, ПОДЖИГАТЕЛИ ВОЙНЫ!

Aus dem Wege, Ihr Kriegsbrandstifter!

Kriegspakt mit Washington bringt Elend und Tod –
Freundschaft mit der Sowjetunion Frieden und Brot!

Von den Sowjetmenschen lernen heißt siegen lernen, Leipzig 1951.
Die westliche Integrationspolitik beschleunigte sich während des Koreakriegs; die DDR-Propaganda reagierte darauf mit der Schiffs-Metapher: links der lecke Piratenkahn des Westens, dessen zerrissene Segel Marshallplan, Nordatlantikpakt und Westblock heißen. Churchill, de Gaulle, Franco und der französische Außenminister Schuman schöpfen vergebens Wasser aus dem Rumpf, Adenauer in Nazi-Uniform ist bereits über Bord gegangen. In den Grund gebohrt wird diese jämmerliche Nußschale von einem mächtigen Sowjetdampfer unter der Fahne des Friedens, an Bord heroische Personifikationen der Mitglieder des Sowjetblocks.

Gab es damals eine verpaßte Gelegenheit für die deutsche Einheit? Bis heute hat die Diskussion darüber nicht aufgehört, und sie wird nicht enden, bevor nicht die sowjetischen Archive endgültig geöffnet und die wirklichen Absichten der Sowjetunion geklärt sind. Wahrscheinlich beruhte die alliierte Entscheidung aber auf zutreffenden Annahmen; die sowjetische Notenkampagne fand in den entscheidenden Monaten vor dem Beitritt der Bundesrepublik Deutschland zu den westlichen Sicherheits- und Wirtschaftsgemeinschaften statt, und fast alles spricht dafür, daß es Stalin darum ging, die Westintegration der Bundesrepublik und die Errichtung der Europäischen Verteidigungsgemeinschaft im letzten Moment zu verhindern. Eine verpaßte Gelegenheit, die deutsche Einheit durch Neutralisierung Gesamtdeutschlands herzustellen, hat es für die Politik der Bundesrepublik nicht gegeben.

Der EVG-Vertrag wurde am 26. Mai 1952 unterzeichnet, scheiterte jedoch zwei Jahre später an der Weigerung der französischen Nationalversammlung, den Vertrag zu ratifizieren – der Mehrheit der Abgeordneten ging der französische Souveränitätsverzicht zu weit. Aber die Integration Westdeutschlands in das westliche Bündnissystem war nicht mehr rückgängig zu machen. Am 5. Mai 1955 traten die Pariser Verträge in Kraft, deren wichtigster den Beitritt der Bundesrepublik Deutschland zur Nordatlantischen Verteidigungsorganisation (NATO) regelte. Die NATO war am 4. April 1949 als Militärbündnis der Staaten Kanada, Großbritannien, Frankreich, Island, Norwegen, Dänemark, Italien, Portugal sowie der Beneluxstaaten unter Führung der USA ins Leben getreten, um «jeden bewaffneten Angriff gegen einen oder mehrere von ihnen in Europa oder Nordamerika als einen Angriff gegen sie alle» anzusehen und sich gegenseitig militärischen Beistand zu leisten; 1952 waren Griechenland und die Türkei hinzugekommen. Aus deutschem Blickwinkel hieß NATO-Mitgliedschaft nicht nur Sicherheit, sondern auch Rückkehr zur Souveränität, die durch den zugleich in Kraft getretenen «Deutschlandvertrag» von den Westmächten gewährt wurde – eine beschränkte Souveränität allerdings, denn in allen Fragen der Deutschlandpolitik behielten die Siegermächte des Weltkriegs ihre Vorbehaltsrechte, wie auch bei der Stationierung ihrer Truppen auf deutschem Boden; überdies verzichtete die Bundesrepublik Deutschland auf eine Reihe strategischer Waffensysteme einschließlich Atomwaffen. Aus alliierter Sicht sah man den NATO-Beitritt der Bundesrepublik in etwas anderer Perspektive; der NATO-Generalsekretär Lord Ismay meinte, Zweck des Bündnisses sei es, *«to keep the Americans in, the Russians out and the Germans down»* – die Amerikaner in Europa drin-, die Sowjets fern- und die Deutschen niederzuhalten.

Das war die Lehre, die man aus der Geschichte des 20. Jahrhunderts gezogen hatte: Um Deutschland, die schwer berechenbare Macht der europäischen Mitte, zu bändigen und berechenbar zu machen, durfte man es nicht aus der Völkergemeinschaft ausgrenzen und demütigen – das war der entscheidende Fehler der Friedensordnung von 1919 gewesen.

Nein – darum CDU, Wahlplakat zur Bundestagswahl 1949. Die Bedrohung durch den Sowjetkommunismus war angesichts der sowjetischen Expansion in Osteuropa und der in der Sowjetzone herrschenden Unterdrückung und Entrechtung eine sehr reale Erfahrung, die in beträchtlichem Ausmaß zur inneren Integration der Bundesrepublik Deutschland und Westeuropas beitrug. Daraus ergab sich die Neigung, die Kommunismusfurcht der Bevölkerung parteipolitisch zu nutzen, was das innenpolitische Klima zwischen Koalition und Opposition vergiftete.

Statt dessen kam es darauf an, Deutschland – also einstweilen Westdeutschland – so fest in die westliche Gemeinschaft einzubinden, daß diese Bindungen auch unter gewandelten politischen Umständen nie mehr rückgängig gemacht werden konnten. Das galt nicht nur in militärischer Hinsicht, sondern ebenso in wirtschaftlicher und politischer. Der Zusammenschluß (West-)Europas ergab sich aus den katastrophalen Erfahrungen, die die Europäer in diesem Jahrhundert gemacht hatten, und aus der Erkenntnis, daß die ökonomischen, militärischen und politischen Verflechtungen eine Abwendung von isolierter, nationalstaatlicher Politik erforderten.

Als Winston S. Churchill in seiner Züricher Rede vom 16. Dezember 1946 die Schaffung der «Vereinigten Staaten von Europa» gefordert hatte, die, zu diesem Zeitpunkt noch eine schockierende Idee, auf der Partnerschaft zwischen Frankreich und Deutschland beruhen sollte, da hatte er Großbritannien noch ausgenommen. Das war noch im Geist der klassischen britischen *balance of power*-Politik gedacht gewesen, die das unruhige Europa vor den Toren Englands durch Paktsysteme ruhigzustellen suchte, um sich den eigenen überseeischen Interessen zu widmen. Aber der Zusammenbruch des britischen wie des französischen Kolonialreichs machte im Laufe der 50er Jahre deutlich, daß die Zeit europäischer Weltherrschaft für immer beendet, daß Europa ganz auf sich selbst zurückgeworfen worden war und nur dann eigenes Gewicht im Bündnis mit den Vereinigten Staaten von Amerika behalten konnte, wenn es seine verbliebenen Kräfte bündelte und konzentrierte. Der erste Schritt zu einer wirtschaftlichen Verflechtung Europas war die Gründung des «Gemeinsamen Markts für Kohle und Stahl» 1951, der sogenannten Montanunion, durch die die Produktion von Kohle und Stahl in Frankreich, Deutschland, Italien, den Niederlanden, Belgien und Luxemburg einer gemeinsamen Behörde unterstellt wurde. Dem folgte der Zusammenschluß dieser sechs Staaten zu einer Europäischen Wirtschaftsgemeinschaft (EWG) und einer Europäischen Atomgemeinschaft zur friedlichen Nutzung der Atomenergie (EURATOM) am 25. März 1957. Am vorläufigen Ende des westeuropäischen Zusammenschlusses steht die heutige Europäische Union (EU) mit ihrem mächtigen Überbau von Kommissionen, Räten, Generaldirektorien und Bürokraten sowie dem Europäischen Parlament in Straßburg. Dem heutigen Betrachter ist die Welt der Gründerzeit bereits weit entschwunden; das hoffnungsvolle Pathos, das die ersten Schritte der europäischen Einigung begleitete, scheint heute kaum weniger erstaunlich als die selbstverständliche Bereitschaft aller damals Beteiligten, zu diesem Ziel auf nationale Eigenständigkeit zu verzichten. Wie tief die Welt sich verändert hatte, wurde sichtbar, als Bundeskanzler Adenauer und der französische Staatspräsident Charles de Gaulle (1890 – 1970) nach dem Abschluß des Vertrags über deutsch-französische Zusammenarbeit vom 22. Januar 1963 auf den Feldern der Champagne, die vom Blut so vieler deutsch-französischer Schlachten getränkt waren, eine gemeinsame Parade französischer und deutscher Truppen abnahmen. Von der Erbfeindschaft binnen weniger Jahre zur Schicksalsgemeinschaft – nach Jahrhunderten heilloser deutsch-französischer Verstrickungen eine tiefe Zäsur der europäischen Geschichte.

Daß die westliche Staatengemeinschaft die Bundesrepublik nach dem Zweiten Weltkrieg aufnahm, hatte weitreichende Folgen. Von Anfang an verlieh die amerikanische Unterstützung für die Regierung Adenauer der neuen deutschen Demokratie auch innenpolitisch einen erheblichen Prestigeschub. Demokrat zu sein hieß das erste Mal in der deutschen Geschichte, Erfolg zu haben. Wer weiß, wie sich die erste deutsche Demokratie, die Republik von Weimar, entwickelt hätte, wenn ein Ebert, ein Stresemann, ja selbst noch ein Brüning sich eines alliierten Wohlwollens hätten erfreuen können wie nach dem Zweiten Weltkrieg Konrad Adenauer. Darauf beruhte zum Teil die Erfolgsgeschichte der westdeutschen Demokratie. Hinzu kam allerdings das «Wirtschaftswunder».

Zunächst hatte nicht viel für einen Wirtschaftsboom gesprochen. Im Winter 1949/50 herrschte Massenarbeitslosigkeit, die an die schlimmsten Weimarer Jahre erinnerte, und erst im März 1950 konnte die Lebensmittelrationierung aufgehoben werden, die seit 1939 bestanden hatte. Aber dann kam, in der Folge des Koreakriegs, ein weltweiter Wirtschaftsaufschwung, der auch der westdeutschen Wirtschaft einen beträchtlichen Wachstumsschub verlieh. Die Verbraucher hatten einen gewaltigen Nach-

holbedarf an Konsumgütern, die nach Kriegszerstörung und Demonta-
gen darniederliegende Industrie investierte beträchtliche Mittel in moderne Produktionsanlagen, der Marshall-Plan sorgte für das notwendige
Kapital und stellte die Weichen für die Westverflechtung der deutschen
Wirtschaft. Während zur Zeit des Koreakriegs die wichtigsten außen-
wirtschaftlichen Konkurrenten, die USA und die westeuropäischen Demokratien, ihre Produktionskapazitäten auf Rüstungsproduktion einstel-
len mußten, konnten deutsche Exporte in die Weltmärkte eindringen.
Schließlich zahlte es sich aus, daß die Gewerkschaften sich in den ersten
Jahren der Bundesrepublik mit Lohnforderungen zurückhielten, so daß
die Lohnzuwachsraten etwas niedriger als die Zuwachsraten des Sozial-
produkts lagen – dennoch nahmen die Löhne der Arbeitnehmer jährlich
um durchschnittlich 5% zu. Nach der größten Niederlage ihrer Geschichte
erlebten die Deutschen die größte wirtschaftliche Blüte ihrer Geschichte.

Die Bundesregierung nutzte die volkswirtschaftlichen Verteilungsspielräume, um auf sozialpolitischem Gebiet in fast revolutionärer Weise
tätig zu werden: Mit dem Bundesversorgungsgesetz von 1950 wurde drei
Millionen Kriegsgeschädigten geholfen. Das Lastenausgleichsgesetz von
1952 setzte einen bisher nie dagewesenen Vermögenstransfer innerhalb
der Bevölkerung in Gang, um diejenigen zu entschädigen, die durch
Krieg, Vertreibung und Enteignungen in Ost- und Mitteldeutschland
Vermögensverluste erlitten hatten.

Bundesvertriebenengesetz, Betriebsverfassungsgesetz, Bundesentschä-
digungsgesetz, Rentenreform, Lohnfortzahlung im Krankheitsfall, Kin-
dergeld: Der Sozialstaat, wie wir ihn heute haben, entstammt der Ära
Adenauer, einer Zeit, die sich dem Glauben hingab, daß die Wirtschaft
grenzenlos weiterwachsen und den Sozialstaat für alle Zeiten finanzieren
werde.

Die innere Stabilität der deutschen Demokratie hat viel mit «Wirtschaftswunder» und Sozialpolitik der fünfziger Jahre zu tun. Die westdeutsche Bevölkerung umfaßte 47 Millionen Menschen; zehn Millionen
Vertriebene aus den deutschen Ostgebieten, der Tschechoslowakei und
Ungarn wurden ebenso eingegliedert wie später noch weitere drei Millionen Flüchtlinge aus der DDR. Links- wie rechtsextremistische Partei-
en gab es zwar, sie besaßen aber bei der überwältigenden Wirkung der
wirtschaftlich ausgelösten Demokratisierungswelle, die über die Bundesrepublik hinwegrollte, keine erheblichen Chancen. «Bonn ist nicht Weimar» wurde zur Erfolgsformel für die fast rätselhafte Verwandlung eines
Volks innerhalb eines halben Jahrhunderts – die Leidenschaften, Fanatis-
men, epileptischen Zuckungen der Weimarer Republik, die 22 Millionen
Stimmen, die Kommunisten und Nationalsozialisten noch in der März-
Wahl von 1933 auf sich vereinigen konnten, alles das schien gleichsam im
Erdreich versickert. Statt dessen die Bonner Republik: leidenschaftslos,
vernünftig, nüchtern, ziemlich langweilig und ein Wunder an Stabilität.
Zwei Slogans, mit denen die CDU Konrad Adenauers und seines erfolg-
reichen Wirtschaftsministers Ludwig Erhard (1891–1977) Wahl auf Wahl

WEGWEISER
durch den

LASTEN-
AUS-
GLEICH

Kriegssachschaden
Sparerschaden

Ostschaden

} Vertreibungsschaden

Sowjetzonenflüchtlinge

Grenzen des Deutschen Reiches 1937 ▬

gewann, lauteten: «Wohlstand für alle» und «Keine Experimente». Die
Bürger hatten genug von der Politik – «skeptische Generation», diagno-
stizierten die Soziologen –, sie zogen sich in ihr wohlverdientes privates
Glück zurück, investierten in Eigenheime, Volkswagen-Käfer und Reisen
nach Mallorca und überließen den Staat dem Patriarchen im Bonner
Palais Schaumburg. Die kulturellen Repräsentanten Westdeutschlands,
von der Literatenvereinigung «Gruppe 47» bis zu den Herausgebern mei-
nungsführender Blätter wie dem «Spiegel» oder der «Zeit», fühlten sich
in ihrer großen Mehrheit in geistiger Opposition zu einem Staatswesen,
das ihnen dumpf-materialistisch und restaurativ vorkam. Das war eigentlich nichts Neues – die Kulturszene der Weimarer Republik wie die
246   Avantgarde des Kaiserreichs hatten sich nicht anders begriffen, wie über-

haupt der Gegensatz von «Geist» und «Macht» ein Grundmotiv der europäischen Moderne zu sein scheint. Überraschend ist aber im Rückblick, wie kraftlos und epigonal die kulturellen Erscheinungen der Bundesrepublik im Vergleich zu denen der Weimarer Zeit wirken; die wenigen Ausnahmen, wie der Dichter Paul Celan oder der Romanschriftsteller Günter Grass, waren auffallend oft aus östlicheren Teilen Europas zugewandert.

Der andere deutsche Staat, die Deutsche Demokratische Republik, hatte der Attraktivität dieses robusten Erfolgsmodells wenig entgegenzusetzen. Die DDR bildete den äußersten Vorposten des sowjetischen Machtbereichs und wurde von Stalin wie von dessen Nachfolgern als strategischer Pfeiler ihres Systems betrachtet. So war ihre Gründung 1949 nur scheinbar eine Reaktion auf die Gründung der Bundesrepublik Deutschland. Staatspräsident der DDR war der Kommunist Wilhelm Pieck (1876–1960), Ministerpräsident der ehemalige Sozialdemokrat Otto Grotewohl (1894–1964), beide SED. Der eigentliche Machthaber, sieht man von den sowjetischen «Freunden» ab, war der Erste Stellvertreter des Ministerpräsidenten, Walter Ulbricht (1893–1973), der schrittweise alle Schlüsselpositionen in Partei und Staat übernahm. Die Legitimation der DDR war von Anfang an schwach. Wenn auch mit dem Versprechen, den Sozialismus zu errichten, anfangs viel brachliegender Idealismus aktiviert wurde, fehlte es doch an freien Wahlen wie an wirtschaftlichem Erfolg; das sowjetische Vorbild war im gesellschaftlichen und politischen Leben allenthalben sichtbar. Die SED, deren Spitze das Politbüro des Zentralkomitees (ZK) darstellte, kontrollierte Staat und Gesellschaft und lenkte die staatlich geplante Wirtschaft. Das 1950 errichtete, nach Moskauer Modell militärisch organisierte Ministerium für Staatssicherheit versuchte jegliche Opposition im Keim zu ersticken, indem es das Land mit einem dichten Netz von Spitzeln überzog und «Staatsfeinde» aufgrund nebelhafter – und oft ganz ohne – Rechtsgrundlagen verhaftete. Die Militarisierung des öffentlichen Lebens ging über die Bedürfnisse der Nationalen Volksarmee hinaus und diente, wie auch die Rituale eines ausufernden Staatskultes, der politischen Gleichschaltung der Bevölkerung. Trotz erheblicher Anstrengungen der Menschen in der DDR blieben Lebensstandard und Qualität der Produkte beträchtlich unter dem westlichen Niveau. Die Produktion der «volkseigenen» Betriebe wie auch der Landwirtschaft zwischen Elbe und Oder sank weit unter Vorkriegsstand – dabei galt die Wirtschaft der DDR als die weitaus erfolgreichste innerhalb des «Rats für Gegenseitige Wirtschaftshilfe» (RGW), des östlichen Gegenstücks zur Europäischen Wirtschaftsgemeinschaft.

Wegweiser durch den Lastenausgleich, Broschüre, Bayreuth 1955. Das Lastenausgleichsgesetz, das der deutsche Bundestag am 16. Mai 1952 gegen die Stimmen von SPD und KPD verabschiedete, leitete die größte Vermögensumverteilung in der deutschen Geschichte ein. Alle Vermögen, die bei der Währungsreform 5000 DM überstiegen, wurden mit einer fünfzigprozentigen Abgabe, zahlbar in 30 Jahresraten, belegt. Der Ertrag, bis 1983 rund 126 Milliarden Mark, wurde für Verluste aus Flucht und Vertreibung sowie aus Kriegszerstörungen ausgezahlt: ein entscheidender Beitrag zur Integration der Flüchtlinge und Vertriebenen.

Die 2. Parteikonferenz der SED hatte im Juli 1952 den Aufbau des Sozialismus unter den Bedingungen des «sich gesetzmäßig verschärfenden Klassenkampfs» angekündigt. Die Zuchthäuser füllten sich mit Opfern willkürlicher Richtersprüche, die Zwangskollektivierung der Landwirtschaft, die Vernichtung des bürgerlichen Mittelstandes, der einseitige Aufbau der Schwerindustrie gingen mit drastischen Preiserhöhungen und mit einer zehnprozentigen Normenerhöhung für Industriearbeiter einher. Der radikale Kurs Ulbrichts schien in Moskau riskant. Im Juni 1953 mußten die Zwangsmaßnahmen auf sowjetische Weisung hin überstürzt rückgängig gemacht werden, und die «Führung der Arbeiterklasse» dachte an alles, nur nicht an die Arbeiter, deren Normenerhöhung nicht zurückgenommen wurde. Am 17. Juni 1953 streikten zuerst die Arbeiter, die am Aufbau der Berliner Stalin-Allee, eines Prestigevorhabens der DDR, beteiligt waren. Die Streikbewegung griff blitzschnell auf die anderen Industriegebiete der DDR über. Anfangs überwogen wirtschaftliche und soziale Forderungen, aber schnell schlug die Stimmung um in allgemeine Feindseligkeit gegen das SED-Regime; Forderungen auf Zulassung der westdeutschen Parteien auch in Ostdeutschland, Beseitigung der Zonengrenze, Abhaltung freier und geheimer Wahlen wurden laut. Die Streikbewegung wandelte sich zu einer nationalen Aufstandsbewegung, und nur mit Unterstützung durch sowjetische Panzer, die den Protest niederwalzten, konnte sich das SED-Regime halten. Bei aller Bitterkeit war der Aufstand doch nicht ganz erfolglos. Die Bevölkerung wie das Regime hatten ihre Schwächen und Stärken kennengelernt, die SED-Macht wußte jetzt, wo ihre Grenzen lagen und wie wichtig die materielle Grundversorgung der Bevölkerung für das Überleben der Parteidiktatur war. Vor aller Welt war sichtbar geworden, daß sich die kommunistische Herrschaft in der DDR in Luft auflösen mußte, wenn in einer kritischen Situation die sowjetischen Panzer einmal nicht mehr rollten.

Klar war jetzt auch, daß die DDR im direkten Legitimitätswettbewerb mit der Bundesrepublik chancenlos war. Als zudem erkennbar wurde, daß die Einbindung der Bundesrepublik Deutschland in das westliche Sicherheitssystem irreversibel war, schwenkte die Sowjetunion bereits 1955 auf die Theorie um, nach der die «deutsche Frage» durch die Existenz zweier deutscher Staaten mit unterschiedlichen politisch-gesellschaftlichen Ordnungen gelöst sei. Damit war eine Wiedervereinigung Deutschlands durch Westintegration ausgeschlossen. Dem entsprach der Wandel in der Politik der Deutschen Demokratischen Republik, die in klarer Erkenntnis ihrer Unterlegenheit im politisch-ökonomischen Wettbewerb mit der Bundesrepublik Deutschland die Wiedervereinigung unter den gegebenen Auspizien ablehnte. So war es nur folgerichtig, daß sie sich offiziell seit 1974 als «sozialistische Nation» in einem «sozialistischen deutschen Staat» proklamierte und damit die nationale Gemeinschaft mit den Westdeutschen kategorisch ausschloß – zumindest, solange nicht auch in der Bundesrepublik Deutschland sozialistische Zustände einkehrten.

In Wirklichkeit jedoch zogen die Lichter West-Berlins die Menschen

aus der DDR fast magisch an, und so wuchs der Strom der Flüchtlinge über die Sektorengrenze ständig und erreichte 1961 1650000 Menschen: Das entsprach der gesamten Bevölkerungszahl Ost-Berlins. Die Sowjetunion konnte auf die Dauer diese «Abstimmung mit den Füßen» (Lenin) nicht hinnehmen. Gefährlicher als der Verlust an Menschen und Arbeitskraft war der Gesichtsverlust, den der «real existierende Sozialismus» Tag für Tag erlitt. Im Oktober 1958 forderte der neue Machthaber im Kreml, Nikita Chruschtschow, den Abzug der Westalliierten aus Berlin und die Kontrolle der Zugangswege durch die DDR; Berlin sollte «Freie Stadt» sein. Demgegenüber formulierte die US-Regierung unter Präsident John F. Kennedy die drei *essentials* für Berlin: Freiheit der Bevölkerung, Anwesenheit westlicher Truppen und freier Zugang durch die Luft, auf dem Wasserweg, über die Schienenstränge und die Autobahnen. Der Nervenkrieg um die Stadt heizte sich auf, bis am 13. August 1961 DDR-Soldaten und paramilitärisch Uniformierte über Nacht Stacheldrahtverhaue und Gräben um den freien Teil Berlins zogen. Im Laufe der nächsten Wochen wuchs

Übergabe des Parteidokuments, Hans Mr_oczinski, 1953. Im Jahr 1952 hatten sich die politischen Strukturen in der DDR so verfestigt, daß Walter Ulbricht auf der 2. Parteikonferenz der SED den «planmäßigen Aufbau des Sozialismus» verkünden konnte. Praktisch hieß das nicht Verwirklichung neuer Ideen, sondern Anpassung an das rückständige System des sowjetischen Stalinismus. Das «Studium der Werke des Genossen Stalin» war nach dem Beschluß der Konferenz «noch gründlicher» durchzuführen. Neben dem devoten Personenkult konzentrierte sich die Parteiführung auf die Kaderpolitik; Kritik, Selbstkritik sowie Kontrolle durch den übergeordneten Apparat galten als Garantien der Machtsicherung.

rund um die Teilstadt ein solider Betonwall aus dem Boden. Wer jetzt noch versuchte, nach West-Berlin zu fliehen, riskierte im Kugelhagel der Grenzwächter sein Leben.

Abgesehen von ihren mörderischen und entmutigenden Auswirkungen schaffte die Mauer Klarheit. Ihr Bau stellte einen einseitigen Bruch des Berlin-Status dar, den die Westalliierten nicht hatten verhindern können, es sei denn um den möglichen Preis eines Kriegs. Die Kuba-Krise von 1962, bei der die Welt am Rand des Nuklearkriegs gestanden hatte, hatte die Situation noch klarer gemacht: Der Preis des Friedens war die Unantastbarkeit der beiderseitigen Machtsphären. Entspannung statt Konfrontation stand jetzt auf der Tagesordnung der Weltmächte. Die Bundesrepublik Deutschland mit ihrem Anspruch auf Wiedervereinigung und auf Alleinvertretung für alle Deutschen, bisher treuester Bundesgenosse der USA gegenüber der Sowjetunion, stand jetzt zunehmend als Hindernis für den Ausgleich der großen Mächte da. Die Hallstein-Doktrin, mit der die Bundesrepublik jedes Land, das Diplomaten nach Ost-Berlin schickte, mit dem Abbruch der diplomatischen Beziehungen bestrafte, erwies sich jetzt als Sackgasse. Namentlich in der arabischen Welt, die sich von der Unterstützung durch die Sowjetunion zeitweise mehr versprach als von Geschenken aus Bonn, wuchs die Neigung, die DDR anzuerkennen und den Bruch mit der Bundesrepublik Deutschland in Kauf zu nehmen.

Auch innenpolitisch standen die Zeichen auf Wandel. Die Ära Adenauer war im Oktober 1963 mit dem Rücktritt des «Alten» zu Ende gegangen. Sein Nachfolger, der populäre «Vater des Wirtschaftswunders» Ludwig Erhard, gewann die Bundestagswahl vom 19. September 1965 – die CDU, zusammen mit der bayerischen Schwesterpartei CSU, verfehlte die absolute Mehrheit im Bundestag um nur vier Stimmen. Der Stimmenanteil des Koalitionspartners FDP allerdings ging um ein Viertel zurück, während die SPD unter dem charismatischen Kanzlerkandidaten Willy Brandt (1913–1992) beträchtlich hatte aufholen können. Aber Erhard gelang es nicht, seinen Wahlerfolg in dauerhafte Politik umzusetzen. Er hatte die Wahl unter anderem mit massiven sozialpolitischen Geschenken an die Wähler gewonnen; die Staatsausgaben wuchsen schneller als das Sozialprodukt, eine wirtschaftliche Talfahrt verstärkte die Haushaltsschwierigkeiten, und Erhard, der einst den Mut zum Konsum zu seinem Wahlspruch gemacht hatte, mußte jetzt völlig vergeblich das Maßhalten predigen. Er stürzte schließlich, weil die FDP das Haushaltsdefizit nicht mittragen wollte und am 27. Oktober 1966 die Regierung verließ.

Die darauf folgende Große Koalition von CDU/CSU und SPD unter dem CDU-Kanzler Kurt Georg Kiesinger (1904–1994) war nur ein Übergang. Zwar war die Regierung in wirtschaftspolitischer Hinsicht erfolgreich – die Rezession wurde überwunden, und neue wirtschaftliche Steuerungsmechanismen trugen dazu bei, den Aufschwung zu unterstützen und zu verstetigen. Aber das Bündnis war zu heterogen, als daß es hätte dauern können. In der Deutschland- und Ostpolitik waren SPD wie auch FDP bereit, den auf Entspannung deutenden Signalen aus Moskau, Washington und Paris zu folgen und die «Realitäten» anzuerkennen, die Teilung des Kontinents und damit auch Deutschlands hinzunehmen und zu einem Ausgleich, einem «geregelten Miteinander» mit der DDR zu kommen. Zwar bewegte sich die Regierung Kiesinger einige Schritte in dieser Richtung, indem sie mit der Aufnahme diplomatischer Beziehungen zu Rumänien und Jugoslawien die «Hallstein-Doktrin» zum alten Eisen legte und das direkte Gespräch mit Moskau suchte; im Mai 1967 beschloß das Bundeskabinett überdies, Schreiben der DDR-Regierung entgegenzunehmen und zu beantworten. Dieser neue Realismus ging aber zahlreichen Unionspolitikern, namentlich der CSU-Spitze, zu weit. Bundeskanzler Kiesinger hielt einstweilen die auseinanderstrebenden Flügel seines Kabinetts zusammen, indem er sich in der Kunst des «Ausklammerns» der Probleme übte.

Nicht nur die Ost- und Deutschlandpolitik schien festgefahren, sondern das Staatsschiff überhaupt. Seit Anfang der sechziger Jahre hatte sich das politische und kulturelle Klima in Westdeutschland von Grund auf verändert. Der nachwachsenden Generation schienen die Werte der Eltern obsolet und verdächtig: ein für die deutsche Geschichte typischer Generationenkonflikt, wie er alle fünfzig Jahre wiederkehrt, ob im Vormärz, im *Fin de siècle* oder in der Weimarer Zeit. Wieder einmal glaubte eine junge Generation, die sachlich-aufgeklärte, illusionslose, kompromißbereite, an den Grenzen des Machbaren orientierte Denkweise der Väter und Mütter nicht ertragen zu können. Der Pragmatismus der Adenauer-Ära, die restaurativen Grundlagen der frühen Bundesrepublik, in der manche Beamten, Richter und Diplomaten aus der NS-Zeit ihre Karrieren hatten fortsetzen können, die kulturelle Stagnation als Kehrseite des wirtschaftlichen Erfolgs, die jahrzehntelange Tabuisierung und Verfemung linker und radikaler Ideen, der hemmungslose Materialismus einer Epoche, in der die Entbehrungen und inneren wie äußerlichen Verwüstungen der Kriegs- und Nachkriegszeit durch einen wahren Konsumrausch kompensiert worden waren – das alles stieß jetzt auf schonungslose Fundamentalkritik. So, wie Anfang des 20. Jahrhunderts der verspätete Schock der Industrialisierung Europas eingesetzt und zu radikalen Lebensentwürfen geführt hatte, so schien es auch in den sechziger Jahren, als werde die Ungeheuerlichkeit der nationalsozialistischen Ära und ihrer Verbrechen erst eine Generation später bewußt. Eine konzentrierte moralische Grundströmung erfaßte die westdeutsche Gesellschaft, und namentlich die Intelligenz, die studierende Jugend, die intellektuellen Meinungsmacher, Lehrer, Professoren, Journalisten überkam das Verlangen, jenen Widerstand nachzuholen, den ihre Mütter und Väter nicht geleistet hatten, und sich so im nachhinein von Schuld und Verstrickung der jüngsten deutschen Geschichte zu dispensieren.

Ausgelöst durch den Tod eines Studenten, der am 2. Juni 1967 versehentlich bei einer Demonstration gegen den Besuch des persischen

Schahs in Berlin von einem Polizisten erschossen worden war, rollte eine Protestwelle im Namen eines hochmoralisch aufgeladenen Antifaschismus durch Deutschland: Die «verkrusteten Strukturen» sollten gesprengt, die Institutionen der liberalen Demokratie als Bastionen eines «täglichen Faschismus» entlarvt, die «Charaktermasken» des «Establishment» durch eine aufgeklärte «Gegenelite» ersetzt werden. Mehrere Jahre lang kam es an Universitäten und anderenorts zu bürgerkriegsähnlichen Ausschreitungen der «Außerparlamentarischen Opposition» (APO); Marx und Lenin, in Osteuropa längst zu abgelebten, zynisch benutzten Götzen herabgesunken, erlebten im liberalen Westen eine kurze zweite Jugend. Die Funken zündeten aber nicht, weil die Arbeiterschaft, nach marxistischer Hoffnung Trägerschicht der neuen sozialistischen Gesellschaft, beträchtlich mehr zu verlieren hatte als ihre Ketten und weil der Traum einer Kulturrevolution in der Bundesrepublik Deutschland nach dem Muster des maoistischen China eine groteske, wirklichkeitsferne Marotte war. Die APO zerfiel schnell in zahlreiche Politsekten, die teils in der «Friedensbewegung» der ausgehenden siebziger Jahre, teils in terroristischen Untergrundgruppen aufgingen.

Aber die Grundstimmung im Land hatte sich geändert, und das zeigte sich bei der Bundestagswahl vom 28. September 1969, bei der die SPD, die sich als Partei des Wandels im Gegensatz zur herrschenden CDU empfahl, das erste Mal in ihrer Geschichte die 40%-Marke übersprang; die Vorsitzenden von SPD und FDP, Willy Brandt und Walter Scheel, einigten sich auf ein Regierungsbündnis.

Man kann die Ära der sozialliberalen Koalition unter den Kanzlern Willy Brandt und Helmut Schmidt, die von 1969 bis 1982 währte, als eine Art Komplementärentwurf zur Ära Adenauer begreifen. Der Adenauerschen Westintegration folgte die Brandtsche Ostpolitik, die darauf abzielte, die Beziehungen der Bundesrepublik Deutschland zu den Staaten des Ostblocks zu entschärfen und zu normalisieren, um die Bundesrepublik Deutschland unter den Bedingungen der fortdauernden Teilung Europas in ein Geflecht friedenssichernder Abkommen einzubetten. Nach innen setzte Brandt dem «Keine Experimente» Adenauers ein programmatisches Bekenntnis zu «Mehr Demokratie wagen», zu Reformen und kultureller Offenheit entgegen. So fragwürdig und ideologielastig manche Entscheidungen dieser Epoche in Schule, Bildung und Erziehung auch waren, so groß waren doch die Erfolge dieser Politik, mit der die kritischen, linken und linksliberalen Köpfe dem Bonner Staatswesen zugeführt wurden, die der «restaurativen» Republik Adenauers bisher eher ferngestanden hatten und die in dem veränderten Meinungsklima der siebziger Jahre zu geistiger Dominanz gelangten. Adenauer und Brandt gehören in der Geschichte der Bundesrepublik Deutschland zusammen, ihr Wirken baute aufeinander auf, sie haben die beiden Seiten derselben Medaille geprägt.

Am Anfang der «Neuen Ostpolitik» standen allerdings nicht die Deutschen, sondern die Großen Mächte. Der US-Präsident Richard Nixon

Alle reden vom Wetter. Wir nicht. Plakat des Sozialistischen Deutschen Studentenbunds, Berlin 1973. (Entwurf: Jürgen Holtfreter) Die Politisierung der westdeutschen Studenten im Verlauf der sechziger Jahre begann mit der Kritik an dem «Bildungsnotstand» und der traditionellen Ordinarienuniversität, radikalisierte sich in Debatten über die «Dritte Welt» und den Vietnam-Krieg und kippte in antibürgerlichen Aktionismus um, als am 2. Juni 1967 bei einer Demonstration gegen den Schah von Persien in Berlin ein Student getötet wurde. Die Führung der Revolte übernahm zeitweise der «Sozialistische Deutsche Studentenbund» (SDS), der nicht nur steifleinenes marxistisches Vokabular verströmte, sondern auch zu witzig-subversiven Pointen fähig war, wie im Fall dieses politisierten Reklameslogans der Deutschen Bundesbahn.

und der sowjetische Außenminister Andrei Gromyko hatten erklärt, daß die Spannungen um Berlin durch Verhandlungen beigelegt werden sollten, und am 26. März 1970 trafen sich die Vertreter der vier Siegermächte des Weltkriegs im Berliner Kontrollratsgebäude, um ein Berlin-Abkommen auszuhandeln, das schließlich am 3. September 1971 abgeschlossen werden konnte und die Lage der Insel West-Berlin beträchtlich erleichterte. Diese neue Phase der Entspannungspolitik hätte auch eine CDU-geführte Bundesregierung nicht ignorieren können, aber die Regierung Brandt hatte weitaus geringere Hemmungen, dem Vorbild der großen Verbündeten zu folgen und sich auf Gewaltverzichtsverträge mit Moskau und Warschau einzulassen. Wie Adenauer einst die von den Westalliierten gewünschte deutsche Westintegration akzeptiert hatte, weil er von ihrer Richtigkeit tief überzeugt war, so trieb Brandt den vom amerikanischen Verbündeten gewünschten Ausgleich mit den Ostblockstaaten und der DDR besonders zügig voran, weil er selbst ihn für dringend notwendig hielt.

Die Debatte des Deutschen Bundestags über diese «Ostverträge» fand ihren Höhepunkt am 22. März 1972 und war eine Sternstunde der deutschen Parlamentsgeschichte, vergleichbar mit den großen Redeschlachten im Paulskirchenparlament um die deutsche Frage 1848 und 1849. Das erste Mal seit Jahrzehnten stritt man sich wieder darüber, was Deutschland eigentlich sei und welche Zukunft es haben sollte. Die Redner der Regierungsfraktionen priesen die Chancen, die sich durch eine «Normalisierung» zwischen Ost und West für Deutschland boten, die Sprecher der CDU-Opposition warnten vor den Gefahren. Im Mittelpunkt der Diskussion standen nicht Austausch von Botschaftern und die Gestaltung der westdeutschen Beziehungen zu Osteuropa, sondern die Zukunft Deutschlands in Europa: Ging es, wie die christlich-demokratische Opposition forderte, um den Vorrang der deutschen Wiedervereinigung «in den Grenzen von 1937», was freilich durch die Verträge ein Stück unwahrscheinlicher wurde, oder ging es, wie die Regierungskoalition wollte, in erster Linie um den Frieden und die Entspannung in ganz Europa, auch auf Kosten der deutschen Hoffnung auf Wiedervereinigung? Wollte man noch die Einheit der Nation, oder war das Ziel überholt?

Man redete von mehreren möglichen deutschen Zukünften und deshalb auch von mehreren deutschen Vergangenheiten. Vier ganz unterschiedliche Vorstellungen von der deutschen Geschichte beherrschten die Debatte. Der Oppositionssprecher Richard v. Weizsäcker meinte, alle deutsche Politik müsse darauf gerichtet sein, den deutschen Nationalstaat wieder so herzustellen, wie ihn Bismarck 1871 gegründet habe. «Ich meine», so v. Weizsäcker, anknüpfend an Ernest Renans berühmte Definition, «Nation ist ein Inbegriff von gemeinsamer Vergangenheit und Zukunft, von Sprache und Kultur, von Bewußtsein und Wille, von Staat und Gebiet. Mit allen Fehlern, mit allen Irrtümern des Zeitgeistes und doch mit dem gemeinsamen Willen und Bewußtsein hat diesen unseren Nationsbegriff das Jahr 1871 geprägt. Von daher – und nur von daher – wissen wir Heutigen, daß wir uns als Deutsche fühlen. Das ist bisher durch nichts anderes ersetzt.»

Der Widerspruch war vehement und kam aus allen Lagern. Ein Sprecher der SPD verwies auf den Unterschied zwischen Staat und Nation und erklärte, im Bismarck-Staat sei der größte Teil der Nation unterdrückt worden. Wer sich auf deutsche Geschichte berufen wolle, um die Zukunft zu gestalten, müsse an die freiheitlichen Traditionen der Bauernkriege, der Aufklärung, der Arbeiterbewegung und des Widerstands gegen Hitler anknüpfen.

Mehrere süddeutsche Redner sahen sich in völlig anderen historischen Zusammenhängen: Deutschland sei eigentlich nichts anderes als ein Bündel aus vielen Staaten, Regionen und Städten, Preußen, Bayern, Württemberg, Sachsen-Coburg-Gotha, Hamburg und vielen anderen, die sich erst sehr spät in ihrer Geschichte und dann auch nur für kurze Zeit zu einem Nationalstaat zusammengeschlossen hätten. Der Sozialdemokrat

Carlo Schmid schließlich nannte den deutschen Nationalstaat eine historisch gegebene, aber fast schon überwundene Form der Gemeinschaft, eine Vorstufe auf dem Weg zur Nation Europa.

Das schien das vorerst letzte Wort zu sein. Auf die «Ostverträge» folgte der deutsch-deutsche Grundlagenvertrag vom 21. Dezember 1972, der von der Existenz zweier deutscher Staaten ausging, «gutnachbarliche Beziehungen» zwischen beiden Seiten und die Unverletzlichkeit der deutsch-deutschen Grenze festlegte. Bald darauf wurden beide deutsche Staaten einander gleichberechtigt in die UNO aufgenommen. Zwar hatten beide Seiten im Grundlagenvertrag unterschiedliche Auffassungen «zu grundsätzlichen Fragen, darunter zur nationalen Frage», betont, aber praktisch schien die deutsche Frage dauerhaft gelöst.

Sie war es nicht. Während Politiker, Wissenschaftler und Publizisten in seltener Einigkeit darin wetteiferten, die Existenz mehrerer deutscher Staaten in Europa und die zwischen ihnen gezogene Grenze als normal, als historisch üblich, als Preis für die Hybris der NS-Zeit und jedenfalls als unvermeidliches Opfer für den Frieden der Welt zu beschreiben, starben weiter Menschen an der Mauer, verbluteten an der innerdeutschen Grenze im Kugelhagel der DDR-Grenzposten oder bei der Detonation von Tötungsautomaten und Minen. Wer von seinem Recht auf freie Ausreise Gebrauch machen wollte, festgelegt in der soeben von der DDR ratifizierten UN-Menschenrechtskonvention, mußte sich auf Schikanen, diskriminierende Behandlung der gesamten Verwandtschaft und Gefängnisstrafen gefaßt machen. Daß es eine Opposition in der DDR gab, die sich seit dem Grundlagenvertrag und der KSZE-Schlußakte von Helsinki ermutigt fühlte, die Verwirklichung der Menschenrechte und des Rechts auf Freizügigkeit einzufordern, störte die neue, pragmatische Einvernehmlichkeit der beiden deutschen Staaten. «Wandel durch Annäherung» hieß das Rezept, das Willy Brandts deutschlandpolitischer

Berater Egon Bahr bereits 1963 entwickelt hatte und das besagte, kommunistische Regime könnten nicht beseitigt, nur verändert werden. Im Verhältnis zur DDR komme es daher darauf an, das SED-Regime zu stabilisieren. Auf diese Weise werde die DDR-Regierung ihre Existenzangst verlieren und bereit sein, der Bevölkerung größere Freiheiten zu gewähren.

Die Neigung, liberale und freiheitliche Prinzipien im Umgang mit der DDR zu vernachlässigen und machiavellistisch angehauchte «Realpolitik» zu betreiben, hatte durchaus etwas für sich. Immerhin war es auf diese Weise möglich, Zehntausende politischer Häftlinge aus DDR-Gefängnissen freizukaufen und manche kleine Erleichterung im Reiseverkehr auszuhandeln. Selbst der sensationelle Rücktritt Willy Brandts am 6. Mai 1974, hervorgerufen durch eine unfaßbar dumme Agentenoperation des DDR-Ministeriums für Staatssicherheit in der Umgebung des Bundeskanzlers, änderte nichts an den offiziellen deutsch-deutschen Beziehungen. Auch die «Wende» vom 17. September 1982, als die sozialliberale Koalition zerbrach und einem schwarz-gelben Parteienbündnis unter dem CDU-Kanzler Helmut Kohl Platz machte, hatte keine Auswirkungen auf die deutsche Frage und ihre Beurteilung in westdeutschen Amtsstuben und Zeitungsredaktionen. 1987 besuchte der Staatsratsvorsitzende der DDR und Generalsekretär der SED, Erich Honecker,

Atomkraft? Nein danke!
Plakat der Bürgerinitiativen Rhein-Main-Neckar-Raum, Frankfurt/M. 1980.
Im Laufe der siebziger und achtziger Jahre erfaßte ein tiefgreifender Wertewandel Europa – der bisherige technische und ökonomische Fortschrittskult wich einem tiefen Zivilisationspessimismus. Nirgendwo zeigte sich dieser Umschwung deutlicher als in Westdeutschland, wo allenthalben Bürgerinitiativen aus dem Boden schossen, um Atomkraftwerke, Flughafenausbauten, Autobahnen und Volkszählungen zu verhindern. Das Volk, das bisher Europa das Modell obrigkeitsfrommen Gehorsams geliefert zu haben schien, machte sich nun daran, die Welt mit fast militanter Ablehnung staatlicher Autorität zu überraschen.

offiziell die Bundesrepublik Deutschland. Die Pressephotos, die die süß-sauren Mienen Kohls und Honeckers beim Abschreiten einer Ehrenfor-mation der deutschen Bundeswehr auf der ganzen Welt bekanntmachten, signalisierten Normalität und Dauerhaftigkeit der Verhältnisse in der Mit-te Europas.

In Politik und Geschichte ist nichts so dauerhaft wie das Provisorium; nichts dagegen ist so hinfällig wie ein Zustand, der für die Dauer sein soll. Die deutsche Einheit war längst auf dem Weg, als Bundeskanzler und Staatsratsvorsitzender sich noch die Hände schüttelten. Wo ihre Wieder-kehr begann, ist nicht ganz klar auszumachen – es muß irgendwo in den Wäldern Weißrußlands gewesen sein. Aus diesem Raum meldeten ame-rikanische Spionagesatelliten seit 1976 das Auftauchen sowjetischer hochmoderner, mobiler Mittelstreckenraketen. Das Beunruhigende dar-an war, daß diese Raketen Europa und Asien bedrohten, nicht dagegen Amerika. Der damalige Bundeskanzler Helmut Schmidt, anders als sein visionärer Vorgänger ein nüchterner, genau rechnender Pragmatiker, erkannte als einer der ersten westlichen Politiker, was diese Raketen mög-lich machten: Der amerikanische Nuklearschirm konnte mit ihnen unterlaufen werden, ein Krieg in Europa wäre möglich, ohne daß der amerikanische Kontinent sich bedroht fühlen mußte, eine strategische Abkoppelung Europas von den USA konnte folgen, Europa wäre poli-tisch und militärisch erpreßbar. Der sowjetische Staats- und Parteichef Leonid Breschnew schien eine Doppelstrategie zu verfolgen, hinter dem Schleier diplomatischer Freundlichkeiten baute sich eine neue Bedro-hung des strategischen Gleichgewichts auf, und der sowjetische Ein-marsch in Afghanistan Weihnachten 1979 verstärkte das westliche Mißtrauen. Der NATO-«Doppelbeschluß» war die Antwort, die Bereit-schaft, entsprechende Mittelstreckenwaffen in Westeuropa zu stationieren, um unterhalb des amerikanischen Atomschirms einen kleineren euro-päischen aufzuspannen.

Der Kampf um die Ausführung des Doppelbeschlusses tobte in der europäischen Öffentlichkeit, insbesondere in der deutschen. Der «Frie-densbewegung», die die westliche Raketenstationierung in Deutschland vehement bekämpfte und dabei Hunderttausende pazifistisch fühlender Bürger mobilisieren konnte, schlossen sich Teile der Regierungsparteien an, einer der Hauptgründe dafür, daß der Realist Helmut Schmidt, der sich seiner eigenen Partei nicht mehr sicher war, gehen mußte und von dem CDU-Vorsitzenden Helmut Kohl abgelöst wurde. Es gehört zu den Verdiensten Kohls als Bundeskanzler, daß er die «Nachrüstung» gegen den Widerstand eines erheblichen Teils der deutschen Öffentlichkeit durch-setzte, wie es ein Verdienst der «Friedensbewegung» war, daß Deutschland nicht als kriegslüstern an den Pranger gestellt werden konnte: Beides, Nachrüstung und demonstrative Friedensbereitschaft, paßte tatsächlich zusammen und bildete ein unmißverständliches Signal an Moskau.

Hinzu kam, daß die westliche Supermacht USA es seit dem Regie-rungsantritt des Präsidenten Ronald Reagan nicht bei dem Raketenpoker belassen wollte, sondern daranging, eine neue Rüstungsrunde einzuläuten. Diesmal ging es um ein Raketenabwehrsystem, das die Vereinigten Staaten immun gegen atomare Schläge machen sollte. Es war Reagans ausdrückliche Absicht, die UdSSR «totzurüsten», und in Kreisen der westlichen Intelligenz war es üblich, sich darüber zu empören und den ehemaligen Filmschauspieler im Weißen Haus lächerlich zu finden. Aber Reagans Konfrontationspolitik führte zu ungeahntem Erfolg: Die Sowjetunion hatte alles auf eine Karte gesetzt, die Rüstung bis zum äußersten vorangetrieben und damit das Land in den ökonomischen Zusammenbruch getrieben. Der sowjetische Krieg in Afghanistan, der sich unabsehbar dahinschleppte und enorme Kosten mit sich brachte, vervollständigte den Ruin.

Der neue und für sowjetische Verhältnisse noch junge Parteichef der KPdSU, Michail Sergejewitsch Gorbatschow, der 1985 die Macht in Moskau ergriff, hatte den Mut und die Weitsicht, die Schlußfolgerung aus dem Desaster zu ziehen. Die Welt lernte zwei russische Vokabeln: *Perestroika*, Umgestaltung von oben, und *Glasnost*, Transparenz in der Politik. Es ging um die Erneuerung der Sowjetunion und ihrer Führungsprinzipien, um die Wirtschaft effizient, die Politik populär, den Staat modern zu gestalten und die Sowjetmacht verjüngt in das 21. Jahrhundert zu entlassen. In mancher Hinsicht war der Generalsekretär erfolgreich. Aber es ging ihm wie vielen anderen Reformern in der Vergangenheit, die die Zügel absolutistischer und autoritärer Herrschaft lockerten, um das System zu modernisieren, und der dadurch ausgelösten Dynamik nicht Herr wurden. Wie 1789 der französische Minister Jacques Necker, der die Staatsfinanzen sanieren wollte und damit die Französische Revolution auslöste, so suchte jetzt Gorbatschow die UdSSR zu reformieren, jagte damit jedoch die Sowjetmacht in die Luft.

Das veränderte Klima in der Sowjetunion machte sich im gesamten Ostblock bemerkbar. Oppositionsgruppen wie die «Charta 77» in der Tschechoslowakei oder «Solidarnosc» in Polen wagten sich an die Öffentlichkeit und stellten fest, daß der staatliche Repressionsapparat vorsichtig geworden war. Anderswo, so in Ungarn, entdeckten die regierenden Kommunisten, oder wenigstens einige von ihnen, ihre liberalen, pluralistischen Überzeugungen und begannen, Gorbatschows Reformen zu kopieren. Die europäischen Ostblockstaaten fielen von der Sowjetunion ab, einer nach dem anderen, wobei Polen den Anfang machte. Die Geschwindigkeit, mit der das geschah, hing mit dem Medium zusammen, in dem der Abfall Osteuropas vor sich ging: Das erste Mal fand eine Revolution nicht in erster Linie auf den Straßen, sondern im Fernsehen statt. Die Demonstration in Prag lieferte dieselben Bilder wie die in Dresden oder in Warschau, denn die Prager demonstrierten, weil sie die Fernsehbilder aus Dresden in den Köpfen hatten, wie auch die Dresdener Demonstranten sich nach Warschauer Vor-Bild verhielten. Die Geschehnisse lieferten den Stoff, das Bild erzeugte seinen Gegenstand, die Revolution ging im Fernsehen vor sich, alles andere war nur noch Resultat.

Deshalb verliefen diese Umwälzungen so außerordentlich schnell, und deshalb waren sie, auch dies eine Neuheit in der Geschichte, völlig unblutig – die Demonstranten besetzten nicht die Zentralen der Machthaber, sondern die Sendeplätze im Fernsehen.

Einige Monate lang schien es dennoch so, als sei die DDR ein Fels in der Brandung, allem Unmut in der Bevölkerung zum Trotz. Das glaubte nicht nur die dort regierende Funktionärsgruppe unter der Führung Erich Honeckers, der sich blind für den Zusammenbruch des Sowjetsystems zeigte («Den Sozialismus in seinem Lauf/Hält weder Ochs noch Esel auf») und in Moskau Weichlinge und Verräter am Werk wähnte. Auch in Westdeutschland beobachtete man die zunehmende Unruhe in der DDR-Bevölkerung eher mit Besorgnis als mit Hoffnung. Kaum jemand konnte sich vorstellen, daß die Sowjetunion ihren westlichen Vorposten preisgeben würde. Die Bilder vom 17. Juni 1953 waren in aller Erinnerung, und man wußte auch, daß Egon Krenz, ein führendes Mitglied des SED-Politbüros, kürzlich in China gewesen und der dortigen Führung zu dem blutigen Massaker unter liberalen Demonstranten auf dem «Platz des Himmlischen Friedens» in Peking gratuliert hatte – so etwas konnte jetzt auch in Leipzig oder Berlin passieren.

Damit hatte man die SED-Führung auch keineswegs falsch eingeschätzt, aber falsch waren die Vermutungen über die sowjetischen Interessen. Gorbatschow war sich darüber im klaren, daß sich die SED mit ihrem sehr deutschen doktrinären Starrsinn selbst das Grab schaufelte. Darüber hinaus waren die Verbindungen zwischen der Sowjetunion und der «Westgruppe der sowjetischen Streitkräfte» in der DDR unterbrochen, seit Polen ausgeschert war. Der sowjetischen Führung blieb gar nichts anderes übrig, als die Frontlinien zu begradigen. Die Sowjetunion bereitete sich darauf vor, sich auf ihr Sanktuarium zurückzuziehen, um die zerstörerischen Widersprüche in ihrem eigenen Innern zu bewältigen, und die Staaten ihres westlichen Vorfelds nach Europa zu entlassen, in der Annahme, daß der reiche Westen die Verantwortung für das wirtschaftliche Überleben Osteuropas schon übernehmen und den sowjetischen Rückzug zudem honorieren werde.

Als im Herbst 1989 in Dresden, Berlin und Leipzig hunderttausendfach der Ruf erscholl «Wir sind das Volk», als daraus bald «Wir sind ein Volk» wurde, wandten sich die verstörten Sicherheitsbehörden an den sowjetischen Botschafter in der DDR, um militärische Rückendeckung bei einem Einschreiten gegen die Demonstranten zu fordern. Das Undenkbare geschah. Die Sowjetmacht winkte ab, und damit war es um die Herrschaft der SED geschehen. Den Todesstoß erhielt das DDR-Regime von den ungarischen Genossen, die dem mächtig anschwellenden Strom ostdeutscher Flüchtlinge die Grenze nach Westen öffneten. Was blieb den Männern um Honecker noch übrig? Am Abend des 9. November 1989 öffneten sich die Grenzübergänge an der Berliner Mauer. Die Vereinigung der beiden deutschen Staaten war unvermeidlich und kaum ein Jahr später vollbracht.

XIV. Epilog: Was ist des Deutschen Vaterland?

Wer sich seit dem Fall der Mauer in der Mitte Berlins auf den Spaziergang vom Reichstag bis zum Preußischen Landtag begibt, muß sich auf einen befremdlichen Eindruck gefaßt machen. Bisher hatte man einen schmalen, aber nur zu deutlich gekennzeichneten Pfad zurückzulegen gehabt: immer die Mauer entlang, ganz einfach. Jetzt ist die Mauer fort, und der Spaziergänger bewegt sich vom Pariser Platz über den Potsdamer zum Leipziger Platz wie in einer surrealistischen Traumlandschaft: ringsum Steppengelände, hier und da ein stehengebliebenes Haus, Trümmer, Schutt, irgendwo unter den Füßen immer noch die alten Maulwurfsgänge des Führerbunkers. Die Armada der Baumaschinen, die eine neue hauptstädtische Mitte in den märkischen Sand pflanzen sollen, verstärkt nur den Eindruck: Die Landschaft ist überwältigend offen, kein Trampelpfad, kein Wegweiser zeigt vorerst die Richtung an.

Die neue Offenheit in der Mitte Berlins hat Ähnlichkeiten mit der geistigen Landschaft, in welche die Deutschen sich überraschend versetzt finden. Jetzt erst wird deutlich, wie bequem es sich in der scheinbar so stabilen Nachkriegswelt hatte einrichten lassen. Die intellektuellen Diskussionen über Vergangenheit und Zukunft Deutschlands und Europas wurden vor dem Hintergrund einer politischen Konstellation geführt, in der die einzigen wirklichen Veränderungen von der Dritten Welt ausgingen, während die beiden hegemonialen Weltsysteme der nördlichen Erdhälfte sich wie zwei Skorpione in einer Flasche gegenseitig in Schach hielten, einander in dauerhafter Starre verbunden. Dazwischen zwei Deutschlands, auf doppelte Weise festbetoniert: zum einen in ihrer Frontlage im Kalten Krieg, zum anderen in ihrer besonderen historischen Verantwortung dafür, daß diese Nachkriegsordnung überhaupt möglich geworden war.

Wir sind ein Volk, Pappe, bemalt, Herbst 1989. Anfang November 1989 gingen in Leipzig, Dresden und Ost-Berlin Hunderttausende auf die Straßen. Der anfängliche Ruf «Keine Gewalt» wurde bald von dem Ruf übertönt: «Wir sind das Volk!» Das zielte noch auf die Beseitigung der SED-Diktatur und die Reform der DDR; doch mit der Öffnung der Grenze am 9. November 1989 schlug die Losung um in den Ruf: «Wir sind ein Volk!» Die große Mehrheit der DDR-Bevölkerung wünschte jetzt keine «andere» DDR mehr, sondern die deutsche Einheit. Viele hofften darauf, weil sie die schnelle Anpassung ihres Lebensstandards an westliche Verhältnisse erwarteten, andere fürchteten, daß die kurzfristige Vereinigungschance durch Veränderungen in der Sowjetunion zunichte gemacht werden könnte. Der von der ostdeutschen Bevölkerung ausgeübte Erwartungsdruck beschleunigte die Vereinigung Deutschlands beträchtlich.

Aus dieser Lage ergaben sich für die deutsche Vergangenheit wie für die Zukunft besondere Perspektiven. Die Geschichte des deutschen Nationalstaats hatte in Schreck und Schande geendet, die Zukunft lag für die einen in einem idealistisch erträumten Europa, das mit der wirklichen

Europäischen Gemeinschaft oft wenig zu tun hatte, für die anderen in der romantischen Idylle von Regionen und Heimaten; ein bundesdeutscher Verfassungspatriotismus, der die nationalen Traditionsbindungen ersetzen sollte, blieb ein kaltes Ding in den Köpfen einiger weniger kluger Menschen. Vierzig Jahre lang hatte bei allen Disputen über die deutsche Vergangenheit in einem Punkt weitgehende Einigkeit bestanden: Der Nationalstaat der Deutschen war ein von der Geschichte geprüfter und als ungeeignet abgelehnter Entwurf gewesen.

Das hat sich geändert: schnell, radikal, unerwartet und bisher kaum begriffen. Ausgerechnet die Deutschen haben mit der Verwandlung Europas die Chance erhalten, ihren Nationalstaat ein zweitesmal zu gründen. Und weil trotz des jahrzehntelangen offiziellen Wiedervereinigungs-Pathos das neue deutsche Staatswesen nie wirklich gedacht und selten gewollt worden ist, finden sich die Deutschen jetzt auf freiem Felde wieder wie die Spaziergänger über dem Führerbunker in Berlins Mitte. Da liegt es nahe, sich der Leitung durch historische Erfahrung zu überlassen. Die geschichtliche Parallele ergibt sich auch ohne weiteres, mit der Offenheit der europäischen Zukunft ebenso wie mit dem erneuten Zusammenschluß der «Deutschländer» – *les Allemagnes*, wie die Franzosen sagen – zu einem Deutschland inmitten Europas: Die Wiederkehr des 19. Jahrhunderts steht, so scheint es, auf der Tagesordnung, genauer: die Neuauflage einer Konstellation, wie sie unmittelbar nach dem Zusammenbruch des napoleonischen Reichs, vor der erneuten Befestigung des europäischen Gleichgewichts durch den Wiener Kongreß, bestanden hatte.

Damals hatte sich die Idee der deutschen Nation in der Konfrontation mit dem französischen Nationalismus im deutschsprachigen Mitteleuropa ausgebreitet, war im Massenrausch der Freiheitskriege zur sinnlich erfahrbaren Wirklichkeit geworden, und zum Wunsch nach einem modernen Nationalstaat, wie ihn Franzosen und Engländer hatten, war es nur noch ein Schritt. Dieses Staatswesen ließ allerdings auf sich warten, schien immer wieder greifbar nah, um sich dann im Widerstreit zwischen Preußen und Österreich, dem Egoismus der Einzelstaaten und ihrer Herrscher und vor allem unter dem Druck der übrigen europäischen Staaten immer wieder ins Illusionäre zu verflüchtigen. Und hinzu kam das, was man die «deutsche Frage» nannte: Wie dieses Deutschland verfaßt sein sollte, welches seine Grenzen waren, welche Aufgaben es besaß und welche Rolle es in Europa spielen sollte – alles das war völlig unklar. Die kleindeutsche Staatsgründung mit Hilfe der preußischen Bajonette und als Bündnis der deutschen Fürsten kam 1871 fast zufällig zustande, Resultat in erster Linie eines vorübergehenden Verstummens des europäischen Konzerts, des Auseinanderrückens der Flügelmächte England und Rußland in der Folge des Krimkriegs; von einem vorherbestimmten Weg zur deutschen Einheit kann ernsthaft keine Rede sein.

Hat sich also, im großen und ganzen, ein Kreis geschlossen, stehen wir wieder da wie einst, hinter uns der Sturz eines dualistischen Hegemonialsystems, vor uns die undeutliche Aussicht auf eine neue und hervorgehobene Rolle der Deutschen in einem neugeordneten Europa? Besteht wieder eine Konstellation, in der die nationalen Ambitionen der Deutschen nur auf Kosten der europäischen Nachbarn erfüllt werden können? Und sind es wieder die Denker der Nation, die Philosophen, vor allem aber die Historiker, die sich daranmachen, solche nationalen Alleingänge aus der Vergangenheit heraus zu begründen, Mythen zu erschaffen, und so einem neuen und verhängnisvollen deutschen Sonderbewußtsein Vorschub leisten? Ist die deutsche Geschichte die Wiederkehr des Immergleichen?

Wenn das so wäre, dann hätten diejenigen recht, die jetzt dazu neigen, die Hoffnungen, Frustrationen, Vergeblichkeiten und Zusammenbrüche der deutschen Geschichte des vergangenen Jahrhunderts in unsere Zukunft zu projizieren und aus dem Katastrophenweg des ersten deutschen Nationalstaats düstere Prognosen für die Zukunft des zweiten abzuleiten. Wir kennen sie, die alte Furcht vor der ewiggleichen Anfälligkeit der Deutschen für einen übersteigerten, aggressiven Nationalismus, scheinbar unverrückbarer Bestand unseres Nationalcharakters.

Doch diese Furcht ist unbegründet. Der deutsche Sonderweg, das deutsche Sonderbewußtsein sind an ihrem Ende angelangt. Denn in mehrfacher Hinsicht hat sich, nicht das erstemal in der deutschen Geschichte, ein abrupter Abbruch mächtiger historischer Kontinuitäten ereignet, und mit ihm das Ende der entscheidenden Voraussetzungen für jene Gefährdungen der deutschen politischen Kultur, die im 19. Jahrhundert und in der ersten Hälfte des 20. zu einem neurotisch übersteigerten, systemsprengenden Nationalismus geführt haben.

In zumindest vierfacher Hinsicht unterscheidet sich die deutsche Gegenwart grundlegend von der deutschen Vergangenheit:

1. Zum erstenmal in der Geschichte ist der deutsche Nationalstaat «gesättigte Gegenwart», wie sich Ernest Renan im Blick auf das französische Staatswesen ausdrückte. Bisher galt das Diktum Nietzsches: «Die Deutschen sind von vorgestern und von übermorgen – sie haben noch kein Heute.» Das lag daran, daß seit der Entstehung der Nationalstaatsidee in Deutschland am Beginn des 19. Jahrhunderts Nation und Staat stets auseinandergetreten waren. Die frühen Anhänger der Nationalbewegung hatten von der Wiederkehr des mittelalterlichen Reichs geträumt, unter deutscher Führung, aber einschließlich Böhmens und Oberitaliens; das kleindeutsche Bismarck-Reich galt vielen nur als Abschlagszahlung auf die Verwirklichung eines großdeutschen Reichs. Die Weimarer Republik zerrieb sich im Kampf um die Revision des Versailler Vertrags und der deutschen Ostgrenze, der Teilstaat Bundesrepublik Deutschland hatte die Wiederherstellung der Grenzen von 1937 zum politischen Imperativ erhoben: Nie war die jeweilige staatliche Hülle genug, sie war stets Provisorium, Durchgangsstadium auf dem Weg zu einer Utopie, die nur gewaltsam oder gar nicht verwirklicht werden konnte. Daher die besonderen neurotischen Ausdrucksformen des deutschen Nationalismus und der deutschen Identitätssuche. Das ist jetzt zu Ende. Seit

dem 3. Oktober 1990 ist die Bundesrepublik Deutschland die einzige denkbare staatliche Hülle der deutschen Nation, ohne jede legitime Konkurrenz in den Köpfen der Bürger. Die Frage Ernst Moritz Arndts «Was ist des Deutschen Vaterland?» ist erstmals in der deutschen Geschichte unmißverständlich und dauerhaft beantwortet.

2. Zum erstenmal in ihrer Geschichte können die Deutschen beides ganz haben: Einheit und Freiheit. Seit dem Beginn der Moderne hatte es so ausgesehen, als sei das nicht möglich, als könnten die Deutschen von der Freiheit und der Einheit immer nur das eine ganz, das andere allenfalls verkrüppelt bekommen. Dem «Vertrag zur deutschen Einheit» von 1990 zufolge soll die Präambel des Grundgesetzes geändert werden. An die Stelle der Aufforderung an das deutsche Volk, die Einheit und Freiheit Deutschlands zu vollenden, tritt künftig der Satz: «Damit gilt dieses Grundgesetz für das gesamte deutsche Volk.»

Das heißt: die alte Diskussion darüber, ob die Identität der Deutschen durch nationale Tradition oder durch Verfassungsbindung bestimmt sei, eine Diskussion, die sich vom Vormärz bis zum sogenannten Historikerstreit gezogen hat: diese Diskussion hat sich erledigt. Künftig ist der deutsche Nationalstaat das Gehäuse für die freiheitlichen Institutionen des Grundgesetzes. Beides fällt von jetzt an in eins.

3. Zum erstenmal in ihrer Geschichte haben sich die Deutschen nicht gegen ihre Nachbarn, sondern mit deren Zustimmung zusammengeschlossen. Das vereinigte Deutschland wird nicht mehr als Störenfried Europas wahrgenommen. Bei allen verständlichen historisch begründeten Reminiszenzen, bei allen Befürchtungen angesichts der wirtschaftlichen und demographischen Ballung in der Mitte des Kontinents: Deutschland wird als notwendiger Bestandteil des europäischen Systems, aber auch als künftige Großmacht akzeptiert. Der Grund dafür ist klar: Deutschland ist in mehrere wirtschaftliche, militärische und politische Vertragssysteme eingebunden, und diese Einbindung ist nicht mehr rückgängig zu machen. Die Folgerung daraus liegt auf der Hand: Im Interesse Deutschlands wie Europas muß die europäische Einigung vorangetrieben werden, damit nie wieder eine Konstellation entsteht, in der Deutschlands Macht für die Völkergemeinschaft unberechenbar würde.

4. Zum erstenmal in seiner Geschichte ist der deutsche Nationalstaat unwiderruflich an den Westen gebunden. Gerade der Umsturz in der DDR hat aller Welt gezeigt, daß die Menschen in Ostdeutschland nicht nur der wirtschaftlichen Ordnung, sondern auch der politischen Kultur des Westens angehören wollen. Das ist neu; bisher war es für die politische Kultur Deutschlands kennzeichnend gewesen, daß das Land auf beiden Seiten des Limes, der Main- und der Elbegrenze lag, zum lateinischen Westen mitsamt seiner Renaissance und Aufklärung ebenso gehörte wie zum jüngeren, germanisch-slawischen Osten. Daß die politischen Errungenschaften der neuen Zeit, Volkssouveränität, Parlamentarismus, Menschenrechte, dem Westen angehörten, der Westen aber in Gestalt Napoleons als Feind in Deutschland erschien, hatte schwerwiegende

Konsequenzen. Denn Deutschland entwickelte seine nationale Identität gegen das «korsische Ungeheuer», gegen Frankreich und den Westen. Das hat dazu geführt, daß in allen deutschen Krisenlagen, in denen nationales Bewußtsein virulent war, massenhafte antiwestliche Ressentiments lebendig wurden. Daraus ergab sich eine politisch höchst folgenreiche Ablehnung der westlichen politischen Kultur mitsamt der dazugehörigen Institutionen und Normen.

Die Erfolgsgeschichte der deutschen Integration in die westlichen Bündnisse nach dem Zweiten Weltkrieg, verbunden mit dem «Wirtschaftswunder», hat Deutschland erst eigentlich zu einem Teil des Westens werden lassen. Dafür spricht nicht nur die beträchtliche Stabilität der demokratischen Institutionen, sondern auch die Selbstverständlichkeit, mit der die Deutschen sich die nordatlantische Kultur bis in ihre trivialsten Aspekte hinein zu eigen gemacht haben. Heute sind diejenigen, die in Deutschland den Einrichtungen wie der Kultur der westlichen parlamentarischen Demokratie fremd gegenüberstehen und politischen, kulturellen und wirtschaftlichen Sonderwegträumen nachhängen, eine politisch aussichtslose Minderheit.

Das alles spricht für die Annahme, daß wir uns in einer für die deutsche Geschichte gänzlich neuen Situation befinden, die ein neues Nachdenken über die Nation und ihre Bedeutung in der deutschen und europäischen Geschichte und Zukunft nicht nur erlaubt, sondern auch fordert. Es wird nun klarer erkennbar, daß der moderne Nationalstaat, wie er mit der amerikanischen und der französischen Revolution seit dem ausgehenden 18. Jahrhundert ins Leben getreten ist, aus der Perspektive der Nachkriegs-Bundesrepublik in aller Regel falsch eingeschätzt worden ist – kein Wunder, nachdem das Experiment des ersten deutschen Nationalstaats von Bismarck bis Hitler so katastrophal fehlgeschlagen war. Im übrigen hatte der bundesrepublikanische Stolz darauf, den Nationalstaat ad acta gelegt zu haben und deshalb den anderen Europäern auf dem Weg nach Europa um einiges voraus zu sein, Ähnlichkeit mit der Geschichte vom Fuchs und den Trauben.

Nun haben wir ihn von neuem, den Staat der deutschen Nation, wenn auch seine innere Gründung noch viel Zeit und Geduld erfordern wird. Aber gerade hier zeigt sich, wie notwendig dieses Staatswesen ist – nur in nationaler Solidarität sind die schweren inneren Verwerfungen Deutschlands in absehbarer Zeit auszugleichen. Und beweist nicht der Blick auf unsere westlichen und nördlichen Nachbarn, daß es seit dem 19. Jahrhundert der Nationalstaat, und nur er, vermocht hat, dauerhaften demokratischen Institutionen eine stabile Hülle zu sein? Die Abgesänge auf den Nationalstaat waren voreilig; solange nicht die entsprechenden demokratisch legitimierten Institutionen auf europäischer Ebene bereitstehen, gibt es zum Nationalstaat keine erkennbare Alternative, und auch nach dem Entstehen eines europäischen Staatswesens wird eine Reihe staatlicher Aufgaben weiterhin auf den nationalen Ebenen erfüllt werden müssen. Die westlichen Nationalstaaten haben sich im Laufe der letzten 150

Jahre gewandelt, sie haben an Souveränität und Autonomie ebenso verloren wie an Ausschließlichkeit des Loyalitätsanspruchs an ihre Bürger. Der Nationalstaat ist weniger wichtig, er ist aber keineswegs überflüssig geworden.

Daß die zweite Gründung eines Staats der Deutschen unter weitaus glücklicheren Vorzeichen steht als die erste, begründet die Zuversicht, daß Deutschland sich diesmal innerhalb seiner europäischen Bindungen in eine westliche Normallage einpendeln wird. Das heißt nicht, daß uns nicht möglicherweise ökonomische und politische Krisen ins Haus stehen, in denen tiefgreifende innere Gegensätze und Auseinandersetzungen ausbrechen können. Aber die Anzeichen mehren sich, daß diese Auseinandersetzungen weniger verquält und überspannt geführt werden als bisher, daß insbesondere antidemokratische Kräfte mit weitaus weniger Zulauf rechnen können, als dies in früheren Krisen der Fall gewesen ist. Wo die wichtigsten Ursachen für die politisch-kulturelle Krankheit der europäischen Mitte in den vergangenen 150 Jahren verschwunden oder unwichtiger geworden sind, besteht nicht nur die Aussicht auf dauerhafte Stabilität der demokratischen Institutionen, sondern auch auf eine gelassenere Betrachtungsweise und Tonlage in den öffentlichen Angelegenheiten des deutschen Nationalstaats – eines westlichen Staatswesens wie andere auch. Die «deutsche Frage», die so lange die Deutschen wie die Europäer beunruhigt hat, ist beantwortet: Wir wissen jetzt, was Deutschland ist, was es sein kann und was es sein soll.

Hinweise zur Literatur

Wer mehr über deutsche Geschichte erfahren möchte, scheitert leicht an der schieren Masse einschlägiger Literatur. Der interessierte Leser findet im folgenden einige bibliographische Hinweise, die ihm helfen sollen, einen Pfad durch das literarische Gestrüpp zu schlagen. Unvermeidlicherweise erfassen die genannten Titel bei weitem nicht das ganze Thema, auch können sie nicht die ganze Spannweite der Forschung repräsentieren; wie jede Auswahl ist auch diese in gewisser Hinsicht subjektiv.

Alle Suche nach Quellen und Literatur zur deutschen Geschichte beginnt mit Winfried Baumgart, *Bücherverzeichnis zur deutschen Geschichte: Hilfsmittel, Handbücher, Quellen*, Neuaufl. München 1994.

Was die einführenden Handbücher angeht, so ist vor allem zu nennen: Gebhardt, *Handbuch der deutschen Geschichte*, hrsg. v. Herbert Grundmann, 4 Bde., 9., neu bearb. Aufl. Stuttgart (Klett-Cotta) 1970–1973. Die zehnte, vollständig neu verfaßte Auflage soll in absehbarer Zeit erscheinen.

Knappe Ereignisdarstellungen, aber ausführliche Darlegungen des Forschungsstandes sowie umfangreiche Bibliographien bietet die Reihe *Grundriß der Geschichte*, hrsg. v. Jochen Bleicken u.a., 20 Bde., München/Wien (Oldenbourg) 1984 ff. Ähnlich aufgebaut, aber nicht chronologisch, sondern thematisch gegliedert ist die *Enzyklopädie deutscher Geschichte*, hrsg. v. Lothar Gall u.a., München/Wien (Oldenbourg) 1990 ff.; die Reihe umfaßt bereits knapp 40 Bände, ist aber auf einen erheblich größeren Umfang angelegt.

An vielbändigen, ausführlichen, überwiegend gut lesbaren Gesamtdarstellungen zur deutschen Geschichte ist kein Mangel – darunter Werke von klassischem Rang. Zu nennen sind hier: *Deutsche Geschichte*, 12 Bde., erw. u. verb. Neuauflage Berlin (Siedler) 1994; *Propyläen Geschichte Deutschlands*, 9 Bde., Berlin 1983–1995; *Neue Deutsche Geschichte*, hrsg. v. Peter Moraw u.a., 10 Bde., München (C.H. Beck) 1989; *Deutsche Geschichte*, hrsg. v. Joachim Leuschner, 10 Bde., Göttingen (Vandenhoeck & Ruprecht) 1982–1994; sowie zur deutschen Geschichte der letzten 200 Jahre: *Deutsche Geschichte der neuesten Zeit*, hrsg. v. Martin Broszat u.a., 30 Bde., München (dtv) 1984 ff.

Diese Handbücher und Reihenwerke führen bereits sehr weit in die Abläufe, Ereignisse und Zusammenhänge der deutschen Geschichte ein; sie alle sind zudem mit guten Bibliographien ausgestattet. Zu den einzelnen Aspekten der deutschen Geschichte seien noch einige zusätzliche Titel genannt, die außerhalb der großen Reihenwerke erschienen sind:

Mittelalter

Hartmut Boockmann, *Einführung in die Geschichte des Mittelalters*, München[3]1985

Ders., *Die Stadt im späten Mittelalter*, München 1986

Arno Borst, *Lebensformen im Mittelalter*, Frankfurt/M., Neuausgabe 1984

Philipp Dollinger, *Die Hanse*, Stuttgart [4]1989

Frantisek Graus, *Pest, Geissler, Judenmorde: Das 14. Jahrhundert als Krisenzeit*, Göttingen 1987

Franz Hubmann, *Deutsche Könige, Römische Kaiser. Der Traum vom Heiligen römischen Reich deutscher Nation, 800–1806*, Wien 1987

Hans K. Schulze, *Grundstrukturen der Verfassung im Mittelalter*, 2 Bde., Stuttgart 1985

Frühe Neuzeit

Ilja Mieck, *Europäische Geschichte der Frühen Neuzeit*, Stuttgart ²1977

Ernst Hinrichs, *Einführung in die Geschichte der Frühen Neuzeit*, München 1980

Geoffrey R. Elton, *Europa im Zeitalter der Reformation 1517–1559*, München ²1982

Johannes Kunisch, *Absolutismus. Europäische Geschichte vom Westfälischen Frieden bis zur Krise des Ancien Régime*, Göttingen 1986

Paul Hazard, *Die Krise des europäischen Geistes 1618–1715*, Hamburg 1939

Horst Möller, *Vernunft und Kritik. Deutsche Aufklärung im 17. und 18. Jahrhundert*, Frankfurt/M. 1986

Heinz Duchhardt, *Gleichgewicht der Kräfte, Convenance, Europäisches Konzert*, Darmstadt 1976

Karl Otmar v. Aretin, *Das Reich. Friedensgarantie und europäisches Gleichgewicht 1689–1806*, Stuttgart 1986

Reinhart Koselleck, *Preußen zwischen Reform und Revolution*, Stuttgart ³1987

19. Jahrhundert

Gerhard Ritter, *Staatskunst und Kriegshandwerk. Das Problem des «Militarismus» in Deutschland*, 4 Bde., München 1964 ff.

Thomas Nipperdey, *Deutsche Geschichte 1800–1866. Bürgerwelt und starker Staat*, München 1983

Ders., *Deutsche Geschichte 1866–1918*, Bd. I: *Arbeitswelt und Bürgergeist*, München 1990

Ders., *Deutsche Geschichte 1866–1918*, Bd. II: *Machtstaat vor der Demokratie*, München 1992

Klaus Hildebrand, *Das vergangene Reich. Deutsche Außenpolitik von Bismarck bis Hitler, 1871–1945*, Stuttgart 1995

Gordon A. Craig, *Deutsche Geschichte 1866–1945. Vom Norddeutschen Bund bis zum Ende des Dritten Reiches*, München 1980

20. Jahrhundert

Paul M. Kennedy, *The Rise of Anglo-German Antagonism 1860–1914*, London 1980

Fritz Fischer, *Griff nach der Weltmacht. Die Kriegszielpolitik des kaiserlichen Deutschland 1914–1918*, Düsseldorf 1961

Heinrich August Winkler, *Weimar 1918–1933*, München ²1993

Francis L. Carsten, *Reichswehr und Politik 1918–1933*, Köln/Berlin 1966

Karl Dietrich Bracher, *Die Auflösung der Weimarer Republik*, Villingen ⁵1971

Henry A. Turner, *Die Großunternehmen und der Aufstieg Hitlers*, Berlin 1985

Ernst Nolte, *Der Faschismus in seiner Epoche*, Köln 1963

Peter Hoffmann, *Widerstand–Staatsstreich–Attentat. Der Kampf der Opposition gegen Hitler*, Berlin 1974

Andreas Hillgruber, *Deutsche Geschichte 1945–1982. Die «deutsche Frage» in der Weltpolitik*, Stuttgart ⁵1985

Heinrich August Winkler, *Der lange Weg nach Westen*, 2 Bde., München 2000

Wirtschafts- und Sozialgeschichte

Wilhelm Abel, *Massenarmut und Hungerkrisen im vorindustriellen Europa. Versuch einer Synopsis*, Berlin/Hamburg 1974

Fernand Braudel, *Sozialgeschichte des 15.–18. Jahrhunderts*, 3 Bde., München 1986

Otto Brunner, *Sozialgeschichte Europas im Mittelalter*, Göttingen 1978

Edith Ennen, *Frauen im Mittelalter*, München ⁵1994

David S. Landes, *Der entfesselte Prometheus*, Köln 1973

Hans-Ulrich Wehler, *Deutsche Gesellschaftsgeschichte*, 4 Bde. (davon bisher 3 erschienen), München 1987 ff.

Knut Borchardt, *Die Industrielle Revolution in Deutschland*, München 1972

Harold James, *Deutschland in der Weltwirtschaftskrise 1924–1936*, Stuttgart 1988

Eric Lionel Jones, *Das Wunder Europa*, Tübingen 1991

Biographien

Heiko A. Oberman, *Luther. Mensch zwischen Gott und Teufel*, Berlin 1981

Karl Brandi, *Kaiser Karl V.*, Frankfurt/M. ⁸1986

Theodor Schieder, *Friedrich der Große. Ein Königtum der Widersprüche*, Frankfurt/M. u. a. 1983

Karl Gutkas, *Joseph II.*, Wien 1989

Jean Tulard, *Napoleon oder der Mythos des Retters*, Tübingen 1978

Heinz Gollwitzer, *Ludwig I. von Bayern. Eine politische Biographie*, München 1986

Lothar Gall, *Bismarck. Der weiße Revolutionär*, Frankfurt/M./Berlin/Wien 1980

Hagen Schulze, *Otto Braun oder Preußens demokratische Sendung. Eine Biographie*, Frankfurt/M./Berlin/Wien 1977

Joachim C. Fest, *Hitler. Eine Biographie*, Frankfurt/M./Berlin/Wien 1973

Ian Kershaw, *Hitler*, 2 Bde., Stuttgart 1998, 2000

Abbildungsnachweise

Bilder

Sämtliche Abbildungen: Deutsches Historisches Museum, Berlin, mit Ausnahme von: *Abb. S. 11* Musée de l'Œuvre Notre-Dame, Straßburg; *Abb. S.14/15* Bayerische Staatsbibliothek, Handschriftenabteilung, München; *Abb. S.17* Scala, Antella bei Florenz; *Abb. S. 18* Münchner Stadtmuseum, Fotomuseum; *Abb. S. 27* Archiv für Kunst und Geschichte, Berlin.

Grafiken

S. 32 H. Stoob: Kartographische Möglichkeiten zur Darstellung der Stadtentstehung in Mitteleuropa, besonders zwischen 1450 und 1800, in: H. Stoob: Forschungen zum Städtewesen in Europa, Bd. I, Köln 1970, S. 21; *S. 38* F.-W. Henning: Das vorindustrielle Deutschland 800–1800, Paderborn 1974, S. 19; *S. 74* H. Möller: Fürstenstaat oder Bürgernation. Deutschland 1763 bis 1815, Berlin 1989, S. 100; *S. 98* F.-W. Henning: Die Industrialisierung in Deutschland 1800 bis 1914, Paderborn 1973, S. 53; *S. 100* H. Lutz: Zwischen Habsburg und Preußen. Deutschland 1815–1866, Berlin 1985, S. 156; *S. 112* Ploetz: Raum und Bevölkerung in der Weltgeschichte, Teil III, Würzburg ²1958, S. 162, 226; *S. 136* W. Woytinsky: Die Welt in Zahlen, Bd. I, Berlin 1925, S. 132 f.; *S. 150* E. J. Hobsbawm: Industrie und Empire. Britische Wirtschaftsgeschichte ab 1750, Frankfurt/M. 1969, S. 169; *S. 172* R. Berg, R. Selbmann: Grundkurs deutsche Geschichte. Ein Lehr- und Arbeitsbuch für die Kollegstufe in Bayern, Bd. 2: 1918 bis zur Gegenwart, Frankfurt/M. ²1988, S. 58; *S. 177* H. Schulze: Weimar. Deutschland 1917–1933, Berlin 1982, S. 42; *S. 207* H.-U. Thamer: Verführung und Gewalt. Deutschland 1933–1945, Berlin 1986, S. 576.

Karten

Vorsatz vorne: Bayerische Staatsbibliothek, Kartensammlung, München; *Vorsatz hinten:* © RV Reise- und Verkehrsverlag, Kartengrundlage aus Großer Weltatlas; *Abb. S. 50* Nach F.-J. Schütz (Hrsg.): Geschichte. Dauer und Wandel. Von der Antike bis zum Zeitalter des Absolutismus, Frankfurt /M., S. 284 (Umsetzung Kartographie Huber, München); *Abb. S. 110* Nach H. Lutz: Zwischen Habsburg und Preußen. Deutschland 1815–1866, Berlin 1985, S.329 (Umsetzung Kartographie Huber, München); *Abb. S.214* Nach H.-U. Thamer, Verführung und Gewalt. Deutschland 1933–1945, Berlin 1986, S. 707 (Umsetzung Kartographie Huber, München); *Abb. S.215* Nach ebenda, S. 690 (Umsetzung Kartographie Huber, München).

Personenregister

271

Buchanzeigen

Deutsche Geschichte

Hans-Ulrich Wehler
Deutsche Gesellschaftsgeschichte

Band 1: Vom Feudalismus des Alten Reiches bis zur
Defensiven Modernisierung der Reformära. 1700–1815
3. Auflage. 1996. XII, 676 Seiten. Leinen

Band 2: Von der Reformära bis zur industriellen und
politischen «Deutschen Doppelrevolution». 1815–1845/49
3. Auflage. 1996. XII, 914 Seiten. Leinen

Band 3: Von der «Deutschen Doppelrevolution» bis
zum Beginn des Ersten Weltkrieges. 1849–1914
1995. XVIII, 1515 Seiten. Leinen

Band 4: Vom Beginn des Ersten Weltkrieges bis
zur zweiten deutschen Republik. 1914–1990
In Vorbereitung

Thomas Nipperdey
Deutsche Geschichte 1800–1866

Bürgerwelt und starker Staat
51. Tausend. 1994. 838 Seiten mit 36 Tabellen. Leinen

Thomas Nipperdey
Deutsche Geschichte 1866–1918

Band I: Arbeitswelt und Bürgergeist
36. Tausend. 1994. 885 Seiten. Leinen

Band II: Machtstaat vor der Demokratie
3., durchgesehene Auflage. 1995. 948 Seiten. Leinen

Verlag C.H.Beck München
www.beck.de

Deutsche Geschichte

Heinrich August Winkler
Der lange Weg nach Westen

Band 1: Deutsche Geschichte vom Ende des Alten Reiches
bis zum Untergang der Weimarer Republik
3. Auflage. 2001. VIII, 652 Seiten. Leinen

Band 2: Deutsche Geschichte vom «Dritten Reich»
bis zur Wiedervereinigung
3., durchgesehene Auflage. 2001. X, 742 Seiten. Leinen

Deutsche Erinnerungsorte I

Herausgegeben von Etienne François und Hagen Schulze
2001. 725 Seiten mit 77 Abbildungen. Leinen

Deutsche Erinnerungsorte II

Herausgegeben von Etienne François und Hagen Schulze
2001. 740 Seiten mit 78 Abbildungen. Leinen

Deutsche Erinnerungsorte III

Herausgegeben von Etienne François und Hagen Schulze
2001. Etwa 800 Seiten mit etwa 80 Abbildungen. Leinen

John C. G. Röhl
Wilhelm II.

Die Jugend des Kaisers 1859–1888
2., durchgesehene Auflage. 2001. 980 Seiten
mit 32 Abbildungen. Leinen

John C. G. Röhl
Wilhelm II.

Der Aufbau der Persönlichen Monarchie. 1888–1900
2001. Etwa 1440 Seiten mit etwa 55 Abbildungen. Leinen

Verlag C.H.Beck München
www.beck.de

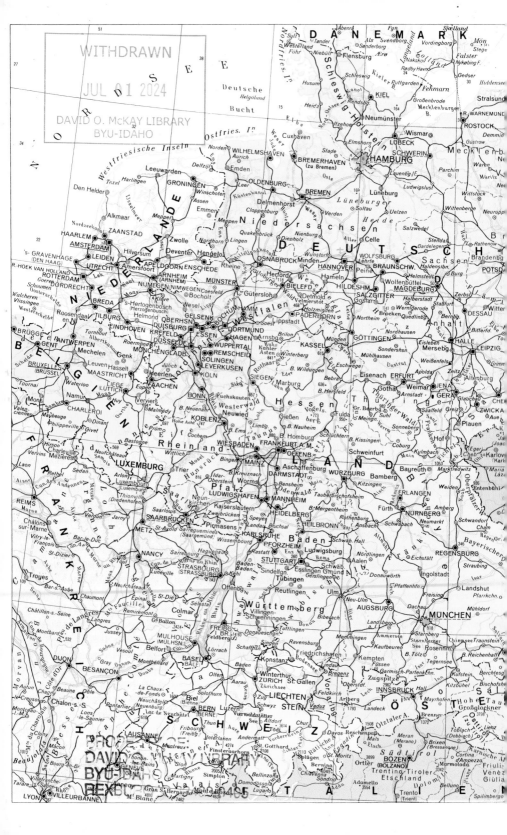